한국▪일본▪미국 속담사전

한국·일본·미국 속담사전

발 행 | 2024년 6월 10일
저 자 | 권혜원
펴낸이 | 한건희
펴낸곳 | 주식회사 부크크
출판사등록 | 2014.07.15.(제2014-16호)
주 소 | 서울특별시 금천구 가산디지털1로 119 SK트윈타워 A동 305호
전 화 | 1670-8316
이메일 | info@bookk.co.kr

ISBN | 979-11-410-8788-3

www.bookk.co.kr

CONTENT

한국속담

간이 콩알만 해졌다

간이라도 빼어 먹이겠다

갈수록 태산이라

감꼬치 빼먹듯 한다

값싼 비지떡

강 건너 불구경

강아지 메주 먹듯 한다

같은 떡도 남의 것이 커 보인다

같은 값이면 다홍치마

게 눈 감추듯 한다

개가 미치면 주인도 문다

개 같이 벌어서 정승같이 쓴다

개구리가 올챙이 적 생각 못한다

개구리 돌다리 건너듯

개 꾸짖듯 한다

개 눈에는 똥만 보인다

개도 뒤 본 자리는 덮는다

개도 먹는 개는 때리지 않는다

개도 은혜는 잊지 않는다

개똥도 약에 쓰려면 없다

개똥밭에 굴러도 이승이 좋다

개만도 못한 놈이다

개 발싸개 같다

개밥에 도토리

개 발에 주석 편자

개천에서 용 난다

개 팔자가 상팔자다

개같이 벌어서 정승같이 산다

거지발싸개 같다

걱정도 팔자

거짓말은 십 리를 못 간다

겉보리 서 말만 있으면 처가살이 하랴

겉 다르고 속 다르다

겨 묻은 개가 똥 묻은 개 나무란다

고기도 씹어야 맛을 안다

고기도 큰물에서 노는 놈이 크다

고기도 먹어 본 놈이 잘 먹는다

고니의 날개는 물에 젖지 않는다

고래 싸움에 새우 등 터진다

고생 끝에 낙이 온다

고생을 사서 한다

고슴도치도 제 새끼가 함함하다고 한다

고양이 목에 방울 달기

고양이 세수하듯

고양이 앞에 쥐

고양이 쥐 생각하네

고양이한테 생선을 맡기다

고운 정 미운 정

공든 탑이 무너지랴

공은 공이고 사는 사다

공자 앞에서 문자 쓴다

공자 왈 맹자 왈

과부는 찬물만 먹어도 살이 찐다

구더기 무서워 장 못 담글까

구슬이 서 말이라도 꿰어야 보배

굳은 땅에 물이 고인다

굼벵이도 구르는 재주가 있다
굿이나 보고 떡이나 먹지
귀신 씻나락 까먹는 소리
귀에 걸면 귀걸이, 코에 걸면 코걸이
그 나물에 그 밥
그림의 떡
그 아비에 그 자식
글 모르는 귀신 없다
급히 먹는 밥이 체한다
긁어 부스럼
금강산도 식후경
금이야 옥이야
기대가 크면 실망도 크다
기름 먹인 가죽이 부드럽다
기쁨은 나눌수록 커지고 슬픔은 나눌수록 준다
긴 병에 효자 없다
길이 아니면 가지를 말고 말이 아니면 듣지를 말라
까마귀 고기를 먹었나
까마귀 날자 배 떨어진다
까마귀밥이 된다
깨가 쏟아진다
깨소금 맛
깨물어서 아프지 않은 손가락 없다
꿀도 약이라면 쓰다
꿩 대신 닭
꿩 먹고 알 먹는다

[ㄴ]

나는 새도 떨어뜨린다

나그네 주인 쫓는 격

나는 홍범도에 뛰는 차도선

나라 없는 백성은 상갓집 개만도 못하다

나라의 쌀독이 차야 나라가 잘산다

나막신 신고 얼음지치기

나 먹자니 싫고, 개 주자니 아깝다

나무를 보고 숲을 보지 못한다

나무에 오르라하고 흔드는 격

나루 건너 배타기

나중 난 뿔이 우뚝하다

나중에 보자는 사람 무섭지 않다

나중 달아난 놈이 먼저 달아난 놈을 비웃는다

낙동강 오리알

난다 긴다 한다

낙타가 바늘구멍 찾는 격

날개 없는 봉황

남의 장단에 춤춘다

남의 떡이 커 보인다

남의 잔치에 감 놓아라 배 놓아라 한다

남의 싸움에 칼 빼기

남의 눈에 눈물 내면 제 눈에는 피눈물이 난다

남의 제사에 감 놓아라 배 놓아라 한다

낫 놓고 기역자도 모른다

낫으로 눈 가리기

낮말은 새가 듣고 밤말은 쥐가 듣는다

내 딸이 고와야 사위를 고르지

내 손톱에 장을 지져라

내 코가 석 자

냉수 먹고 이 쑤시기

냉수 먹고 속 차려라

넌덜머리가 난다

논두렁에 구멍 뚫기

놀고 먹는 밥벌레

누워서 떡 먹기

누워서 침 뱉기

눈 가리고 아옹

눈 감으면 코 베어 간다

눈덩이처럼 붇는다

눈도 깜짝 안 한다

눈 뜨고 도둑맞는다

눈먼 놈이 앞장선다

눈엣가시

눈에는 눈 이에는 이

눈에 불을 켜다

눈에 쌍심지를 켜다

눈에 콩깍지가 씌었다

눈이 시퍼렇다

눈 코 뜰 새 없다

늙어도 기생

늙으면 아이된다

늙게 된서방 만난다

늙은이 말 그른 데 없다

능구렁이가 되었다

늦게 배운 도둑이 날 새는 줄 모른다

늦잠은 가난 잠이다
늦바람이 용마름을 벗긴다

[ㄷ]
다 된 죽에 코 풀기
다 된 농사에 낫 들고 덤빈다
다람쥐 계집 얻은 것 같다
다람쥐 밤 까먹듯
다리야 날 살려라
다 먹은 죽에 코 빠졌다 한다
다 쑤어 놓은 죽
다 퍼먹은 김칫독
달걀로 바위 치기
달걀로 치면 노른자다
달면 삼키고 쓰면 뱉는다
달도 차면 기운다
달팽이도 집이 있다
닭 소 보듯, 소 닭 보듯 한다
닭은 삼 년 기르지 않고, 개는 오 년 기르지 않는다
닭의 목을 베고 잔다
닭 잡아먹고 오리발 내놓기
닭 쫓던 개 꼴이다
닭 쫓던 개 지붕 쳐다보듯
대낮에 도깨비에 홀렸나
대낮에 마른벼락
대낮의 올빼미
대동강에서 모래알 줍기
대들보 썩는 줄 모르고 기왓장 아낀다

대한이 소한의 집에 가서 얼어 죽는다
더도 말고 덜도 말고 늘 한가윗날만 같아라
더운밥 먹고 식은 말 한다
더운 죽에 파리 날아들 듯
덜미를 잡다
덜미를 잡히다
도깨비감투를 뒤집어쓰다
도깨비 놀음
도깨비를 사귀었나
도깨비방망이
도깨비 살림
도깨비장난 같다
도끼로 제 발등 찍는다
도둑이 제 발이 저리다
도둑질도 손발이 맞아야 한다
도루묵이다
도토리 키 재기
독사의 입에서 독이 나온다
독 안에 든 쥐
돈만 있으면 귀신도 부릴 수 있다
돈 빌려주고 친구 잃는다
돈에 침 뱉는 놈 없다
돈은 많아도 걱정 적어도 걱정
돈이 돈을 번다
돈이면 나는 새도 떨어뜨린다
돌다리도 두들겨 보고 건너라
동네북
동(東)에 번쩍 서(西)에 번쩍

돼지에 진주목걸이
돼지 용쓰듯 한다
돼지 코는 잘산다
되로 주고 말로 받는다
두 손뼉이 맞아야 소리 난다
둘이 먹다 하나가 죽어도 모르겠다
뒤웅박 팔자
뒷북치다
드는 줄은 몰라도 나는 줄은 안다
듣기 좋은 이야기도 늘 들으면 싫다
들고 나니 초롱꾼
들어오는 복도 차 던진다
등잔 밑이 어둡다
등잔불에 콩 볶아 먹을 놈
땅 짚고 헤엄치기
때리는 시어머니보다 말리는 시누이가 더 밉다
떡 본 김에 제사 지낸다
떡 줄 사람은 꿈도 안 꾸는데 김칫국부터 마신다
뛰어야 벼룩
똥구멍이 찢어지게 가난하다
똥이 무서워 피하나 더러워서 피하지

[ㅁ]
마누라 자랑은 말아도 병 자랑은 하랬다
마룻구멍에도 볕 들 날이 있다
마른하늘에 날벼락
마파람에 게 눈 감추듯
마른하늘에 벼락 맞는다

만나자 이별

말똥도 세 번 굴러야 제자리에 선다

말만 잘하면 천 냥 빚도 갚는다

말 속에 가시가 있다

말은 적을수록 좋다

말은 청산유수다

말은 타 봐야 알고, 사람은 친해 봐야 안다

말이란 아 해 다르고 어 해 다르다

말이 많으면 실패가 많다

말 탄 거지

말이 씨가 된다

맑은 하늘에 벼락 맞겠다

망건 쓰고 세수한다

맞장구치다

매도 같이 맞으면 낫다

매도 먼저 맞는 놈이 낫다

맨발로 바위 치기

맵고 차다

머리를 깎였다

머슴을 살아도 부잣집이 낫다

머슴이 머슴을 부린다

머슴이 삼 년 되면 주인마님을 부리려고 한다

먹고도 굶어 죽는다

먹고 죽은 귀신은 때깔도 좋다

먹어 보지도 않고 맛없다고 한다

먹는 개는 짖지 않는다

먼 데 일가가 가까운 이웃만 못하다

먼저 먹는 놈이 임자

며느리가 미우면 손자까지 밉다

며느리들 싸움이 형제 싸움이 된다

메뚜기도 유월이 한철이다

모기도 낯짝이 있지

모기도 모이면 천둥소리 난다

모깃소리만 하다

모난 돌이 정 맞는다

모래 위에 물 쏟는 격

모로 가도 서울만 가면 된다

모르면 약이요 아는 게 병

모양내다 얼어 죽겠다

목구멍에 풀칠한다

목구멍이 포도청

목석(木石) 같다

목이 말라야 우물을 판다

목마른 놈이 우물 판다

못난 자식이 조상 탓한다

못된 송아지 엉덩이에 뿔이 난다

못 먹는 떡 개 준다

못 먹는 감 찔러나 본다

무병이 장자(長者)

무식하면 손발이 고생한다

무자식이 상팔자

묵은 낙지 꿰듯

물고기도 제 놀던 물이 좋다 한다

물에 빠지면 지푸라기라도 잡는다

물에 빠진 놈 건져 놓으니까 망건값 달라 한다

물에 빠진 생쥐

물 찬 제비다

미꾸라지 용 됐다

미운 놈 떡 하나 더 주고, 우는 놈 한 번 더 때린다

미운 일곱 살

미운털이 박혔나

미친개는 주인도 문다

미친개 패듯

미친년 널뛰듯

미운 아이 떡 하나 더 준다

민심은 천심

믿는 도끼에 발등 찍힌다

밑구멍으로 호박씨 깐다

밑 빠진 독에 물 붓기

밑이 구리다

밑천도 못 건지는 장사

[ㅂ]

바가지 긁는다

바가지 썼다

바깥바람을 쐬다

바늘 가는 데 실 간다

바늘구멍으로 하늘 보기

바늘 도둑이 소도둑 된다

바늘로 찔러도 피 한 방울 안 난다

바늘방석에 앉은 것 같다

바늘 잃고 도끼 낚는다

바닷가에서 짠 물 먹고 자란 놈이다

바닷물 고운 것과 계집 고운 것은 탈나기 쉽다

바람 앞의 등불

바람을 넣다

박을 탔다

반가운 손님도 사흘

발 없는 말이 천 리 간다

발가락의 티눈만큼도 안 여긴다

발가벗고 달밤에 체조하다

발등에 불을 먼저 꺼야 한다

발등에 불이 떨어졌다

발 벗고 나선다

밥 먹을 때는 개도 안 때린다

밥 아니 먹어도 배부르다

밥 팔아 똥 사 먹겠다

방귀 뀐 놈이 성낸다

배가 등에 붙다

배가 아프다

배부르고 등 따습다

배움 길에는 지름길이 없다

배워서 남 주나

백 년이 하루 같다

백 번 듣는 것이 한 번 보는 것만 못하다

백지장도 맞들면 낫다

밴댕이 소갈머리

뱁새가 황새를 따라가면 다리가 찢어진다

번갯불에 콩 볶아 먹겠다

벌레도 밟으면 꿈틀한다

법 없이도 살 사람

법 없이 산다

벙어리 냉가슴 앓듯

벙어리 속은 그 어미도 모른다

벙어리 재판

벼룩도 낯짝이 있다

벼 이삭은 익을수록 고개를 숙인다

벽에도 귀가 있다

변덕이 죽 끓듯 한다

병아리 세기다

병에는 장사 없다

병 자랑은 하여라

병 주고 약 준다

보기 좋은 떡이 먹기도 좋다

복숭아는 제물에 안 쓴다

복숭아의 벌레

볶은 콩 먹기

봄 눈 녹듯 한다

부부 싸움은 개도 안 말린다

부부 싸움은 칼로 물 베기

부산 가시나 같다

부엉이 살림

부자가 더 무섭다

부자는 망해도 삼 년 먹을 것이 있다

부자 삼대 못 가고, 가난 삼대 안 간다

부지런한 부자는 하늘도 못 막는다

북 치고 장구 치고 한다

불로초를 먹었나

불알 두 쪽밖에는 없다

보고 못 먹는 것은 그림의 떡

비단결 같다
비 온 뒤에 땅이 굳어진다
비위가 사납다
빛 좋은 개살구

[ㅅ]
사공이 많으면 배가 산으로 간다
사나운 개도 제 주인은 안다
사돈 모시듯 한다
사돈의 팔촌
사또 덕분에 나팔 분다
사람 나고 돈 났지, 돈 나고 사람 났나
사람 위에 사람 없고, 사람 밑에 사람 없다
사람은 얼굴보다 마음이 고와야 한다
사람은 죽으면 이름을 남기고, 범은 죽으면 가죽을 남긴다
사람은 지내봐야 안다
사람의 속은 눈을 보아야 안다
사람의 얼굴은 열두 번 변한다
사람 팔자 시간문제
사서 고생한다
사위는 백년손이라
사위 사랑은 장모
사촌이 땅을 사면 배가 아프다
사후 약방문
삭신이 쑤시면 비가 온다
산 입에 거미줄 치겠다
산전수전 다 겪었다
삽살개 뒷다리

상갓집 개만도 못하다
새 발의 피
새우 싸움에 고래 등 터진다
생쥐 발싸개만 하다
생일날 잘 먹으려고 이레를 굶는다
세 살 버릇이 여든까지 간다
세 살 난 아이 물가에 놓은 것 같다
세상은 넓고도 좁다
세월이 약
소가 웃을 일이다
소 닭 보듯
소도적놈같이 생겼다
소문난 잔치에 먹을 것 없다
소 잃고 외양간 고친다
속 빈 강정
속으로 호박씨만 깐다
손가락에 장을 지지겠다
손도 안 대고 코 풀려고 한다
손바닥으로 하늘 가리기
손발이 따로 놀다
손 안 대고 코 풀기
손톱 밑의 가시
쇠귀에 경 읽기
쇠뿔도 단김에 빼라
쇠털같이 많다
수박 겉핥기
술친구는 친구가 아니다
숭어가 뛰니까 망둥이도 뛴다

시장이 반찬

시작이 반이다

식은 죽 먹기

십 년은 감수했다

십 년이면 강산도 변한다

십 리도 못 가서 발병 난다

싹수가 노랗다

썩은 동아줄 같다

쑥대밭이 되었다

쓴맛 단맛 다 보았다

쓸개 빠진 놈

씨를 뿌리면 거두게 마련이다

생일날 잘 먹으려고 이레를 굶는다

세 살 버릇이 여든까지 간다

소 잃고 외양간 고친다

쇠귀에 경 읽기

쇠뿔도 단김에 빼라

[ㅇ]

아내가 귀여우면 처갓집 말뚝 보고도 절한다

아는 것이 힘, 배워야 산다

아니 땐 굴뚝에 연기 날까

아닌 밤중에 웬 떡이냐

아닌 밤중에 홍두깨

아랫돌 빼서 윗돌 괴고 윗돌 빼서 아랫돌 괴기

아비만한 자식 없다

아이들 보는 데는 찬물도 못 마신다

아이 보채듯 한다

아이 싸움이 어른 싸움 된다
아 해 다르고 어 해 다르다
아홉 가진 놈이 하나 가진 놈 부러워한다
앉을 자리 봐 가면서 앉으라
알다가도 모르겠다
앓던 이 빠진 것 같다
암탉이 운다
앞 못 보는 생쥐
약방에 감초
얌전한 고양이 부뚜막에 먼저 올라간다
어른 말을 들으면 자다가도 떡 생긴다
어머니 손은 약속
어물전(魚物廛) 망신은 꼴뚜기가 시킨다
어중이떠중이
언 발에 오줌 누기
엎어지면 코 닿을 데
얼굴값을 한다
얼굴에 똥칠한다
얼굴에 철판을 깔다
얼굴에 침을 뱉다
엎어지면 코 닿을 데
엎질러진 물
엎친 데 덮친 격
여름 하늘에 소낙비
여자 팔자는 뒤웅박 팔자다
열 손가락 깨물어 안 아픈 손가락이 없다
열을 듣고 하나도 모른다
열 일 제치다

영감의 상투
예쁜 세 살, 미운 일곱 살
예쁜 자식 매로 키운다
예술은 길고, 인생은 짧다
옛말 그른 데 없다
오뉴월 감투도 팔아먹는다
오르지 못할 나무는 쳐다보지도 마라
오뉴월 쇠파리
오는 말이 고와야 가는 말이 곱다
오늘 내일한다
오다가다 옷깃만 스쳐도 전세의 인연이다
오라는 데는 없어도 갈 데는 많다
오랜 가뭄 끝에 단비 온다
오른손이 한 일은 왼손이 몰라야 한다
오리발을 내민다
오장이 뒤집힌다
오지랖이 넓다
옥에 티다
외갓집 들어가듯
왼눈도 깜짝 아니한다
요지경 속이다
우는 아이 젖 준다
우물 안 개구리
우물에 가 숭늉 찾는다
우물을 파도 한 우물을 파라
울며 겨자 먹기
웃는 낯에 침 뱉으랴
웃는 집에 복이 있다

원수는 외나무다리에서 만난다

원숭이도 나무에서 떨어진다

원님 덕에 나발 분다

은 나오라 뚝딱, 금 나오라 뚝딱

은혜를 원수로 갚는다

이래도 한세상 저래도 한세상

이 방 저 방 좋아도 내 서방이 제일 좋고, 이 집 저 집 좋아도 내 계집이 제일 좋다

이웃이 사촌보다 낫다

이 없으면 잇몸으로 살지

이 잡듯이 한다

인간 만사는 새옹지마(塞翁之馬)라

인중이 길다

입만 살았다

입에 발린 소리다

입에서 신물이 난다

입에 쓴 약이 병에는 좋다

입에 재갈을 물리다

입이 개차반이다

입은 비뚤어져도 말은 바로 해라

얌전한 고양이 부뚜막에 먼저 올라간다

[ㅈ]

자다가 벼락을 맞는다

자다가 봉창 두드린다

자라 보고 놀란 가슴 솥뚜껑 보고 놀란다

자빠져도 코가 깨진다

자식은 낳은 자랑 말고 키운 자랑 해라

자식을 길러 봐야 부모 은공을 안다

작년에 왔던 각설이 또 찾아왔다

작은 고추가 더 맵다

작은 부자는 노력이 만들고 큰 부자는 하늘이 만든다

잔병에 효자 없다

잔생이 보배라

잔잔한 물에 고기가 모인다

잘난 사람이 있어야 못난 사람이 있다

잘 살고 못 사는 것은 다 제 탓이다

잘 자랄 나무는 떡잎부터 알아본다

잠이 보약이다

장가는 얕이 들고 시집은 높이 가렸다

장난 끝에 살인 난다

장님이 사람 친다

장님이 장님을 인도한다

장마철에 햇빛 보기다

장맛이 좋아야 집안이 잘된다

장비 포도청에 갇힌 것 같다

장비 호통이라

재떨이와 부자는 모일수록 더럽다

재주는 곰이 넘고, 돈은 되놈이 번다

저승길이 구만 리

저 잘난 맛에 산다

저 하고 싶어서 하는 일은 힘든 줄 모른다

젊어 고생은 돈 주고도 못 산다

젊어서 고생은 사서도 한다

점잖은 강아지 부뚜막에 먼저 오른다

접시 물에 빠져 죽지

정들자 이별

정승도 저 싫으면 안 한다

정월 보름날 개고기를 먹으면 그해 유행병에 걸리지 않는다

젖 먹던 힘이 다 든다

젖 먹은 밸까지 뒤집힌다

제 논에 물대기

제 눈에 안경이다

제 똥 구린 줄은 모른다

제 몸 구린 줄은 모른다

제 발등에 오줌 누기

제 발등의 불을 먼저 끄랬다

제 버릇 개 줄까

제 부모 위하려면 남의 부모를 위해야 한다

제 사람 되면 다 고와 보인다

제 사랑 제가 진다

제 살 궁리는 다 한다

제 살 깎아 먹기

제 손금 보듯 한다

제 얼굴은 제가 못 본다

제 자식 잘못은 모른다

제 처 말 안 듣는 사람 없다

젬병이라

조상 신주 모시듯

좋은 노래도 세 번 들으면 귀가 싫어한다

좋은 약은 입에 쓰다

죄짓고 못 산다

주는 떡도 못 받아먹는다

주름을 잡는다

주리 참듯

주린 고양이가 쥐를 만났다

주먹이 운다

주사위는 던져졌다

죽고 못 살다

죽 쑤어 개 좋은 일 하였다

죽은 사람의 원도 푼다

죽은 죽어도 못 먹고 밥은 바빠서 못 먹고

죽을 쑤다

죽지도 살지도 못한다

줄 듯 줄 듯 하면서 안 준다

줄수록 양양

쥐구멍에도 볕 들 날 있다

쥐뿔같다

쥐었다 폈다 한다

지는 게 이기는 거다

지렁이도 밟으면 꿈틀한다

지성이면 감천이다

지위가 높을수록 마음은 낮추어 먹어야

집도 절도 없다

집 떠나면 고생이다

집안 망신은 며느리가 시킨다

집어삼킬 듯이 본다

집에 꿀단지를 파묻었나

짖는 개는 물지 않는다

짚신도 제짝이 있다

짝 잃은 기러기

쪽박을 찬다

찔러도 피 한 방울 안 나겠다
찜통 같은 날씨다

[ㅊ]
차면 넘친다
착한 며느리도 악처만 못하다
찬물도 위아래가 있다
찬물에 기름 돌 듯
찬물을 끼얹다
찬밥 더운밥 가리게 됐나
참는 자에게 복이 있다
참새가 방앗간을 그저 지나랴
처가 재물, 양가 재물은 쓸데없다
처갓집 말뚝에도 절하겠네
천 길 물속은 알아도 한 길 사람의 속은 모른다
천 리 강산(江山)이다
천 리 길도 십 리
천 리 길도 한 걸음부터
천하(天下)를 얻은 듯하다
첫닭이 운다
첫술에 배부르랴
초록(草綠)은 동색(同色)
초록은 제 빛이 좋다
초상집 개 같다
취중에 진담이 나온다
치마가 열두 폭인가
치마 밑에 키운 자식
친구 따라 강남 간다

칠색 팔색을 한다

칠월 송아지

칠 푼짜리 돼지 꼬리 같다

침 발린 말

[ㅋ]

칼 든 놈은 칼로 망한다

칼로 물 베기

코가 높다

코가 납작해지다

코 묻은 돈이라도 빼앗아 먹겠다

코에 걸면 코걸이 귀에 걸면 귀걸이

콧등이 세다

콧방귀만 뀌다

콩나물시루다

콩밥 먹으러 갔다

콩 볶듯 한다

콩 세 알도 못 세는 부모도 부모는 부모다

콩 심어라 팥 심어라 한다

콩 심은 데 콩 나고 팥 심은 데 팥 난다

콩알 세 개도 못 센다

콩으로 메주를 쑨다 하여도 곧이듣지 않는다

콩 팔러 갔다

콩팔칠팔한다

큰 고기는 깊은 물속에 있다

큰물에 고기 논다

큰집 드나들 듯

키 크고 속없다

키 크고 싱겁지 않은 사람 없다

[ㅌ]

타고난 재주 사람마다 하나씩은 있다

타고난 팔자

태화탕이다

터를 닦아야 집을 짓는다

터진 꽈리 보듯 한다

털끝도 못 건드리게 한다

털어서 먼지 안 나오는 사람 없다

토끼가 제 방귀에 놀란다

토끼 둘을 잡으려다가 하나도 못 잡는다

티끌 모아 태산

[ㅍ]

파김치가 되었다

파주(坡州) 미륵(彌勒)

판에 박은 것 같다

팔 고쳐 주니 다리 부러졌다 한다

팔이 안으로 굽지 밖으로 굽나

팔자 고치다

팔자는 길들이기로 간다

팥으로 메주를 쑤겠다

팥죽 내가 난다

평생을 살아도 님의 속은 모른다

평안 감사도 저 싫으면 그만이다

품 안의 자식

풋나물 먹듯 한다

피가 끓는다
피가 마르다
피도 눈물도 없다
피장파장이다
핑계 없는 무덤이 없다

[ㅎ]
하고 싶은 말은 내일 하랬다
하나를 가르치면 열을 안다
하나를 보고 열을 안다
하나부터 열까지
하늘과 땅이다
하늘도 알고 땅도 안다
하늘 무서운 말
하늘 보고 침 뱉기
하늘을 두고 맹세한다
하늘을 보아야 별을 따지
하늘의 별 따기
하늘이 노랗다
하늘이 무너져도 솟아날 구멍이 있다
하늘 천 하면 검을 현 한다
하던 짓도 멍석 펴 놓으면 안 한다
하루 세 끼 밥 먹듯
하룻강아지가 재 못 넘는다
하룻강아지 범 무서운 줄 모른다
하인을 잘 두어야 양반 노릇도 잘한다
한 가지로 열 가지를 안다
한 말 주고 한 되 받는다

한 마디(말) 했다가 본전도 못 찾는다

한 번 속지 두 번 안 속는다

한 번 실수는 병가(兵家)의 상사(常事)

한번 엎지른 물을 다시 주워 담지 못한다

한 술 더 뜨다

한 입으로 두 말 하기

한 치를 못 본다

한 치 앞이 어둠

한 푼을 아끼면 한 푼이 모인다

함흥차사(咸興差使)다

허물을 벗다

허파에 바람 들었다

허풍에 넘어간다

헌신짝같이 버린다

헌 집 고치기

헌 짚신도 짝이 있다

헛소문이 빨리 난다

형만한 아우 없다

호떡집에 불난 것 같다

호랑이 담배 먹던 시절 이야기다

호랑이도 제 말 하면 온다

호랑이에게 물려 가도 정신만 차리면 산다

호박꽃도 꽃이냐

호박꽃이다

호박이 넝쿨째로 굴러떨어졌다

호미로 막을 것을 가래로 막는다

혹 떼러 갔다가 혹 붙여 온다

혹시가 사람 잡는다

혼쭐났다

홍두깨 같은 자랑

홍시 빨아 먹듯 한다

홍제원 인절미

화(禍)가 복(福)이 된다

황소 뒷걸음치다가 쥐 잡는다

훈장 똥은 개도 안 먹는다

흉 없는 사람 없다

흰머리에 이 잡듯

흰죽의 코

고사성어

[ㄱ]

가렴주구(苛斂誅求)

가인박명(佳人薄命)

가화만사성(家和萬事成)

각골난망(刻骨難忘)

각주구검(刻舟求劍)

간난신고(艱難辛苦)

간담상조(肝膽相照)

감언이설(甘言利說)

감지덕지(感之德之)

갑남을녀(甲男乙女)

갑론을박(甲論乙駁)

강개무량(慷慨無量)

개과천선(改過遷善)

거두절미(去頭截尾)

건곤일척(乾坤一擲)

견마지로(犬馬之勞)

견마지심(犬馬之心)

결자해지(結者解之)

결초보은(結草報恩)

경국지색(傾國之色)

군계일학(群鷄一鶴)

고진감래(苦盡甘來)

곡학아세(曲學阿世)

골육상잔(骨肉相殘)

공수래공수거(空手來空手去)

공중누각(空中樓閣)

과유불급(過猶不及)

관포지교(管鮑之交)

괄목상대(刮目相對)

구태의연(舊態依然)

권모술수(權謀術數)

권선징악(勸善懲惡)

권토중래(捲土重來)

극기복례(克己復禮)

금과옥조(金科玉條)

금상첨화(錦上添花)

금시초문(今時初聞)

금의야행(錦衣夜行)

금의환향(錦衣還鄕)

금지옥엽(金枝玉葉)

기고만장(氣高萬丈)

기사회생(起死回生)

기진맥진(氣盡脈盡)
기호지세(騎虎之勢)

[ㄴ]
낙화유수(落花流水)
난중지난(難中之難)
난형난제(難兄難弟)
남가일몽(南柯一夢)
남남북녀(南男北女)
남부여대(男負女戴)
내우외환(內憂外患)
노마지지(老馬之智)
노불습유(路不拾遺)
노심초사(勞心焦思)
녹의홍상(綠衣紅裳)
누란지위(累卵之危)
능곡지변(陵谷之變)

[ㄷ]
다다익선(多多益善)
다문다독다상량(多聞多讀多商量)
다사다단(多事多端)
다정불심(多情佛心)
단사표음(簞食瓢飮)
단순호치(丹脣皓齒)
단표누항(簞瓢陋巷)
대경실색(大驚失色)
대기만성(大器晩成)

대동소이(大同小異)
대인군자(大人君子)
독서삼매(讀書三昧)
동가홍상(同價紅裳)
동고동락(同苦同樂)
동문서답(東問西答)
동분서주(東奔西走)
동상이몽(同床異夢)
두문불출(杜門不出)
등용문(登龍門)
등화가친(燈火可親)

[ㅁ]

마이동풍(馬耳東風)
마중지봉(麻中之蓬)
막상막하(莫上莫下)
막역지우(莫逆之友)
만경창파(萬頃蒼波)
만리동풍(萬里同風)
만수무강(萬壽無疆)
만신창이(滿身瘡痍)
망국지음(亡國之音)
망중한(忙中閑)
맥수지탄(麥秀之嘆)
맹모삼천(孟母三遷)
명월청풍(明月淸風)
모순(矛盾)
목불식정(目不識丁)

목불인견(目不忍見)

무릉도원(武陵桃源)

무상무념(無想無念)

무위도식(無爲徒食)

문경지교(刎頸之交)

문전성시(門前成市)

문정약시(門庭若市)

미망인(未亡人)

미봉책(彌縫策)

[ㅂ]

박문약례(博文約禮)

박장대소(拍掌大笑)

반목질시(反目嫉視)

반신반의(半信半疑)

반포지효(反哺之孝)

발본색원(拔本塞源)

방방곡곡(坊坊曲曲)

배산임수(背山臨水)

배수진(背水陣)

백골난망(白骨難忘)

백년지객(百年之客)

백년하청(百年河淸)

백미(白眉)

백면서생(白面書生)

백문불여일견(百聞不如一見)

백발백중(百發百中)

백일몽(白日夢)

백중지간(伯仲之間)
백척간두(百尺竿頭)
백팔번뇌(百八煩惱)
복과재생(福過災生)
부동심(不動心)
부전자전(父傳子傳)
부창부수(夫唱婦隨)
부화뇌동(附和雷同)
분골쇄신(粉骨碎身)
불가사의(不可思議)
불감생심(不敢生心)
불생불사(不生不死)
불세출(不世出)
불초(不肖)
불편부당(不偏不黨)
붕정만리(鵬程萬里)
비몽사몽(非夢似夢)
비분강개(悲憤慷慨)
비육지탄(비육지탄)
비일비재(非一非再)
빈천지교(貧賤之交)

[ㅅ]
사기충천(士氣衝天)
사농공상(士農工商)
사면초가(四面楚歌)
사무사(思無邪)
사분오열(四分五裂)

사상누각(砂上樓閣)

사생동고(死生同苦)

사양지심(辭讓之心)

사자후(獅子吼)

사족(蛇足)

사필귀정(事必歸正)

산해진미(山海珍味)

살신성인(殺身成仁)

삼고초려(三顧草廬)

삼라만상(森羅萬象)

삼삼오오(三三五五)

삼천지교(三遷之敎)

상달(上達)

상사불견(想思不見)

새옹지마(塞翁之馬)

생로병사(生老病死)

선견지명(先見之明)

선남선녀(善男善女)

설상가상(雪上加霜)

설왕설래(說往說來)

섬섬옥수(纖纖玉手)

성덕군자(成德君子)

속수무책(束手無策)

수불석권(手不釋卷)

수색만면(愁色滿面)

수서양단(首鼠兩端)

수수방관(袖手傍觀)

수주대토(守株待兎)

순결무구(純潔無垢)

순망치한(脣亡齒寒)

슬하(膝下)

승승장구(乘勝長驅)

시시비비(是是非非)

심기일전(心機一轉)

심사숙고(深思熟考)

십년지계(十年之計)

십시일반(十匙一飯)

[ㅇ]

아비규환(阿鼻叫喚)

아전인수(我田引水)

안면박대(顔面薄待)

안면부지(顔面不知)

안하무인(眼下無人)

암중모색(暗中摸索)

양두구육(양두구육)

양상군자(梁上君子)

어두육미(魚頭肉尾)

어부지리(漁父之利)

어불성설(語不成說)

엄동설한(嚴冬雪寒)

역지사지(易地思之)

연목구어(緣木求魚)

염량세태(炎凉世態)

오리무중(五里霧中)

오비이락(烏飛梨落)

오십보백보(五十步百步)

오월동주(吳越同舟)

오합지중(烏合之衆)

온고지신(溫故知新)

와신상담(臥薪嘗膽)

외강내유(外剛內柔)

용두사미(龍頭蛇尾)

우유부단(優柔不斷)

우후죽순(雨後竹筍)

위기일발(危機一髮)

유명무실(有名無實)

유아독존(唯我獨尊)

유유낙낙(唯唯諾諾)

유유자적(悠悠自適)

음담패설(淫談悖說)

읍참마속(泣斬馬謖)

이구동성(異口同聲)

이실직고(以實直告)

이심전심(以心傳心)

인과응보(因果應報)

인면수심(人面獸心)

인산인해(人山人海)

일석이조(一石二鳥)

일장춘몽(一場春夢)

일취월장(日就月將)

임시변통(臨時變通)

입신양명(立身揚名)

[ㅈ]

자가당착(自家撞著)

자수성가(自手成家)

자승자박(自繩自縛)

자업자득(自業自得)

자중지란(自中之亂)

자포자기(自暴自棄)

전도유망(前途有望)

전전반측(輾轉反側)

전화위복(轉禍爲福)

절차탁마(切磋琢磨)

점입가경(漸入佳境)

조강지처(糟糠之妻)

조령모개(朝令暮改)

조삼모사(朝三暮四)

조족지혈(鳥足之血)

종횡무진(縱橫無盡)

좌지우지(左之右之)

좌충우돌(左衝右突)

주경야독(晝耕夜讀)

주마등(走馬燈)

죽마고우(竹馬故友)

중언부언(重言復言)

지란지교(芝蘭之交)

지록위마(指鹿爲馬)

지피지기(知彼知己)

진퇴양난(進退兩難)

[ㅊ]

천고마비(天高馬肥)

천진난만(天眞爛漫)

천편일률(千篇一律)

철두철미(徹頭徹尾)

철면피(鐵面皮)

청산유수(靑山流水)

청상과부(靑孀寡婦)

청천벽력(靑天霹靂)

청출어람(靑出於藍)

촌철살인(寸鐵殺人)

추풍낙엽(秋風落葉)

측은지심(惻隱之心)

칠전팔기(七顚八起)

[ㅌ]

타산지석(他山之石)

태교(胎敎)

태평무상(太平無象)

토사구팽(兎死狗烹)

[ㅍ]

파경(破鏡)

파란만장(波瀾萬丈)

파죽지세(破竹之勢)

파천황(破天荒)

팔방미인(八方美人)

편모시하(偏母侍下)

포복절도(抱腹絶倒)

표절(剽竊)

풍전등화(風前燈火)

필부필부(匹夫匹婦)

[ㅎ]

학수고대(鶴首苦待)

함흥차사(咸興差使)

허송세월(虛送歲月)

허허실실(虛虛實實)

혈맥상통(血脈相通)

혈혈단신(孑孑單身)

형설지공(螢雪之功)

호가호위(狐假虎威)

호구지책(糊口之策)

호사다마(好事多魔)

호시탐탐(虎視眈眈)

호연지기(浩然之氣)

홍익인간(弘益人間)

화룡점정(畵龍點睛)

확고부동(確固不動)

환골탈태(換骨奪胎)

회자정리(會者定離)

흥망성쇠(興亡盛衰)

희노애락(喜怒哀樂)

일본속담

[あ]

ああ言(い)えばこう言(い)う

愛(あい)多(おお)ければ憎(にく)しみ至(いた)る

開(あ)いた口(くち)へ牡丹餅(ぼたもち)

相手(あいて)のない喧嘩(けんか)はできぬ

会(あ)うは別(わか)れの始(はじ)め

仰(あお)いで唾(つば)を吐(は)く

青柿(あおがき)が熟柿(じゅくし)弔(とむら)う

赤子(あかご)の手(て)をひねるよう

明(あか)るけりゃ月夜(つきよ)だと思(おも)う

秋風(あきかぜ)が吹(ふ)く

空(あ)き樽(だる)は音(おと)が高(たか)い

商(あきない)は牛(うし)の涎(よだれ)

秋茄子(あきなす)は嫁(よめ)に食(く)わすな

商人(あきんど)と屏風(びょうぶ)は曲(ま)がらねば世(よ)に立(た)たず

商人(あきんど)の元値(もとね)

悪事(あくじ)千里(せんり)を走(は)しる

悪縁(あくえん)契(ちぎ)り深(ふか)し

悪事(あくじ)身(み)にかえる

悪因悪果(あくいんあくか)

悪女(あくじょ)の深情(ふかなさ)け

悪女(あくじょ)は鏡(かがみ)を疎(うと)む

悪銭(あくせん)身(み)に付(つ)かず

欠伸(あくび)を一緒(いっしょ)にすれば三日従兄弟(みっかいとこ)

開(あ)けて身(み)たれば鳥(とり)の糞(くそ)

阿漕(あこぎ)が浦(うら)に引(ひ)く網(あみ)

浅(あさ)い川(かわ)も深(ふか)く渡(わた)れ

薊(あざみ)の花(はな)も一盛(ひとさかり)

朝飯前(あさめしまえ)のお茶漬(ちゃづ)け

足下(元)(あしもと)に火(ひ)がつく

明日(あす)の親取(おやどり)より今日(きょう)の卵(たまご)

小豆(あずき)の豆腐(とうふ)

青(あお)は藍(あい)より出(い)でて藍(あい)より青(あお)し

青菜(あおな)に塩(しお)

頭(あたま)が動(うご)けば尾(お)も動(うご)く

頭(あたま)隠(かく)して尻(しり)隠(かく)さず

頭(あたま)剃(そ)るより心(こころ)を剃(そ)れ

頭(あたま)に吸殻(すいがら)のせても知(し)らぬ

頭(あたま)の黒(くろ)い鼠(ねずみ)

頭(あたま)剥(は)げても浮気(うわき)は止(や)まぬ

仇(あだ)を恩(おん)で返(かえ)す

羹(あつもの)に懲(こ)りて膾(なます)を吹(ふ)く

後足(あとあし)で砂(すな)をかける

後(あと)の雁(かり)が先(さき)になる

後(あと)の喧嘩(けんか)先(さき)でする

後薬(あとぐすり)

後(あと)の祭(まつ)り

後(あと)は野(の)となれ山(やま)となれ

穴(あな)あらば入(はい)りたし

穴蔵(あなぐら)で雷(かみなり)聞(き)く

穴(あな)の狢(むじな)を値段(ねだん)する

痘痕(あばた)もえくぼ

危(あぶな)い橋(はし)も一度(いちど)は渡(わた)れ

虻(あぶ)蜂(はち)取(と)らず

油紙(あぶらがみ)に火(ひ)の付(つ)いたよう

油(あぶら)に水(みず)

阿呆(あほ)に付(つ)ける薬(くすり)無(な)し

雨垂(あまだ)れ石(いし)を穿(うが)つ

阿彌陀(あみだ)も銭(ぜに)で光(ひか)る

網(あみ)にかかった魚(うお)

雨(あめ)の夜(よ)にも星(ほし)

雨(あめ)降(ふ)って地(じ)固(かた)まる

過(あやま)ちの功名(こうみょう)

蟻(あり)集(あつ)まって樹(き)を揺(ゆる)がす

在(あ)りての厭(いと)い亡(な)くての偲(しの)び

蟻(あり)の穴(あな)から堤(つつみ)も崩(くず)れる

蟻(あり)の思(おもい)も天(てん)にのぼる

蟻(あり)の這出(はいで)る隙(すき)もない

合(あ)わぬ蓋(ふた)あれば合(あ)う蓋(ふた)あり

鮑(あわび)の貝(かい)の片想(かたおも)い

鞍上人(あんじょうひと)無(な)く、鞍下馬(あんかうま)無(な)し

按摩(あんま)の高下駄(たかげた)

案(あん)ずるより生(う)むが易(よ)し

[い]

言(い)いたい事(こと)は明日(あす)言(い)え

言(い)うは易(やす)く行(おこな)うは難(かた)し

家(いえ)を道端(みちばた)に作(つく)れば三年(さんねん)成(な)らず

家(いえ)の前(まえ)の痩犬(やせいぬ)

生(い)き馬(うま)の目(め)を抜(ぬ)く

生(い)き身(み)に餌食(えじき)

生(い)き身(み)は死(し)に身(み)

往(い)く往(い)くの長居(ながい)

生簀(いけす)の鯉(こい)

生(い)ける犬(いぬ)は死(し)せる虎(とら)に勝(まさ)る

石(いし)の上(うえ)にも三年(さんねん)

石橋(いしばし)を叩(たた)いて渡(わた)る

石(いし)が浮(うか)んで木(こ)の葉(は)が沈(しず)む

石(いし)に花(はな)咲(さ)く

石(いし)に布団(ふとん)は着(き)せられぬ

石(いし)の上(うえ)にも三年(さんねん)

医者(いしゃ)と味噌(みそ)は古(ふる)いほどよい

急(いそ)がば回(まわ)れ

居候(いそうろう)の三杯目(さんばいめ)

痛(いた)し痒(かゆ)し

痛(いた)む上(うえ)に塩(しお)を塗(ぬ)る

一事(いちじ)が万事(ばんじ)

一難(いちなん)去(さ)ってまた一難(いちなん)

一日(いちにち)千秋(せんしゅう)の思(おも)い

一年(いちねん)の計(けい)は元旦(がんたん)にあり

一度(いちど)餅(もち)食(く)えば、二度(にど)食(く)おう

一(いち)も取(と)らず二(に)も取(と)らず

一夜白髪(いちやはくはつ)

一葉(いちよう)落(お)ちて天下(てんか)の秋(あき)を知(し)る

一挙両得(いっきょりょうどく)

一寸(いっすん)先(さき)は闇(やみ)

一寸(いっすん)先(さき)の地獄(じごく)

一寸(いっすん)の虫(むし)にも五分(ごぶ)の魂(たましい)

一寸法師(いっすんぼうし)の背(せ)くらべ

一匹(いっぴき)の馬(うま)が狂(くる)えば千匹(せんびき)の馬(うま)も狂(くる)う

井戸(いど)の端(ばた)の童(わらべ)

田舎(いなか)の利口(りこう)より京(きょう)の馬鹿(ばか)

犬(いぬ)にも食(く)わせず棚(たな)にも置(お)かず

犬(いぬ)も歩(ある)けば棒(ぼう)にあたる

犬(いぬ)の遠(とお)吠(ぼ)え

井(い)の中(なか)の蛙(かわず)大海(たいかい)を知らず

命(いのち)長(なが)ければ恥多(はじおお)し

今(いま)の情(なさ)けは後(のち)の仇(あだ)

いやいや三杯(さんぱい)

いらぬ物(もの)も三年(さんねん)たてば用(よう)に立(た)つ

煎(い)り豆(まめ)の選(え)り食(ぐ)い

いろはのいの字(じ)も知(し)らぬ

鰯(いわし)の頭(あたま)も信心(しんじん)から

言(い)わぬは言(い)うに勝(まさ)る

言(い)わぬが花(はな)

言(い)わねば腹(はら)張(は)る

[う]

飢(う)えたる犬(いぬ)は棒(ぼう)を恐(おそ)れず

上直(うえちょく)なれは下(しも)安(やす)し

魚心(うおごころ)あれば水心(みずごころ)

魚(うお)の木(き)にのぼる如(ごと)し

魚(うお)の水(みず)を離(はな)れたよう

浮世(うきよ)は衣装七分(いしょうしちぶ)

浮世(うきよ)は心次第(こころしだい)

浮世(うきよ)渡(わた)らば豆腐(とうふ)で渡(わた)れ

雨後(うご)の筍(たけのこ)

氏素性(うじすじょう)は恥(はず)かしきもの

氏(うじ)無(な)くして玉(たま)の輿(こし)

牛(うし)を馬(うま)に乗(の)り換(か)える

牛(うし)に引(ひ)かれて善行寺(ぜんこうじ)参(まい)り

牛(うし)は牛(うし)連(づ)れ、馬(うま)は馬(うま)連(づ)れ

嘘(うそ)から出(で)た実(まこと)

嘘(うそ)も方便(ほうべん)

嘘(うそ)つき世渡(よわた)り上手(じょうず)

疑(うたが)いは詞(ことば)で解(と)けぬ

打(う)たれても親(おや)の杖(つえ)

内(うち)の米(こめ)の飯(めし)より隣(となり)の麦飯(むぎめし)

内弁慶(うちべんけい)

内股膏薬(うちまたこうやく)

美(うつく)しい花(はな)にはよい実(み)はならぬ

独活(うど)の大木(たいぼく)

鵜(う)のまねする烏(からす)

鵜(う)の目鷹(めたか)の目(め)

馬(うま)の耳(みみ)に風(かぜ)

馬(うま)疲(つか)れて毛長(けなが)し

馬(うま)には乗(の)って見(み)よ人(ひと)には添(そ)うて見(み)よ

馬(うま)も買わずに鞍(くら)買(か)う

馬(うま)の耳(みみ)に念仏(ねんぶつ)

生(う)まれぬ先(さき)の襁褓(むつき)

海(うみ)の幸山(さちやま)の幸(さち)

海(うみ)に千年(せんねん)河(かわ)に千年(せんねん)

生(う)みの親(おや)より育(そだ)ての親(おや)

海(うみ)も見(み)えぬ舟用意(ふねようい)

産(う)みの親(おや)より育(そだ)ての親(おや)

売(う)り言葉(ことば)に買(か)い言葉(ことば)

瓜(うり)の蔓(つる)に茄子(なすび)は生(な)らぬ

瓜(うり)二(ふた)つ

漆(うるし)は剥(は)げても生地(きじ)は剥(は)げぬ

噂(うわさ)をすれば影(かげ)がさす

運(うん)を待(ま)つは死(し)を待(ま)つにひとしい

運(うん)を天(てん)にまかせる

運(うん)は天(てん)にあり

雲泥(うんでい)の差(さ)

運否天賦(うんぷてんぷ)

[え]

英雄(えいゆう)色(いろ)を好(この)む

笑顔(えがお)に当(あ)てる拳(こぶし)はない

易者(えきしゃ)身(み)の上(うえ)知(し)らず

餌(えさ)の中(うち)の針(はり)

枝先(えださき)に行(ゆ)かねば熟柿(じゅくし)は食(く)えぬ

枝(えだ)の多(おお)い木(き)が風(かぜ)の止(や)む日(ひ)がない

枝(えだ)は枯(か)れても根(ね)は残(のこ)る

枝葉(えだは)のしげりには実少(みすく)なし

枝(えだ)を伐(き)って根(ね)を枯(か)らす

得手(えて)に帆(ほ)を上(あ)げる

絵(え)にかいた餅(もち)

柄(え)のない所(ところ)に柄(え)をすげる

蝦(えび)踊(おど)れども川(かわ)を出(い)でず

海老(えび)で鯛(たい)を釣(つ)る

笑(え)みの中(なか)の刀(かたな)

選(えら)んで粕(かす)を掴(つか)む

縁(えん)あれば千里(せんり)

遠水は近火(えんすいきんか)を救(すく)わず

縁(えん)の下(した)の力持(ちから)持(も)ち

[お]

老(お)いては子(こ)に従(したが)え

負(お)うた子(こ)に教(おし)えられて浅瀬(あさせ)を渡(わた)る

負(お)うた子(こ)より抱(だ)いた子(こ)

大風(おおかぜ)に灰(はい)をまく

大風(おおかぜ)のあしたはよい天気(てんき)

大(おお)きな大根(だいこん)は辛(から)くない

大勢(おおぜい)の口(くち)にはかなわぬ

大船(おおぶね)も小(ちい)さな漏穴(ろうけつ)から沈(しず)む

おかに上(あ)がったかっぱ

尾(お)から行(い)くも谷(たに)から行(い)くも同(おな)じこと

起(お)きて半畳(はんじょう)、寝(ね)て一畳(いちじょう)

奥歯(おくば)に剣(つるぎ)

驕(おご)る平家(へいけ)は久(ひさ)しからず

小田原評定(おだわらひょうじょう)

夫(おっと)あれば親(おや)忘(わす)る

男(おとこ)は度胸(どきょう)、女(おんな)は愛嬌(あいきょう)

男(おとこ)やもめに蛆(うじ)がわき、女(おんな)やもめに花(はな)が咲(さ)く

お茶(ちゃ)の子(こ)さいさい

同(おな)じ穴(あな)の狢(むじな)

同(おな)じ釜(かま)の飯(めし)を食(く)う

斧(おの)をとぎて針(はり)となす

鬼(おに)が出(で)るか蛇(じゃ)が出(で)るか

鬼(おに)が笑(わら)う

鬼(おに)に金棒(かなぼう)

鬼(おに)の居(い)ぬ間(ま)の洗濯(せんたく)

鬼(おに)の空念仏(そらねんぶつ)

鬼(おに)の女房(にょうぼう)には鬼神(きしん)がなる

鬼(おに)の首(くび)を取(と)ったよう

鬼(おに)の目(め)にも涙(なみだ)

鬼(おに)も十八(じゅうはち)番茶(ばんちゃ)も出花(でばな)

溺(おぼ)れる者(もの)は藁(わら)をも掴(つか)む

思(おも)うに別(わか)れて思(おも)わぬに添(そ)う

親(おや)が憎(にく)けりゃ子(こ)も憎(にく)い

親子(おやこ)の中(なか)でも金銭(きんせん)は他人(たにん)

親(おや)に似(に)ぬ子(こ)は鬼子(おにご)

親(おや)の心子(こころこ)知(し)らず

親(おや)の思(おも)うほど子(こ)は思(おも)わぬ

親(おや)の光(ひかり)は七光(なないかり)

親(おや)は無(な)くても子(こ)は育(そだ)つ

親(おや)を見(み)たけりゃ子(こ)を見(み)ろ

及(およ)ばざるはそしる

愚(おろ)か者(もの)に福(ふく)あり

尾(お)を振(ふ)る犬(いぬ)は叩(たた)かれず

女三人(おんなさんにん)あれば身代(しんだい)が潰(つぶ)れる

女(おんな)三人(さんにん)寄(よ)れば姦(かしま)しい

恩(おん)を仇(あだ)で返(かえ)す

おんぶに抱(だ)っこ

[か]

飼(かい)犬(いぬ)に手(て)を噛(か)まれる

貝殻(かいがら)で海(うみ)を測(はか)る

隗(かい)より始(はじ)めよ

買(か)うは貰(もら)うに勝(まさ)る

蛙(かえる)の子(こ)は蛙(かえる)

蛙(かえる)の面(つら)に水小便(みずしょうべん)

顔(かお)に泥(どろ)を塗(ぬ)る

踵(かかと)で頭痛(ずつう)を病(や)む

鏡(かがみ)は女(おんな)の魂(たましい)

鍵(かぎ)の穴(あな)から天(てん)を覗(のぞ)く

餓鬼(がき)の目(め)に水見(みずみ)えず

学問(がくもん)に近道(ちかみち)なし

駆(か)ける馬(うま)にも鞭(むち)

陰(かげ)では殿(との)の事(こと)も言(い)う

陰(かげ)に居(い)て枝(えだ)を折(お)る

駕籠(かご)舁(か)き駕籠(かご)に乗(の)らず

駕籠(かご)で水(みず)を汲(く)む

火事(かじ)あとの釘(くぎ)拾(ひろ)い

火事(かじ)あとの火(ひ)の用心(ようじん)

賢(かしこ)い人(ひと)には友(とも)がない

賢(かしこ)い子(こ)は早(はや)く死(し)ぬ

貸(か)した物(もの)は忘(わす)れぬが借(か)りた物(もの)は忘(わす)れる

稼(かせ)ぐに追(お)いつく貧乏(びんぼう)なし

風(かぜ)に向(む)かって唾(つばき)す

風(かぜ)に柳(やなぎ)

風邪(かぜ)は百病(ひゃくびょう)の本(もと)

風(かぜ)は吹(ふ)けど山(やま)は動(どう)ぜず

風邪(かぜ)待(ま)つ露(つゆ)

堅(かた)い木(き)は折(お)れる

堅(かた)い物(もの)は箸(はし)ばかり

仇(かたき)の金(かね)でもあれば使(つか)う

片手(かたて)で錐(きり)は揉(も)まれぬ

火中(かちゅう)の栗(くり)を拾(ひろ)う

河童(かっぱ)の川(かわ)流(なが)れ

渇(かっ)して井(い)を穿(うが)つ

勝(か)てば官軍(かんぐん)、負(ま)ければ賊軍(ぞくぐん)

金槌(かなづち)の川流(かわなが)れ

蟹(かに)の手(て)をむしられたよう

金(かね)で面(つら)を張(は)る

金(かね)の切(き)れ目(め)が縁(えん)の切(き)れ目(め)

金(かね)は危(あぶ)ない所(ところ)にある

金(かね)は天下(てんか)の回(まわ)り物(もの)

金(かね)持(も)ち喧嘩(けんか)せず

壁(かべ)に耳(みみ)

壁(かべ)に耳(みみ)あり障子(しょうじ)に目(め)あり

果報(かほう)は寝(ね)て待(ま)て

亀(かめ)の甲(こう)より年(とし)の功(こう)

亀(かめ)の年(とし)を鶴(つる)が羨(うらや)む

噛(か)む馬(うま)は終(しま)いまで噛(か)む

鴨(かも)が葱(ねぎ)を背負(しよ)って来(く)る

痒(かゆ)い所(ところ)に手(て)が届(とど)く

烏(からす)は自分(じぶん)の子(こ)が一番(いちばん)美(うつく)しいと思(おも)っている

借(か)りて来(き)た猫(ねこ)

枯(か)れ木(き)も山(やま)の賑(にぎ)わい

可愛(かわい)い子(こ)には、旅(たび)をさせよ

川(かわ)に水(みず)を運(はこ)ぶ

川(かわ)の石星(いしほし)となる

皮(かわ)引(ひ)けば身(み)が痛(いた)い

川(かわ)向(む)こうの喧嘩(けんか)

川(かわ)に水(みず)を運(はこ)ぶ

川(かわ)の石星(いしほし)となる

皮(かわ)引(ひ)けば身(み)が痛(いた)い

堪忍袋(かんにんぶくろ)の緒(お)が切(き)れる

雁(がん)も鳩(はと)も食(く)わねば知(し)れぬ

[き]

木(き)から落(お)ちた猿(さる)

聞(き)くは一時(いちじ)の恥聞(はじき)かぬは一生(いっしょう)の恥(はじ)

雉(きじ)も鳴(な)かずば撃(う)たれまい

雉子(きじ)の隠(かく)れ

北(きた)に近(ちか)ければ南(みなみ)に遠(とお)い

気違(きちが)いに刃物(はもの)

切(き)っても血(ち)も出(で)ぬ

狐(きつね)がコンコン鳴(な)くと人(ひと)が死(し)ぬ

聞(き)いて極楽(ごくらく)見(み)て地獄(じごく)

木(き)によりて魚(うお)を求(もと)める

木(き)に餅(もち)がなる

木(き)にも付(つ)かず草(くさ)にも付(つ)かず

昨日(きのう)は人(ひと)の見(み)今日(きょう)は我(わ)が身(み)

昨日(きのう)は嫁(よめ)、今日(きょう)は姑(しゅうとめ)

九死(きゅうし)に一生(いっしょう)を得(え)る

九牛(きゅうぎゅう)の一毛(いちもう)

窮(きゅう)すれば通(つう)ず

窮鼠(きゅうそ)猫(ねこ)を噛(か)む

兄弟(きょうだい)は両(りょう)の手(て)

兄弟(きょうだい)は他人(たにん)の始(はじ)まり

今日(きょう)の後(のち)に今日(きょう)なし

器用貧乏(きようびんぼう)

漁父(ぎょうふ)の利(り)

錐(きり)で山(やま)を掘(ほ)る

綺麗(きれい)な花(はな)は山(やま)に咲(さ)く

錦上花(きんじょうはな)を添(そ)う

[く]

食(く)うだけなら犬(いぬ)でも食(く)う

食(く)うほど食(く)えば牛(うし)くさい

臭(くさ)いものに蓋(ふた)

腐(くさ)っても鯛(たい)

薬(くすり)も過(す)ぎれば毒(どく)となる

糞(くそ)も味噌(みそ)も一緒(いっしょ)

下(くだ)り坂(ざか)の車(くるま)

口(くち)あれば食(く)って通(とお)る

朽木(くちき)は柱(はしら)にならぬ

口(くち)たたきの手足(てた)らず

口(くち)と腹(はら)

口(くち)の剣場(つるぎば)

嘴(くちばし)が黄色(きいろ)い

口(くち)は禍(わざわい)の門(もん)

口(くち)も八丁(はっちょう)手(て)も八丁(はっちょう)

蜘蛛(くも)の子(こ)を散(ち)らすよう

雲(くも)にかける橋(はし)

蜘蛛(くも)の巣(す)で石(いし)を吊(つ)る

首縊(くびくく)りの足(あし)を引(ひ)く

くよくよすれば寿命(じゅみょう)が縮(ちぢ)まる

暗(くら)がりから牛(うし)

暗(くら)がりの渋面(じゅうめん)

水母(くらげ)の骨(ほね)

暗闇(くらやみ)の鉄砲(てっぽう)

暗(くらが)りの恥(はじ)を明(あかる)みへ出(だ)す

苦(くる)しい時(とき)の神(かみ)頼(だの)み

食(く)わず嫌(ぎら)い

君子(くんし)危(あや)うきに近寄(ちかよ)らず

[け]

鶏口(けいこう)となるとも牛後(ぎゅうご)となるなかれ

芸術(げいじゅつ)は長(なが)く人生(じんせい)は短(みじか)し

兄弟(けいてい)は手足(しゅそく)たり

芸(げい)は身(み)を助(たす)ける

下戸(げこ)の建(た)てた蔵(くら)はない

煙(けむり)あれば火(ひ)あり

家来(けらい)とならねば家来(けらい)は使(つか)えぬ

喧嘩(けんか)過(す)ぎての棒(ぼう)千切(ちぎ)り

喧嘩(けんか)と火事(かじ)は大(おお)きい程(ほど)よい

喧嘩両成敗(けんかりょうせいばい)

剣(けん)を使(つか)う者(もの)は剣(けん)で死(し)ぬ

[こ]

恋(こい)は盲目(もうもく)

恋(こい)は思案(しあん)の外(ほか)

光陰矢(こういんや)の如(ごと)し

後悔先(こうかいさき)に立(た)たず

孝行(こうこう)のしたい時分(じぶん)に親(おや)はなし

好事魔(こうじま)多(おお)し

黄泉(こうせん)の路上老少(ろじょうろうしょう)無(な)し

郷(ごう)に入(はい)っては郷(ごう)に従(したが)え

弘法(こうぼう)にも筆(ふで)の誤(あやま)り

木陰(こかげ)に臥(ふ)す者(もの)は枝(えだ)を手折(たお)らず

故郷(こきょう)へ錦(にしき)を飾(かざ)る

虎穴(こけつ)に入(い)らずんば虎子(こし)を得(え)ず

虎口(ここう)を逃(のが)れて龍穴(りゅうけつ)に入(い)る

小言(こごと)は言(い)うべし酒(さけ)は買(か)うべし

乞食(こじき)が馬(うま)を貰(もら)う

五十歩百歩(こじっぽひゃっぽ

子(こ)ゆえの闇(やみ)

転(ころ)ばぬ先(さき)の杖(つえ)

碁(ご)で負(ま)けたら将棋(しょうぎ)で勝(か)て

子供(こども)の喧嘩(けんか)に親(おや)が出る

米糠(こぬか三升(さんごう)あったら婿(むこ)行(い)くな

子(こ)は鎹(かすがい)

小村(こむら)の犬(いぬ)は噛(か)む

転(ころ)がる石(いし)には苔(こけ)が生(は)えぬ

転(ころ)ばぬ先(さき)の杖(つえ)

転(ころ)んでもただでは起(お)きぬ

碁(ご)を打(う)つより田(た)を打(う)て

子(こ)を持(も)って知(し)る親(おや)の恩(おん)

[さ]

才(さい)余(あま)りありて識(しき)足(た)らず

歳月(さいげつ)人(ひと)を待(ま)たず

災難(さいなん)の先触(さきぶ)れはない

竿竹(さおだけ)で星(ほし)を打(う)つ

逆(さか)に吊(つる)して振(ふ)っても鼻血(はなぢ)しか出(で)ない

酒(さけ)入(い)れば舌(した)出(い)ず

酒(さけ)買(か)って尻(しり)切(き)られる

酒(さけ)は百薬(ひゃくやく)の長(ちょう)

酒(さけ)酔(よ)いが本性(ほんしょう)を現(あらわ)す

雑魚(ざこ)の魚交(ととまじ)り

囁(ささや)き千里(せんり)

皿(さら)嘗(な)めた猫(ねこ)が科(とが)を負(お)う

猿(さる)が髭(ひげ)揉(も)む

猿(さる)に木登(きのぼ)り

猿(さる)の尻(しり)笑(わら)い

猿(さる)も木(き)から落(お)ちる

去(さ)る者(もの)は追(お)わず

去(さ)る者(もの)は日日(ひび)に疎(うと)し

触(さわ)らぬ蜂(はち)は刺(さ)さぬ

触(さわ)らぬ神(かみ)に祟(たた)りなし

三歳(さんさい)の翁(おきな)百歳(ひゃくさい)の童子(どうじ)

三寸(さんずん)の舌(した)に五尺(ごしゃく)の身(み)を亡(ほろぼ)す

三人(さんにん)子持(こも)ちは笑(わら)うて暮(く)らす

三人(さんにん)寄(よ)れば文殊(もんじゅ)の知恵(ちえ)

三遍(さんべん)回(まわ)って煙草(たばこ)にしよう

[し]

塩辛(しおから)を食(く)おうとて水(みず)を飲(の)む

鹿(しか)を逐(お)う者(もの)は山(やま)を見(み)ず

地獄(じごく)で仏(ほとけ)に会(あ)ったよう

地獄(じごく)の沙汰(さた)も金次第(かねしだい)

仕事(しごと)は多勢(おおぜい)

仕事(しごと)を追(お)うて仕事(しごと)に追(お)われるな

死(し)しての長者(ちょうじゃ)より生(い)きての貧人(ひんじん)

獅子(しし)に鰭(ひれ)

親(した)しき仲(なか)にも礼儀(れいぎ)あり

舌(した)の剣(つるぎ)は命(いのち)を絶(た)つ

質(しち)に取(と)られた達磨(だるま)のよう

死中(しちゅう)に活(かつ)を求(もと)める

死(し)なば卒中(そっちゅう)

死(し)にし子顔(こかお)よかりき

獅子(しし)身中(しんちゅう)の虫(むし)

死人(しにん)に口(くち)無(な)し

蛇(じゃ)が出(で)そうで蚊(か)も出(で)ぬ

釈迦(しゃか)に説法(せっぽう)

杓子(しゃくし)で腹(はら)を切(き)る

杓子(しゃくし)定規(じょうぎ)

蛇(じゃ)の道(みち)は蛇(へび)

姑(しゅうとめ)が憎(にく)けりゃ夫(おっと)まで憎(にく)い

姑(しゅうとめ)の涙汁(なみだじる)

小寒(しょうかん)の氷(こおり)大寒(だいかん)に解(と)く

出家(しゅっけ)の念仏(ねんぶつ)嫌(ぎら)い

朱(しゅ)に交(まじ)われば赤(あか)くなる

主(しゅ)腹(はら)良(よ)ければ下司(げす)腹(はら)知(し)らず

正直(しょうじき)の頭(こうべ)に神宿(かみやど)る

冗談(じょうだん)から泣(な)きが出(で)る

掌中(しょうちゅう)の珠(たま)

女郎(じょろう)の誠(まこと)と卵(たまご)の四角(しかく)

知(し)らずば半分値(はんぶんね)

知(し)らぬは人(ひと)の心(こころ)

知(し)らぬが仏(ほとけ)

白羽(しらは)の矢(や)が立(た)つ

尻馬(しりうま)に乗(の)る

尻(しり)も結(むす)ばぬ糸(いと)

人事(じんじ)を尽(つ)くして天命(てんめい)を待(ま)つ

信心(しんじん)も欲(よく)から

死(し)んだ子(こ)の年(とし)を数(かぞ)える

人生(じんせい)朝露(あさつゆ)の如(ごと)し

死(し)んだ子(こ)の年勘定(としかんじょう)

死(し)んで千杯(せんぱい)より生前(せいぜん)の一杯(いっぱい)

しんどが利(り)

[す]

粋(すい)が川(かわ)へはまる

水中(すいちゅう)に火(ひ)を求(もと)む

過(す)ぎたるは猶(なお)及(およ)ばざるが如(ごと)し

好(す)きこそ物(もの)の上手(じょうず)なれ

雀(すずめ)の涙(なみだ)

雀(すずめ)一寸(いっすん)の糞(くそ)ひらず

雀(すずめ)の脛(すね)から血(ち)を絞(しぼ)るよう

雀(すずめ)百(ひゃく)まで踊(おどり)忘(わす)れず

捨(す)て犬(いぬ)に握(にぎ)り飯(めし)

捨(す)てる神(かみ)あれば拾(ひろ)う神(かみ)あり

砂(すな)の底(そこ)から玉(たま)が出(で)る

酢(す)の蒟蒻(こんにゃく)の

すまじきものは宮仕(みやづか)え

住(す)めば都(みやこ)

相撲(すもう)に負(ま)けて妻(つま)の面張(つらは)る

寸鉄人(すんてつひと)を刺(さ)す

[せ]

生(せい)ある者(もの)は必ず死(し)あり

正鵠(せいこく)を失(うしな)わず

清水(せいすい)に魚(うお)棲(す)まず

清濁(せいだく)併(あわ)せ飲(の)む

急(せ)いては事(こと)を仕損(しそん)ずる

盛年(せいねん)重(かさ)ねて来(きた)らず

世間(せけん)の口(くち)に戸(と)は立(た)てられぬ

世間(せけん)は広(ひろ)いようで狭(せま)い

切(せつ)ない時(とき)は茨(いばら)も掴(つか)む

背中(せなか)の子(こ)を三年(さんねん)探(さが)す

銭(ぜに)ある者(もの)は生(い)き銭(ぜに)なき者(もの)は死(し)す

銭(ぜに)あれば木物(きぶつ)も面(つら)を返(かえ)す

金轡(かなぐつわ)を嵌(は)める

銭(ぜに)なき男(おとこ)は帆(ほ)のなき舟(ふね)の如(ごと)し

銭(ぜに)持(も)たずの団子(だんご)選(よ)り

背(せ)に腹(はら)はかえられぬ

船頭(せんどう)多(おお)くして船山(ふねやま)に登(のぼ)る

善(ぜん)は急(いそ)げ

千里(せんり)の道(みち)も一歩(いっぽ)から

千丈(せんじょう)の堤(つつみ)も蟻(あり)の一穴(いっけつ)から

先生(せんせい)と呼(よ)んで灰吹(はいふ)き捨(す)てさせる

栴檀(せんだん)は双葉(ふたば)より芳(かんば)し

船頭(せんどう)多(おお)くして船山(ふねやま)へ上(のぼ)る

千日(せんにち)の旱魃(かんばつ)に一日(いちにち)の洪水(こうずい)

善(ぜん)は急(いそ)げ

善(ぜん)も一生(いっしょう)悪(あく)も一生(いっしょう)

前門(ぜんもん)の虎(とら)、後門(こうもん)の狼(おおかみ)

千里(せんり)の野(の)に虎(とら)を放(はな)つ

千里(せんり)も一里(いちり)

[そ]

喪家(そうか)の狗(いぬ)

創業(そうぎょう)は易(やす)く守成(しゅせい)は難(かた)し

そうは問屋(とんや)が卸(おろ)さぬ

総領(そうりょう)の甚六(じんろく)

葬式(そうれい)すんで医者話(いしゃばなし)

即時(そくじ)一杯(いっぱい)の酒(さけ)

俎上(そじょう)の魚(うお)

そっと申(もう)せばぎゃっと申(もう)す

袖(そで)から手(て)を出(だ)すのも嫌(いや)

袖(そで)すり合(あ)うも他生(たしょう)の縁(えん)

袖(そで)の下(した)に回(まわ)る子(こ)は打(う)たれぬ

袖(そで)の長(なが)いは舞(ま)いが上手(じょうず)に見(み)える

備(そな)えあればうれしい無(な)し

その一(いち)を知(し)りて、その二(に)を知(し)らず

その国(くに)に入(い)ればその俗(ぞく)に従(したが)う

その日(ひ)その日(ひ)の風次第(かぜしだい)

そばにある炒(い)り豆(まめ)

空(そら)吹(ふ)く風(かぜ)と聞(き)き流(なが)す

算盤(そろばん)で錠(じょう)が開(あ)く

添(そ)わぬ内(うち)が花(はな)

損(そん)して得(とく)取(と)れ

損(そん)して恥(はじ)かく

[た]

田歩(たある)くも畦歩(あぜある)くも同(おな)じ

大海(たいかい)の一滴(いってき)

対岸(たいがん)の火事(かじ)

大漁(たいぎょ)は小池(しょうち)に棲(す)まず

大黒柱(だいこくばしら)を蟻(あり)がせせる

大山(たいざん)鳴動(めいどう)して鼠(ねずみ)一匹(いっぴき)

大事(だいじ)の前(まえ)の小事(しょうじ)

高嶺(たかね)の花(はな)

高(たか)みの見物(けんぶつ)

大事(だいじ)の前(まえ)の小事(しょうじ)

鯛(たい)の尾(お)より鰯(いわし)の頭(あたま)

大木(たいぼく)の下(した)に小木(しょうぼく)育(そだ)つ

大木(たいぼく)は風(かぜ)に折(お)られる

大木(たいぼく)は倒(たお)れても地(ち)に付(つ)かず

鯛(たい)も比目魚(ひらめ)も食(く)うたものが知(し)る

大欲(たいよく)は無欲(むよく)に似(に)たり

多勢(たぜい)に無勢(ぶぜい)

鷹(たか)の無(な)い国(くに)では雀(すずめ)が鷹(たか)をする

鷹(たか)は飢(う)えても穂(ほ)を摘(つ)まず

宝(たから)の持(も)ち腐(ぐさ)れ

多言(たげん)は身(み)を害(がい)す

闘(たたか)う雀人(すずめひと)を恐(おそ)れず

叩(たた)かれた夜(よる)は寝(ね)やすい

立(た)ち寄(よ)らば大樹(たいじゅ)の陰(かげ)

叩(たた)けば埃(ほこり)が出(で)る

多々(たた)益々(ますます)弁((べん)ず

ただより高(たか)いものはない

立(た)つ鳥跡(とりあと)を濁(にご)さず

立(た)て板(いた)に水(みず)

棚(たな)から牡丹餅(ぼたもち)

棚(たな)から落(お)ちた達磨(だるま)

棚(たな)の牡丹餅(ぼたもち)も取(と)らねば食(く)えぬ

他人(たにん)の念仏(ねんぶつ)で極楽(ごくらく)参(まいい)り

他人(たにん)の飯(めし)には骨(ほね)がある

頼(たの)む木(き)の下(した)に雨(あめ)漏(も)る

旅(たび)は道連(みちづ)れ世(よ)は情(なさ)け

卵(たまご)に目鼻(めはな)

卵(たまご)を見(み)て時夜(じや)を求(もと)む

卵(たまご)を割(わ)らずには卵(たまご)焼(や)きができぬ

騙(だま)すに敵(てき)なし

玉磨(たまみが)かざれば光(ひかり)なし

黙(だま)り牛(うし)が人(ひと)を突(つ)く

玉(たま)に瑕(きず)

短気(たんき)は損気(そんき)

短気(たんき)は未練(みれん)の元(もと)

短(たん)を捨(す)て長(ちょう)を取(と)る

[ち]

小(ちい)さくとも針(はり)は呑(の)まれぬ

知恵(ちえ)と力(ちから)は重荷(おもに)にならぬ

知恵(ちえ)は小出(こだ)しにせよ

近(ちか)い所(ところ)の手焙(てあぶ)り

地(ち)が傾(かたむ)いて舞(まい)が舞(ま)われぬ

近道(ちかみち)は遠道(とおみち)

力(ちから)は貧(ひん)に勝(か)つ

血(ち)は水(みず)よりも濃(こ)い

血(ち)も涙(なみだ)もない

茶(ちゃ)も酔(よ)うたふり

血(ち)で血(ち)を洗(あら)う

茶腹(ちゃばら)も一時(いっとき)

忠言(ちゅうげん)耳(みみ)に逆(さか)らう

朝三暮四(ちょうさんぼし)

長者(ちょうじゃ)に子無(こな)し

長所(ちょうしょ)は短所(たんしょ)

蝶(ちょう)よ花(はな)よ

直木(ちょくぼく)先(ま)ず伐(き)らる

塵(ちり)も積(つ)もれば山(やま)となる

珍客(ちんきゃく)も長座(ちょうざ)に過(す)ぎれば厭(いと)われる

[つ]

朔日毎(ついたちごと)に餅(もち)は食(く)えぬ

杖(つえ)の下(した)に回(まわ)る犬(いぬ)は打(う)てぬ

使(つか)うものは使(つか)われる

使(つか)っている鍬(くわ)は光(ひか)る

月(つき)が暈(かさ)をかぶると雨(あめ)

月(つき)とすっぽん

月(つき)に叢雲(むらくも)、花(はな)に風(かぜ)

月夜(つきよ)に釜(かま)をぬかれる

月夜半分闇夜半分(つきよはんぶんやみよはんぶん)

月夜(つきよ)に提灯(ちょうちん)

付(つ)け焼(や)き刃(ば)はなまり易(やす)い

槌(つち)で大地(だいち)を叩(たた)く

土仏(つちぼとけ)の水(みず)遊(あそ)び

槌(つち)より柄(え)が太(ふと)い

角(つの)は直(なお)って牛(うし)が死(し)んだ

角(つの)を矯(た)めて牛(うし)を殺(ころ)す

爪(つめ)に火(ひ)をともす

爪(つめ)の垢(あか)を煎(せん)じて飲(の)む

爪(つめ)も立(た)たぬ

面(つら)の皮(かわ)の千枚張(せんまいばり)

釣(つ)り合(あ)わぬは不縁(ふえん)の基(もと)

釣(つ)り落(おと)した魚(さかな)は大(おお)きい

弦(つる)なき弓(ゆみ)に羽抜(はぬ)け鳥(どり)

鶴(つる)は千年(せんねん)、亀(かめ)は万年(まんねん)

弦(つる)を放(はな)れた矢(や)

鶴(つる)の一声(ひとこえ)

聾(つんぼ)の立(た)ち聞(ぎ)き

[て]

手足(てあし)が棒(ぼう)になる

亭主三杯(ていしゅさんばい)、客一杯(きゃくいっぱい)

亭主(ていしゅ)と箸(はし)は強(つよ)いがよい

貞女(ていじょ)は両夫(りょうふ)に見(まみ)えず

泥中(でいちゅう)の蓮(はす)

梃子(てこ)でも動(うご)かぬ

手塩(てしお)に掛(か)ける

手品(てじな)するにも種が要る

鉄(てつ)は熱(あつ)いうちに打(う)て

手(て)の裏(うら)を反(かえ)すよう

手(て)の舞(ま)い足(あし)の踏(ふ)む所(ところ)を知(し)らず

出船(でぶね)に船頭(せんどう)待(ま)たず

手(て)も足(あし)も付(つ)けられない

手(て)も足(あし)もない

出物(でもの)腫物(はれもの)所(ところ)嫌(きら)わず

敵(てき)は本能寺(ほんのうじ)にあり

鉄(てつ)は熱(あつ)いうちに打(う)て

寺(てら)から出(で)れば坊主(ぼうず)

寺(てら)に勝(か)った太鼓(たいこ)

寺(てら)の隣(となり)に鬼(おに)が棲(す)む

出(で)る杭(くい)は打(う)たれる

手(て)を広(ひろ)げて待(ま)っている

天(てん)から降(ふ)った災難(さいなん)

天(てん)に二日(にじつ)無(な)し

天(てん)に向(む)って唾(つば)を吐(は)く

天高(てんたか)く馬肥(うまこ)ゆる秋(あき)

天(てん)は自(みずか)ら助(たす)くる者(もの)を助(たす)く

[と]

東西(とうざい)南北(なんぼく)の人(ひと)

灯心(とうしん)で鐘(かね)を撞(つ)く

同舟(どうしゅう)相救(あいすく)う

灯台下暗(とうだいもとくら)し

同病(どうびょう)相憐(あいあわ)れむ

豆腐(とうふ)に鎹(かすがい)

豆腐(とうふ)で歯(は)をいためる

道理(どうり)に向(む)かう刃(やいば)なし

遠(とお)くの親類(しんるい)より近(ちか)くの他人(たにん)

時(とき)の花(はな)を挿頭(かざし)にせよ

時(とき)は金(かね)なり

毒(どく)にも薬(くすり)にもならぬ

毒(どく)を以(もっ)て毒(どく)を制(せい)す

毒(どく)を食(く)わば皿(さら)まで

所(ところ)変(か)われば品(しな)変(か)わる

年(とし)こそ薬(くすり)なれ

年(とし)には勝(か)てぬ

年(とし)とれば金(かね)より子(こ)

年(とし)は寄(よ)れども心(こころ)は寄(よ)らぬ

屠所(としょ)の羊(ひつじ)

年寄(としよ)りの命(いのち)と春(はる)の雪(ゆき)

年寄(としよ)れば欲深(よくふか)し

年寄(としよ)りの冷(ひ)や水(みず)

隣(となり)の花(はな)は赤(あか)い

隣(となり)の糂汰味噌(じんだみそ)

隣(となり)の芝生(しばふ)は青(あお)い

隣(となり)で倉(くら)が建(た)てばこちらで腹(はら)が立(た)つ

隣(となり)の花(はな)は赤(あか)い

隣(となり)の飯(めし)はうまい

鳶(とび)が鷹(たか)を生(う)む

鳶(とび)に油揚(あうらあ)げをさらわれる

飛(と)ぶ鳥(とり)の献立(こんだて)

虎(とら)の尾(お)を踏(ふ)む

虎(とら)は子(こ)を思(おも)うて千里(せんり)を帰(かえ)る

泥棒(どろぼう)を捕(と)らえて縄(なわ)を綯(な)う

飛(と)ぶ鳥(とり)を落(お)とす

虎(とら)の威(い)を借(か)る狐(きつね)

団栗(どんぐり)の背比(せくら)べ

飛(と)んで火(ひ)に入(い)る夏(なつ)の虫(むし)

[な]

無(な)い袖(そで)は振(ふ)れない

無(な)いもの食(く)おうが人(ひと)の癖(くせ)

泣(な)いて馬謖(ばしょく)を斬(き)る

長居(ながい)すると火水(ひみず)に会(あ)う

長芋(ながいも)で足(あし)を突(つ)く

長(なが)い物(もの)には巻(ま)かれろ

泣(な)かぬ子(こ)を泣(な)かす

流川(ながれかわ)を棒(ぼう)で打(う)つ

流(なが)れる水(みず)は腐(くさ)らず

泣(な)く子(こ)に唐辛子(とうがらし)

泣(な)く子(こ)は育(そだ)つ

泣(な)くほど留(と)めても帰(かえ)れば喜(よろこ)ぶ

泣(な)き面(つら)に蜂(はち)

情(なさ)けは人(ひと)の為(ため)ならず

夏歌(なつうた)う者(もの)は冬泣(ふゆな)く

夏(なつ)の小袖(こそで)

夏(なつ)の火(ひ)は嫁(よめ)に焚(た)かせろ

夏(なつ)の虫(むし)雪(ゆき)を知(し)らず

夏(なつ)は鰹(かつお)に冬鮪(ふゆまぐろ)

七転(ななころ)び八起(やお)き

名(な)の無(な)い星(ほし)は宵(よい)から出(で)る

なまくらの大荷物(おおにもつ)

生兵法(なまびょうほう)は知(し)らぬに劣(おと)る

なめくじにも角(つの)がある

生(な)る木(き)は花(はな)から違(ちが)う

何(なん)の風(かぜ)が吹(ふ)いて御出(おい)でなされた

名(な)を取(と)るより実(じつ)を取(と)れ

[に]

似合(にあ)う夫婦(ふうふ)の鍋(なべ)の蓋(ふた)

煮(に)え湯(ゆ)を飲(の)まされる

二階(にかい)から目薬(めぐすり)

苦(にが)いも甘(あま)いも知(し)りぬく

逃(に)がしたものに小(ちい)さいものなし

逃(に)がした魚(さかな)は大(おお)きい

二月(にがつ)は逃(に)げて走(はし)る

握(にぎ)れば拳(こぶし)開(ひら)けば掌(てのひら)

憎(にく)い鷹(たか)には餌(え)を飼(か)え

憎(にく)まれっ子世(こよ)にはばかる

西風(にしかぜ)と夫婦(ふうふ)喧嘩(けんか)は夕限(ゆうかぎ)り

錦(にしき)で木端(こっぱ)を包(つつ)む

西(にし)と言(い)うたら東(ひがし)を悟(さと)れ

西(にし)も東(ひがし)も分(わ)からぬ

二束三文(にそくさんもん)

似(に)た者(もの)夫婦(ふうふ)

似(に)た者(もの)同士(どうし)

煮(に)ても焼(や)いても食(く)えぬ

二度(にど)あることは三度(さんど)ある

二度(にど)まではだます人(ひと)が悪(わる)い

二兎(にと)を追(お)う者(もの)は一兎(いっと)をも得(え)ず

女房(にょうぼう)と米(こめ)の飯(めし)には飽(あ)かぬ

女房(にょうぼう)と畳(たたみ)は新(あたら)しい方(ほう)がいい

女房(にょうぼう)の悪(わる)いは六十年(ろくじゅうねん)の不作(ふさく)

女房(にょうぼう)は家(いえ)の大黒柱(だいこくばしら)

俄(にわ)か長者(ちょうじゃ)は俄(にわ)か乞食(こじおき)

鶏(にわとり)は跣足(はだし)

人間一生二万日(にんげんいっしょうにまんにち)

人間(にんげん)は病(やまい)の器(うつわ)

人間万事(にんげんばんじ)金(かね)の世(よ)の中(なか)

人参(にんじん)で行水(ぎょうずい)

人参(にんじん)飲(の)んで首(くび)くくる

人間万事(にんげんばんじ)塞翁(さいおう)が馬(うま)

人相見(にんそうみ)の我(わ)が身知(みし)らず

[ぬ]

糠(ぬか)に釘(くぎ)

糠(ぬか)の中(なか)にも粉米(こごめ)

糠袋(ぬかぶくろ)と小娘(こむすめ)は油断(ゆだん)がならぬ

糠味噌(ぬかみそ)が腐(くさ)る

糠(ぬか)を舐(ねぶ)りて米(こめ)に及(およ)ぶ

抜(ぬ)け駈(が)けの功名(こうみょう)

盗人(ぬすっと)猛々(たけだけ)しい

盗人(ぬすびと)に追銭(おいせん)

盗人(ぬすびと)に鍵(かぎ)を預(あず)ける

盗人(ぬすびと)にも三分(さんぶん)の理(り)

盗人(ぬすびと)にも慈悲(じひ)

盗人(ぬすびと)の上米(うわまい)を取(と)る

盗人(ぬすびと)の隙(ひま)はあれど守(まも)り手(て)の隙(ひま)はなし

盗人(ぬすびと)の昼寝(ひるね)

盗人(ぬすびと)を捕(と)らえて見(み)れば我(わ)が子(こ)なり

濡(ぬ)れ衣(ぎぬ)を着(き)せられる

濡(ぬ)れ手(て)で粟(あわ)

[ね]

願(ねが)ったり叶(かな)ったり

根(ね)が無(な)くても花(はな)は咲(さ)く

猫(ねこ)に鰹節(かつおぶし)

猫(ねこ)に小判(こばん)

猫(ねこ)を被(かぶ)る

猫(ねこ)に乾鮭(からざけ)

寝(ね)た子(こ)を起(お)こす

猫(ねこ)が手水(ちょうず)を使(つか)うよう

猫(ねこ)の手(て)も借(か)りたい

猫(ねこ)の額(ひたい)にある物(もの)を鼠(ねずみ)が窺(うかが)う

猫(ねこ)の前(まえ)の鼠(ねずみ)

猫(ねこ)は禿(は)げても猫(ねこ)

鼠(ねずみ)に投(な)げんとして器(うつわ)を忌(い)む

鼠(ねずみ)捕(と)る猫(ねこ)は爪(つめ)かくす

寝(ね)た子(こ)を起(お)こす

寝(ね)た間(ま)は仏(ほとけ)

寝(ね)て吐(は)く唾(つば)は身(み)にかかる

寝耳(ねみみ)に水(みず)

寝耳(ねみみ)に銭(ぜに)の入(はい)った心地(ここち)

寝(ね)るほど楽(らく)はない

念(ねん)には念(ねん)を入(い)れよ

念(ねん)の過(す)ぐるは不念(ぶねん)

寝耳(ねみみ)に水(みず)

[の]

能(のう)ある鷹(たか)は爪(つめ)を隠(かく)す

能書筆(のうしょふで)を選(えら)ばず

嚢中(のうちゅう)の錐(きり)

能(のう)なしの口(くち)叩(たた)き

能(のう)なしの能(のう)一(ひと)つ

野菊(のぎく)も咲(さ)くまでは只(ただ)の草(くさ)

残(のこ)り物(もの)には福(ふく)がある

喉(のど)から手(て)が出(で)る

喉元(のどもと)過(す)ぎれば熱(あつ)さを忘(わす)れる

延(の)べたら鶴(つる)でも

上(のぼ)り坂(ざか)あれば下(くだ)り坂(ざか)あり

昇(のぼ)れない木(き)は仰(あお)ぎ見(み)るな

飲(の)まぬ酒(さけ)には酔(よ)わぬ

鑿(のみ)と言(い)えば槌(つち)

鑿(のみ)に鉋(かんな)の働(はたら)きなし

蚤(のみ)の頭(かしら)を斧(おの)で割(わ)る

蚤(のみ)の夫婦(ふうふ)

蚤(のみ)も殺(ころ)さぬ

乗(の)りかかった船(ふね)

暖簾(のれん)に腕(うで)押(お)し

[は]

吐(は)いた唾(つば)は呑(の)めぬ

馬鹿(ばか)があって利口(りこう)が引(ひ)き立(た)つ

馬鹿(ばか)と鋏(はさみ)は使(つか)いよう

馬鹿(ばか)に苦労(くろう)なし

馬鹿(ばか)の孫(まご)褒(ほ)め

掃(は)き溜(だ)めに鶴(つる)

馬脚(ばきゃく)をあらわす

始(はじ)めよければ終(お)わりよし

馬耳東風(ばじとうふう)

箸(はし)にも棒(ぼう)にもかからない

初(はじ)めが大事(だいじ)

走(はし)り馬(うま)が糞(くそ)を垂(た)れたよう

蜂(はち)の巣(す)をつついたよう

花(はな)一時(いっとき)人一(ひとひと)盛(さか)り

花(はな)の下(した)より鼻(はな)の下(した)

花(はな)も実(み)もある

花(はな)より団子(だんご)

鱧(はも)も一期(いちご)、海老(えび)も一期(いちご)

早(はや)いが勝(か)ち

腹(はら)がへっては軍(いくさ)はできぬ

腹(はら)も身(み)の内(うち)

針(はり)とる者(もの)車(くるま)をとる

針(はり)の穴(あな)から天上(てんじょう)を覗(のぞ)く

針(はり)の筵(むしろ)

針(はり)ほどの穴(あな)から棒(ぼう)ほどの風(かぜ)が来(く)る

針(はり)ほどのことを棒(ぼう)ほどに言(い)う

針(はり)を倉(くら)に積(つ)む

春(はる)の夜(よ)の夢(ゆめ)

早起(はやおき)は三文(さんもん)の徳(とく)

犯罪(はんざい)の陰(かげ)に必(かなら)ず女(おんな)あり

万事(ばんじ)は皆(みな)救(すく)うべし死(し)は救(すく)うべからず

[ひ]

贔屓(ひいき)の引(ひ)き倒(たお)し

日(ひ)が西(にし)から出(で)る

低(ひく)き所(ところ)に水(みず)溜(たま)る

比丘尼(びくに)に櫛(くし)を出(だ)せと言(い)う

日暮(ひく)れて道遠(みちとお)し

百聞(ひゃくぶん)は一見(いっけん)に如(し)かず

庇(ひさし)を貸(か)して母屋(おもや)を取(と)られる

人屑(ひとくず)と縄屑(なわくず)は余(あま)らぬ

一筋(ひとすじ)縄(なわ)では行(ゆ)かぬ

一(ひと)つ穴(あな)の狢(むじな)

人の痛(いた)いのは三年(さんねん)でも辛抱(しんぼう)する

人(ひと)の噂(うわさ)は倍(ばい)になる

人(ひと)の踊(おど)る時(とき)は踊(おど)れ

人(ひと)の事(こと)より我(わ)が事(こと)

人(ひと)の太刀(たち)で高名(こうみょう)する

人(ひと)の物(もの)はおれが物(もの)

人(ひと)のふり見(み)て我(わ)がふり直(なお)せ

人(ひと)は見(み)かけによらぬもの

人(ひと)真似(まね)すれば過(あやま)ちする

人(ひと)を怨(うら)むより身(み)を怨(うら)め

人(ひと)を呪(のろ)えば穴(あな)二(ふた)つ

火(ひ)に油(あぶら)を注(そそ)ぐ

火(ひ)の無(な)い所(ところ)に煙(けむり)は立(た)たぬ

火(ひ)は火元(ひもと)から騒(さわ)ぎ出(だ)す

ひもじい時(とき)のまずい物(もの)なし

紐(ひも)と命(いのち)は長(なが)いがよい

百里(ひゃくり)の道(みち)も一足(ひとあし)から

冷(ひ)や飯(めし)食(た)べても娑婆(しゃば)に居(い)たい

瓢箪(ひょうたん)から駒(こま)が出(で)る

昼(ひる)には目(め)あり、夜(よる)には耳(みみ)あり

火(ひ)を見(み)るよりも明(あき)らか

牝鶏時(ひんけいとき)を告(つ)ぐる

貧(ひん)すれば鈍(どん)する

貧乏人(びんぼうにん)の子沢山(こだくさん)

貧乏(びんぼう)暇(ひま)なし

[ふ]

富貴(ふうき)にして苦(くる)しみあり貧賤(ひんせん)しこして楽(たの)しみあり風前(ふうぜん)の灯火(ともしび)

夫婦(ふうふ)喧嘩(けんか)は犬(いぬ)も食(く)わない

覆水盆(ふくしぃぼん)に返(かえ)らず

袋(ふくろ)の中(なか)の鼠(ねずみ)

豚(ぶた)に真珠(しんじゅ)

武士(ぶし)に二言(にごん)なし

武士(ぶし)は食(く)わねど高楊枝(たかようじ)

無精者(ぶしょうもの)の隣(となり)働(ばたら)き

伏(ふ)せる牛(うし)に芥(あくた)

淵(ふち)に雨(あめ)

淵(ふち)変(へん)じて瀬(せ)となる

太(ふと)る南瓜(カボチャ)に針(はり)をさす

鮒(ふな)念仏(ねんぶつ)

降(ふ)らぬ先(さき)の傘(かさ)

古(ふる)い物(もの)には攻(こう)がある

古川(ふるかわ)に水(みず)絶(た)えず

古傷(ふるきず)は痛(いた)み易(やす)い

踏(ふ)んだり蹴(け)ったり

[へ]

平地(へいち)に波瀾(はらん)を起(お)こす

臍(へそ)で茶(ちゃ)を沸(わ)かす

下手(へた)があるので上手(じょうず)が知(し)れる

下手(へた)の高慢(こうまん)

下手(へた)の道具(どうぐ)調(しら)べ

下手(へた)の横好(よこず)き

下手(へた)の考(かんが)え休(やす)むに似(に)たり

糸瓜(へちま)の皮(かわ)とも思(おも)わず

へっついより女房(にょうぼう)

蛇(へび)が蚊(か)を呑(の)んだよう

屁を放(へひ)って尻(しり)を窄(すぼ)める

蛇(へび)に見込(みこ)まれた蛙(かえる)のよう

蛇(へび)の足(あし)より人(ひと)の足見(あしみ)よ

弁当(べんとう)は宵(よい)から

弁当(べんとう)持(も)ち先(さき)に食(く)わず

弁慶(べんけい)の泣(な)き所(どころ)

[ほ]

法(ほう)あっての寺(てら)、寺(てら)あっての法(ほう)

帽子(ぼうし)と鉢巻(はちま)き

坊主(ぼうず)の花簪(はなかんざし)

豊年(ほうねん)は飢饉(ききん)の基(もと)

吠(ほ)える犬(いぬ)は噛(か)みつかぬ

帆(ほ)かけ船(ぶね)に櫓(ろ)を押(お)す

坊主(ぼうず)憎(にく)けりゃ袈裟(けさ)まで憎(にく)い

細(ほそ)い目(め)で長(なが)く見(み)よ

仏(ほとけ)作(つく)って魂(たましい)入(い)れず

仏(ほとけ)の顔(かお)も三度(さんど)まで

仏(ほとけ)の無(な)い堂(どう)

仏(ほとけ)の光(ひかり)より金(かね)の光(ひかり)

仏(ほとけ)作(つく)って魂(たましい)入(い)れず

誉(ほ)める人(ひと)には油断(ゆだん)すな

法螺(ほら)と喇叭(らっぱ)は大(おお)きく吹(ふ)け

惚(ほ)れて通(かよ)えば千里(せんり)も一里(いちり)

襤褸(ぼろ)を着(き)てても心(こころ)は錦(にしき)

煩悩(ぼんのう)の犬(いぬ)は追(お)えども去(さ)らず

[ま]

参(まい)らぬ仏(ほとけ)に罰(ばち)は当(あ)たらぬ

前(まえ)で追従(ついしょう)する者(もの)は陰(かげ)でそしる

蒔(ま)かぬ種(たね)は生(は)えぬ

曲(ま)がらねば世(よ)が渡(わた)られぬ

曲(ま)がれる枝(えだ)には曲(ま)がれる影(かげ)あり

曲(ま)がり木(ぎ)にも用(もち)い所(どころ)がある

枕(まくら)を高(たか)くして寝(ね)る

負(ま)けるが勝(か)ち

負(ま)けず劣(おと)らず

馬子(まご)にも衣装(いしょう)

待(ま)てば海路(かいろ)の日和(ひより)あり

不味(まず)い物(もの)の煮(に)え太(ぶと)り

待(ま)たぬ月日(つきひ)は経(た)ち易(やす)い

待(ま)つ間(ま)が花(はな)

的矢(まとや)の如(ごと)し

眉毛(まゆげ)に火(ひ)がつく

眉(まゆ)に唾(つば)をつける

眉(まゆ)に八字(はちじ)をなす

真綿(まわた)で首(くび)をしめる

[み]

ミイラ取(と)りがミイラになる

三(み)っ子(ご)の魂(たましい)百(ひゃく)まで

身(み)から出(で)た錆(さび)

右(みぎ)の耳(みみ)から左(ひだり)の耳(みみ)

右(みぎ)を踏(ふ)めば左(ひだり)があがる

水(みず)清(きよ)ければ魚(うお)棲(す)まず

水(みず)滴(したた)りて石(いし)を穿(うが)つ

水(みず)積(つ)もりて魚(うお)集(あつ)まる

水(みず)積(つ)もりて川(かわ)を成(な)す

水(みず)と魚(うお)

水(みず)に流(なが)す

水(みず)に文字(もじ)書(か)く

水(みず)の中(なか)の土仏(つちぼとけ)

水(みず)広(ひろ)ければ魚(うお)大(だい)なり

水(みず)も漏(も)らさぬ

味噌汁(みそしる)で顔洗(かおあら)え

味噌(みそ)も糞(くそ)も一緒(いっしょ)

三日(みっか)天下(てんか)

蓑(みの)のそばへ笠(かさ)が寄(よ)る

耳(みみ)に釘(くぎ)

耳(みみ)に胼胝(たこ)が出来(でき)る

耳(みみ)は大(だい)なるべく口(くち)は小(しょう)なるべし

見目(みめ)より心(こころ)

見様見真似(みようみまね)

見(み)る物(もの)食(く)おう

[む]

六日(むいか)の菖蒲(あやめ)

昔(むかし)から言(い)う事(こと)に嘘(うそ)はない

昔(むかし)千里(せんり)も今(いま)一里(いちり)

昔(むかし)取(と)った杵柄(きねづか)

昔(むかし)は今(いま)の鏡(かがみ)

昔(むかし)は昔(むかし)今(いま)は今(いま)

麦(むぎ)と姑(しゅうとめ)は踏(ふ)むがよい

娘(むすめ)一人(ひとり)に婿八人(むこはちにん)

麦飯(むぎめし)で鯉(こい)を釣(つ)る

婿(むこ)には花(はな)をもたせ

婿(むこ)三代(さんだい)続(つづ)けば金持(かねも)ちになる

婿(むこ)は座敷(ざしき)から貰(もら)え嫁(よめ)は庭(にわ)から貰(もら)え

婿(むこ)は火(ひ)を焚(た)く

蒸(む)し暑(あつ)いと翌日(よくじつ)は雨(あめ)

娘(むすめ)が姑(しゅうとめ)になる

娘(むすめ)三人(さんにん)持(も)てば身代(しんだい)潰(つぶ)す

娘(むすめ)見(み)るより母(はは)を見(み)よ

胸(むね)に一物(いちもつ)

村(むら)には村(むら)姑(しゅうとめ)が居(い)る

無理(むり)が通(とお)れば道理(どうり)が引(ひ)っ込(こ)む

[め]

名物(めいぶつ)に旨(うま)い物(もの)なし

目(め)から鼻(はな)へ抜(ぬ)ける

目糞鼻糞(めくそはなくそ)を笑(わら)う

目(め)に入(い)れても痛(いた)くない

目(め)には目(め)歯(は)には歯(は)

目(め)の上(うえ)の瘤(こぶ)

目(め)は口(くち)ほどに物(もの)を言(い)う

目(め)は心(こころ)の鏡(かがみ)

名筆(めいひつ)は筆(ふで)を撰(えら)ばず

目(め)から鼻(はな)へ抜(ぬ)ける

目糞(めくそ)鼻糞(はなくそ)を笑(わら)う

盲(めくら)に眼鏡(めがね)

盲(めくら)に煮(に)え湯(ゆ)をかける

盲(めくら)の垣(かき)のぞき

盲(めくら)の杖(つえ)を失(うしな)う如(ごと)し

盲(めくら)蛇(へび)に怖(お)じず

目(め)で見(み)て鼻(はな)で嗅(か)ぐ

目(め)と鼻(はな)の間(あいだ)

目(め)に入(い)れても痛(いた)くない

目(め)の上(うえ)の瘤(こぶ)

目(め)の正月(しょうがつ)

目(め)の保養(ほよう)

目(め)は心(こころ)の鏡(かがみ)

目(め)は口程(くちほど)に物(もの)を言(い)う

面面(めんめん)の楊貴妃(ようきひ)

面(めん)も笠(かさ)も脱(ぬ)ぐ

[も]

孟母(もうぼ)三遷(さんせん)の教(おし)え

餅(もち)は餅屋(もちや)

餅(もち)に佐藤(さとう)

餅(もち)の中(なか)の籾(もみ)

餅屋(もちや)餅(もち)食(く)わず

餅(もち)より餡(あん)が高(たか)くつく

持(も)った棒(ぼう)で打(う)たれる

本木(もとき)にまさる末木(うらき)なし

元(もと)の鞘(さや)へ収(おさ)まる

物(もの)盛(さかん)なれば則(すなわ)ち劣(おとろ)う

物種(ものだね)は盗(ぬす)まれず

物(もの)には時節(じせつ)

物(もの)は考(かんが)えよう

物(もの)も言(い)いようで角(かど)が立(た)つ

木綿(もめん)布子(ぬのこ)に紅絹(もみ)の裏(うら)

桃栗三年(ももくりさんねん)柿八年(かきはちねん)

貰(もら)い物(もの)に苦情(くじょう)

貰(もら)う物(もの)は夏(なつ)も小袖(こそで)

門前(もんぜん)雀羅(じゃくら)を張(は)る

元(もと)の木阿弥(もくあみ)

[や]

焼餅(やきもち)焼(や)くとて手(て)を焼(や)くな

薬籠(やくろう)中(ちゅう)の物(もの)

焼(や)け跡(あと)の釘(くぎ)拾(ひろ)い

焼(や)け石(いし)に水(みず)

焼(や)けた脛(すね)から毛(け)は生(は)えぬ

火傷(やけど)火(ひ)に怖(お)じる

夜食(やしょく)過(す)ぎての牡丹餅(ぼたもち)

安(やす)かろう悪(わる)かろう

安物(やすもの)買(が)いの銭(ぜに)失(うしな)い

痩(や)せ腕(うで)にも骨(ほね)

痩馬(やせうま)に重荷(おもに)

痩馬(やせうま)の行(ゆ)く先(さき)は草(くさ)まで枯(か)れる

痩馬(やせうま)鞭(むち)を恐(おそ)れず

痩(や)せの大食(おおぐ)い

藪(やぶ)から棒(ぼう)

柳(やなぎ)の下(した)の泥鰌(どじょう)

柳(やなぎ)は緑花(みどりはな)は紅(くれない)

矢(や)はすでに放(はな)たれた

破(やぶ)れ靴(ぐつ)を棄(す)てるよう

破(やぶ)れても小袖(こそで)

藪(やぶ)をつついて蛇(へび)を出(だ)す

病(やまい)は気(き)から

病(やまい)は口(くち)より入(い)り禍(わざわい)は口(くち)より出(い)ず

病(やまい)は治(なお)るが癖(くせ)は治(なお)らぬ

山高(やまたか)きが故(ゆえ)に貴(たっと)からず

山高(やまたか)ければ谷深(たにふか)し

山(やま)に舟(ふね)を乗(の)るよう

山(やま)の芋鰻(いもうなぎ)になる

山(やま)の事(こと)はきこりに問(と)え

山(やま)見(み)えぬに坂(さか)を言(い)う

山(やま)より大(おお)きな猪(いのしし)は出(で)ぬ

闇(やみ)の夜(よ)に灯火(とうか)を失(うしな)う

闇夜(やみよ)に烏雪(からすゆき)に鷺(さぎ)

闇夜(やみよ)の礫(つぶて)

闇夜(やみよ)の錦(にしき)

病(や)む身(み)より見(み)る目(め)

[ゆ]

有終(ゆうしゅう)の美(び)

夕立(ゆうだち)は馬(うま)の背(せ)を分(わ)ける

夕焼(ゆうや)けに鎌(かま)を研(と)げ

行(ゆ)き掛(が)けの駄賃(だちん)

雪(ゆき)と墨(すみ)

雪(ゆき)と欲(よく)は積(つも)るほど道(みち)を忘(わす)れる

雪(ゆき)の明日(あした)は裸虫(はだかむし)の洗濯(せんたく)

雪(ゆき)の上(うえ)に霜(しも)

雪(ゆき)や氷(こおり)も元(もと)は水(みず)

行(ゆ)く馬(うま)に鞭(むち)

油断大敵(ゆだんたいてき)

油断(ゆだん)は怪我(けが)の基(もと)

指(ゆび)汚(きたな)しとて切(き)られもせず

指(ゆび)を惜(お)しんで掌(てのひら)を失(うしな)う

弓(ゆみ)折(お)れ矢(や)尽(つ)きる

弓(ゆみ)と弦(つる)

弓(ゆみ)も引(ひ)き方(かた)

夢(ゆめ)に金(かね)を拾(ひろ)う

夢(ゆめ)のまた夢(ゆめ)

夢(ゆめ)は逆夢(さかゆめ)

夢(ゆめ)は判(はん)じがら

湯(ゆ)を沸(わ)かして水(みず)にする

[よ]

宵(よい)っ張(ば)りの朝寝坊(あさねぼう)

酔(よ)いどれ怪我(けが)せず

よい花(はな)は後(あと)から

養生(ようじょう)に身(み)が痩(や)せる

用心(ようじん)に怪我(けが)なし

善(よ)く泳(およ)ぐ者(もの)は溺(おぼ)れる

欲(よく)に頂(いただき)無(な)し

欲(よく)の桶(おけ)には底(そこ)無(な)し

欲(よく)は身(み)を失(うしな)う

欲(よく)深(ふか)き鷹(たか)は爪(つめ)の裂(さ)くるを知(し)らず

欲深者(よくふかもの)は頭(あたま)禿(は)げ易(やす)し

横(よこ)紙(がみ)さく如(ごと)し

横(よこ)車(ぐるま)を押(お)す

横槍(よこやり)を入(い)れる

葦(よし)の髄(ずい)から天井(てんじょう)のぞく

余所(よそ)の内儀(ないぎ)は美(うつく)しく見(み)える

淀(よど)む水(みず)には芥溜(ごみたまる)

世(よ)は様々(さまざま)

世(よ)は柳(やなぎ)で暮(く)らせ

夜道(よみち)に日(ひ)は暮(く)れぬ

嫁(よめ)が姑(しゅうとめ)になる

嫁(よめ)と厠(かわや)は遠(とお)いほどよい

嫁(よめ)は来(き)たときに仕込(しこ)め

嫁(よめ)は憎(にく)いが孫(まご)は可愛(かわい)い

嫁(よめ)を取(と)れば可愛子(かわいいご)も憎(にく)くなる

嫁(よめ)を貰(もら)えば親(おや)を貰(もら)え

寄(よ)らば大樹(たいじゅ)の陰(かげ)

夜(よる)、家(いえ)の中(なか)で口笛(くちぶえ)を吹(ふ)くな
弱(よわ)り目(め)に祟(たた)り目(め)

[ら]

来年(らいねん)の事(こと)を言(い)えば鬼(おに)が笑(わら)う
楽(らく)あれば苦(く)あり
楽(らく)は身(み)に覚(おぼ)えず
楽(らく)は苦(く)の種(たね)苦(く)は楽(らく)の種(たね)
落下流水(らっかりゅうすい)の情(じょう)

[り]

李下(りか)に冠(かんむり)を正(ただ)さず
理屈(りくつ)上手(じょうず)の行(おこな)い下手(べた)
理屈(りくつ)と膏薬(こうやく)はどこへでも付(つ)く
律儀者(りちぎもの)の子沢山(こだくさん)
理(り)に勝(か)って非(ひ)に落(お)ちる
離別(りべつ)の後(のち)の悋気(りんき)
竜(りゅう)の髭(ひげ)を蟻(あり)が狙(ねら)う
竜馬(りゅうめ)の躓(つまず)き
良禽(りょうきん)は木(き)を選(えら)ぶ
両手(りょうて)に花(はな)
両方(りょうほう)聞(き)いて下知(げち)をなせ
良薬(りょうやく)は口(くち)に苦(にが)し
悋気(りんき)は女(おんな)の七(なな)つ道具(どうぐ)

[る]

類(るい)は友(とも)を呼(よ)ぶ
留守(るす)見舞(みまい)は間遠(まどお)にせよ

瑠璃(るり)も玻璃(はり)も照(てら)せば光(ひか)る

[れ]

礼儀(れいぎ)は下(した)から慈悲(じひ)は上(うえ)から

礼(れい)も過(す)ぎれば無礼(ぶれい)になる

連木(れんぎ)で重箱(じゅうばこ)洗(あら)う

連木(れんぎ)で門(かど)掃(は)く

[ろ]

老少不定(ろうしょうふじょう)

蝋燭(ろうそく)は身(み)を減(へ)らして人(ひと)を照(てら)す

六月(ろくがつ)に火桶(ひおけ)を売(う)る

六月無礼(ろくがつぶれい)

六十(ろくじゅう)の手習(てなら)い

六十年(ろくじゅうねん)は暮(くら)せど六十日(ろくじゅうにち)を暮(くら)しかぬ

論語(ろんご)読(よ)みの論語(ろんご)知(し)らず

論(ろん)より証拠(しょうこ)

[わ]

若(わか)い時(とき)の苦労(くろう)は買(か)ってでもせよ

我(わ)が門(かど)で吠(ほ)えぬ犬(いぬ)なし

我(わ)が子(こ)自慢(じまん)は親(おや)の常(つね)

我(わ)が田(た)へ水(みず)を引(ひ)く

沸(わ)く泉(いずみ)にも水涸(みずが)れ

禍(わざわい)も三年(さんねん)たてば用(よう)に立(た)つ

渡(わた)りに船(ふね)

渡(わた)る世間(せけん)に鬼(おに)はない

割(わ)った茶碗(ちゃわん)をついで見(み)る

笑(わら)う門(かど)には複(ふく)来(き)たる
割(わ)れ鍋(なべ)に綴(と)じ蓋(ぶた)
割物(われもの)と小娘(こむすめ)

미국속담

[A]

A bad workman blames his tools
A barking dog never bites
A bird in the hand is worth two in the bush
A big fish must swim in deep waters
A buddy from my old stomping grounds
Absence makes the heart grow fonder
A bargain usually costs you more in the end
A beard well lathered, is half shaved
A black plum is as sweet as a white
A bold attempt is half success
A burden of one's own choice is not felf
Actions speak louder than words
A cat in gloves catches no mice
A crow is never the white for washing herself
A constant guest is never welcome
A clean glove often hides a dirty hand
A dead man never comes to life again
A drowning man will catch at a straw
Adding insult to injury
A day is like three autumns
A desperate disease must have a desperate cure

An eye for an eye (and a tooth for a tooth)

A great city is a great desert

A guilty conscience needs no accuser

A good man makes a good wife

A good beginning makes a good ending

A good book is your best friend

A good reader is as rare as a good writer

A good wife is worth gold

A good jack makes a good Jill

Age is a matter of feeling, not of years

After death, to call the doctor

A fool can ask more questions in an hour than a wise man can answer in seven years

A fool is like other men as long as he is silent

After the feast comes the reckoning

After cheese comes nothing

A fair death honors the whole life

A friend in need is a friend indeed

A home having no child is like as the earth having no sun

A man apt to promise is apt to forget

A man is known by the company he keeps

A man is twice miserable when he fears his misery before it comes

A man with three daughters can sleep his door open

A man finds himself seven years older than the day after his marriage

A man has choice to begin love, but not to end it

A mother's heart is always with her children

A near neighbor is better than a far-dwelling kinsman

Any time means no time

Anyone who goes hungry for three days will steal

An idle youth, a needy age

An injury forgiven is better than an injury revenged

An ill father desires not an ill son

A living dog is better than a dead lion

A loaf of bread is better than song of many birds

A little knowledge is dangerous

A little learning is a dangerous thing

A light heart lives long

As one sows, so shall he reap

A stitch in time saves nine

A small leak will sink a great ship

A stilt friend

A stitch in times saves nine

A soft answer turned away wrath

A song will outlive sermons in the memory

April showers bring May flowers

A rags to riches story

A rat in a trap

Art is long, Life is short

A rolling stone gathers no moss

A woman's tongue is only three inches long, but it can kill a man six feet high

A tree is known by its fruit

As the life is, so is the end

A quiet conscience sleeps in thunder

Ask, and it shall be given you; seek, and you shall find; knock, and it shall be opened

As poor as a church mouse

Asking costs nothing

Avarice is the only passion that never ages

Avoid such men as will do you harm

All is well that ends well

All is luck or illluck in this world

All that glitters is not gold

All truths are not to be told

All's fair in love and war

[B]

Bacchus kills more than Mars

Bad news travels fast

Barking dogs seldom bite

Behind every great man, there is a great woman

Behind the clouds is the sun still shining

Beauty is in the eye of the beholder

Beauty is but skin deep

Beggars can't be choosers

Best dealing with an enemy when you take him at his weakest

Be swift to hear, slow to speak

Better be the head of a dog than the tail a lion

Better be a bird in the wood than one in the cage

Better late than never

Better spare at brim than at bottom

Better wear out shoes than sheets

Be not the first to quarrel nor the last to make it up

Birds of a feather flock together

Birth is much, but breeding is more

Bitter pills may have blessed effects

Blessings are not valued till they are gone

Blood is thicker than water

Blind chance sweeps the world along

Born in a barn

Books still accomplish miracles; they persuade man

By other's faults wise men correct their own

[C]

Can't get blood from a turnip

Cast not your pearls before swine

Casting pearls before swine

Castle in the air

Charity begins at home

Clothes do not make the man

Cleave the log according to the grain

Cold hand, warm heart

Coming events cast their shadows before

Constant dripping wears away the stone

Covetousness is always filling a bottomless vessel

Cut off your nose to spite your face

Custom[Habit] is a second nature

[D]

Danger foreseen is half avoided

Deep sorrow has no tongue

Delay increases desire and sometimes extinguishes them

Dig the well before you are thirsty

Discard the head and lop off the tail

Don't count your chickens before they are hatched

Don't cry before you are hurt

Don't stick out your neck for someone to hang a rope around

Don't start anything you can't finish

Don't speak ill of the dead

Don't put all your eggs in one basket

Don't look a gift horse in the mouth

Don't judge a man until you've walked in his boots

Don't bite the hand that feeds you

Don't judge a book by its cover

Don't bite off more than you can chew

Do as you would be done by

Do empty, return empty

Do in Rome as the Romans do

Do not judge a man by the whiteness of his turban

Dreams go by contraries

Draw not your bow until your arrow is fixed

[E]

Eagles don't catch flies

Easier said than done

Eating little and speaking little can never do harm

Easy come, easy go

Early to bed and early to rise, makes a man healthy, wealthy and wise

Eating little and speaking little can never do harm

Every dog has his day

Empty vessels make the greatest sound

Every cloud has a silver lining

Every flow has its ebb

Everybody's business is nobody's business

Everything is good for something

Experience is the best teacher

Experience is the mother of wisdom

Even Homer nods

Even the evil spirits don't know

Everybody is wise after the event

Everyone has a skeleton in his closet

Every cook praises his own soup

Every minute seems like a thousand

Every dog has his day

Every Jack has his Gill

Every little helps

Even the longest night must end

[F]

Face the music

Faith can remove mountains

Fairest gems lie deepest

Father hands down, son hands down

Familiarity breeds contempt

Faint heart never won fair lady

Finders keepers, losers weepers

Finding's keeping

Fine feathers make fine birds

Fish will take best after rain

Fix the hedge gate after you've been robbed

Five hours sleeps a traveller, seven a scholar, eight a merchant, and eleven every knave

Flowers leave fragrance in the hand that bestows them

Follow the river, and you'll get to the sea

Follow your own star

Freedom is not worth having if it does not include the freedom to make mistakes

Frist creep and then go

Frist impressions are the most lasting

Friend to all is a friend to none

From labour health, from health contentment springs

From saying to doing is a long step

From short pleasure, long repentance

Frugality is a great revenue

[G]

Gain at the expense of reputation should be called loss

Gentleness corrects whatever is offensive in our manner

Go to vintage without baskets

Good words cost nothing

Good name is better than a golden girdle

Good courage breaks bad luck

God is in an honest man's heart

God gives all things to industry

God gives every bird his worm, but he does not throw it into the nest

Go home and kick the dog

Great oaks from little acorns grow

Great talent takes time to ripen

Gift long waited for is sold, not given

Give the disease and offer the remedy

[H]

Handsome is as handsome does

Haste makers waste

He conquers a second time who controls himself in victory

He catches the wind with a net

He is lifeless that is faultless

Hearing times is not like seeing once

He can't see the forest for the trees

He sits not sure that sits too high

He who begins many things, finishes but few

He who chooses takes the worst

He who carries nothing loses nothing

He who laughs last laughs best

He who has once burnt his mouth always blows his soup

He who hesitates is lost

He who never made a mistake never made anyhting

He who loses money, loses much; he who loses a friend loses more; he who loses his nerve, loses all

He who fights and runs away lives to fight another day

He who knows only his side of the case knows little of that

He who would catch fish, must not mind getting wet

He who inquires much learns much

He teaches ill who teaches all

He that can make a fire well can end a quarrel

He that excuses himself accuses himself

He that falls today may rise tomorrow

He that goes to bed thirsty rises healthy

He that has a great nose thinks everybody is speaking of it

He that will steal a pin will steal an ox

He that is master of himself will soon be master of others

Hope for the best and prepare for the worst

Hope is the poor man's bread

Honesty is the best policy

Honey catches more flies than vinegar

Hunger is the best sauce

Hungry dogs will eat dirty puddings

Hog in armour is still but a hog

Hot love is soon cold

Hope to the end

[I]

Icing on the cake

I cannot be your friend and your flatterer too

Idle men are dead all their life long

Ignorance is bliss

I was not born yesterday

I want to die knowing one more thing

Imitation is the sincerest form of flattery

If you can't beat them, join them

If you can't stand the heat, get out of the kitchen

If you have no courage, you must have fast legs

If you run after two hares, you will catch neither

If you trust before you try, you may repent before you die

If at first you don't succeed, try, try again

If you would wish the dog to follow you, feed him

If you submit to one wrong you bring on another

If you sing before seven, you will cry before eleven

If the wind will not serve, take to the oars

If you would enjoy the fruit, pluck not the flower

If in the morning I learn of the truth, I shall die without regrets in the evening

If you have no enemies, it is a sign fortune has forgotten you

In a calm sea every man is a pilot

In good fortune, prudence; in ill fortune, patience

In unity there is strength

In the country of the blind, the one-eyed man is king

In every beginning think of the end

In the looking glass we see the form, in wine the heart

In travelling, company; in life, sympathy

In juries we write in marble; kindness in dust

In vain he craves advice that will not follow it

Iron not used soon rusts

It does no pay to be short tempered

Ill weeds grow apace

It is a long lane that has no turning

It's easier to fall than to get on your feet

It is a foolish sheep that makes the wolf his confession

It is harder to unlearn than to learn

It is good to have friends but bad to need them

It is not what you know, but who you know

It is more blessed to give than to receive

It takes a thief to catch a thief

It never rains but it pours

It is better to have loved and lost than never to have loved at all

It takes a village to raise a child

It's no use crying over spilt milk

It takes two to tango

It's a piece of cake

[J]

Jack of all trades is master of none

Justice has long arms

Judge not of men or things at first sight

[K]

Keep your eyes open and your mouth shut

Keep your eyes wide open before marriage and half shut afterwards

Keep the common road, and you are safe

Keep oaring

Keep not two tongues in one mouth

Knowledge is power

Knowing characters is worry and trouble

Knowledge has no enemy but ignorance

Knowledge in youth is wisdom in age

Knave is one knave, but a fool is many

Kill two birds with one stone

Kill one with kindness

Kind words are worth much and they cost little

[L]

Laugh and the world laugh with you; weep, and you weep alone

Late fruit keeps well

Law catches flies, but lets hornets go free

Law makers should not be law breakers

Learn to say before you sing

Learning without thought is labour lost

Let sleeping dogs lie

Let's get to the point

Liars should have a good memory

Life is compared to a voyage

Luck comes to those who look after it

Like father, like son

Like back and expectorate

Like he's bewitched by a goblin

Little said soon amended

Little strokes fell great oaks

Life admits not of delays

Life is made up of little things

Life is full of ups and downs

Life is short, art is long

Life is half spent before we know what it is

Life has no pleasure nobler than that of friendship

Lightning never strikes twice in the same place

Live not to eat, but eat to live

Love is blind

Look before you leap

Love is blind; so is hatred

Love me, love my dog

Loves makes all hearts gentle

Love shortens distance

Lying and stealing are next door neighbours

[M]

Make hay while the sun shines

Make haste slowly

Man makes house, woman makes home

Man' best candle is his understanding

Many a little makes a nickle

Man proposes but God disposes

Manners are stronger than laws

Match made in heaven

Man does not live by bread alone

Man, know thyself. All wisdom centres there

Man is but a reed, the weakest in nature, but he s a thinking reed

Man can climb to the highest summits, but he can not dwell there long

Man, know thyself. All wisdom centres there

Man's life is a progress, and not a station

Man is made great or little by his own will

Mend the barn after the horse is stolen

Men are blind in their own cause

Mind unemployed is mind unenjoyed

Misfortune seldom comes alone

Misfortune is a good teacher

Misery loves company

Mingle your joys sometimes with your earnest occupation

More haste , less speed

Money does not grow on trees

Money changes hands

Money is round and rolls away

Money will do anything

My house burned up, but do died the bedbugs

[N]

Names and natures do often agree

Nature admits not a lie

Neither praise nor dispraise yourself; your actions serve the turn

Never judge from(by) appearance

Necessity is the mother of invention

Never say never

Never let your left hand know what your right hand is doing

Never too old to learn

Never swap horses crossing a stream

Never trouble trouble till trouble troubles you

None is deceived but he who trusts

No medicine can cure folly

No man can call again yesterday

No man can tell what future brings forth

No news is good news

Non but a wise man can employ leisure well

None is so blind as those who won't see

No morning sun lasts a whole day

No pains, no gains

Not the slightest hint to the liver

Nothing ventured, nothing gained

No pleasure without pain

Novelty is the great parent of pleasure

None of your lips

No life without pain

Night gives counsel

[O]

Of evil grain no good seed can come

Old men are twice children

Old friends and old wine are best

One good turn deserves another

One cannot put back the clock

Once bitten twice shy

Once in a blue moon

Once a heel, always a heel

One murder makes a villain, millions a hero

One cannot eat one's cake and have it

One hand washes the other

One evil breeds another

One shoe will not fit every foot

One swallow doesn't make a summer

One man's trash is another man's treasure

One good turn deserves another

One rotten apple spoils the barrel

One picture is worth a thousand words

One man sows and another man reaps

Out of sight, out of mind

Out of the frying pan into the fire

Over shoes, over boots

Overdone is worse than undone

[P]

Pain past is pleasure

Pay condolences when the lord's horse dies but not when the lord dies

Patience wears out stones

Pardon all but yourself

Patience is genius

Peace is the fairest form of happiness

Popular opinion is the greatest lie in the world

Poor and liberal, rich and covetous

Poverty is the mother of crime

Poverty is no sin

Purpose is what gives life a meaning

Pride will have a fall

Pride goes before a fall

Profit all mankind

Practice makes perfect

Pichers have ears

Pull down on your hat on the wind side

Punish yourself, abandon yourself

[Q]

Quarreling is the weapon of the weak

[R]

Reading makes a full man

Reading without purpose is sauntering, not exercise

Resolve lasts three days

Respect is greater from a distance

Remove an old tree and it will die

Rome wasn't built in a day

Practice makes perfect

Prefer loss to unjust gain

Presents keep friendship warm

Rise with the Sun and enjoy the day

Running around like a chicken with its head cut off

[S]

Saying is one thing and doing another

Secret of success is constancy to purpose

Second thoughts are best

Seeing is believing

Searching for a needle in a haystack

Seldom seen, soon forgotten

Shoemaker's wives are worst shod

Slow and steady wins the race

Slow to resolute, but in performance quick

Small sorrows speak; great ones are silent

Snow is the poor man's fertilizer

So many men, so many mind

Sorrow is laughter's daughter

Soft fire makes sweet malt

Some rise by sin, and some by virtue fall

Spare the rod and spoil the child

Speech is silver, but silence is gold

Speak of the devil

Store is no sore

Set every man to do what he was made for

Stay cool but don't freeze

Starts off with a bang and ends with a whimper

Stabbed in the back

Step after step the ladder is ascended

Still waters run deep

Strike while the iron is hot

Sweet talk

Sweet sixteen and never been kissed

[T]

That's the way the cookie crumbles

That's like putting a fifth wheel to a coach

Talk of the devil, and he is bound to appear

Talking to the wall

Take time by the forelock

The best looking glass is an old friend

The cobbler should stick to his last

The moon's not seen where the sun shines

The tailor ill dressed, the shoemaker ill shod

The last drop makes the cup run over

The last five minutes determine the issue

The fortune teller cannot tell his our fortune

The flame is not far away from the smoke

The apples in the neighbor's garden are sweetest

The best of plans is to run away

The biter is sometimes bit

The company makes the feast

The day's plan should made out early in the morning

The early bird catches the worm

The grass is greener on the other side of the fence

The pen is mightier than the sword

The pot calls the kettle black

The sweetest grapes hang highest

The first blow is halfly the battle

The filth under the white snow the sun discovers

The fowl knows the serpent's sneeze

The tailor makes the man

The more, the better

The net of the sleeper catches fish

The more noble, the more humble

The pleasures of the mighty are the tears of the poor

The tree is known by its fruit

The fish always stinks from the head downwards

The burnt child dreads the fire

The remedy is worse than the disease

The first step is always the hardest

The frog will jump back into the pool although it sits on a golden stool

The child is the father of the man

The good die young

The sparrow near a school sings the primer

The squeaking wheel gets the oil

The wrong doer never lacks a pretext

The spirit is willing, but the flesh is weak

The apple doesn't fall far from the tree

The dog always returns to his vomit

The road to hell is paved with good intentions

The angry man opens his mouth and shuts his eyes

The only thing we have to fear is fear itself

The only way to have a friend is to be one

The best things in life are free

The best means of destroying an enemy is to make him your friend

The second word makes the quarrel

The sickness of the body may prove the health of the mind

The greatest rivers must run into the sea

The eyes are bigger than the stomach

The enemy of my enemy is my friend

The greatest talkers are always the least doers

The used key is always bright

The price of your hat isn't the measure of your brain

The richer get richer and the poor get babies

The sickness of the body may prove the health of the mind

The merry in heart have a continual feast

The more violent the storm the sooner it is over

The mind makes heaven of hell and hell of heaven

The fortune of the house stands by its virtue

The strongest oaths are straw to the fire

The frog in the well knows nothing of the great ocean

The new broom sweeps right

There is truth in wine

There is honor even among thieves

There's always a first time for everything

There's no fool like an old fool

There is no rose without a thorn

There's no joy in anything unless we share it

There is no place like home

There is nothing new under the sun

There are tricks in every trade

Thrown away like an old shoe

Throw the baby out with the bath water

Thorn in the side

Those who live in glass houses should not throw stones

Things done cannot be undone

Time is the healer of all

Time tries truth

Time flies like an arrow

Time and tide wait for no man

To climb steep hills requires slow pace at first

To see is to believe

To be prepared is to have no anxiety

To count one's chickens before they are hatched

To cast pearls before swine

To have the right chemistry

To teach a fish how to swim

To refuse graciously is half to grant a favor

To lose is to win

To preserve friendship, one must build walls

Too many cooks spoil the broth

Too many chiefs and not enough Indians

Too many books make us ignorant

Two dogs strive for a bone, and a third runs away with it

Two heads are better than one

Two men may meet but never two mountains

Two's company, three's none

True love never runs smooth

Truth is the best advocate

Truth is lost by too much controversy

Try a horse by riding him; try a man by associating with him

Turning green with envy

Time is the best counsellor

Tighten your helmet strings in victory

[v]

Visits should be short like a Winter's day

[W]

Walls have ears

Wake not a sleeping lion

We are born crying, live complaining, and die disappointed

We cannot come to honour under coverlet

We are the authors of our own disasters

Well begun is half done

We sink to rise

What comes from the heart goes to the heart

What's done cannot be undone

What much is worth comes from the earth

What's yours is mine, and what's mine is my own

Whatever you undertake, think of the end

When angry count ten; when very angry, a hundred

Where there is a will, there is a way

When in Rome, do as the Romans do

When god closes one door, he opens another

When the cat's away, the mice will play

When the well is full, it will run over

Where there's smoke, there's fire

Where three travel together, one will be my teacher

When poverty comes in at the door, love flies out of the window

What's learned in the cradle is carried to the grave

When a dog bites a man, that is not news; but when a man bites a dog, that is news

Without a friend to share them, no goods we posses are rally enjoyable

Without patronage art is like a windmill without wind

Wisdom may come out of the mouths of babes

[Y]

You and I draw both in the same yoke

You've cried wolf too many times

You can't hold a candle to the sun

You could sell him the brooklyn bridge

You can lead a horse to water, but you can't make him drink

You cannot make bricks without straw

You can't seek Lady Luck; Lady Luck seeks you

You can't make an omelet without breaking eggs

You can't live with men: neither can you live without them

You don't know what you've got until you've lost it

You're never too old to learn

You reap what you sow

한국
속담

[ㄱ]

◎ **가까운 길 버리고 먼 길 간다** : 어떠한 일을 할 때에 빠르고 편한 방법이 있는데도 어렵고 좋지 않은 방법으로 하는 것을 이르는 말.

◎ **가난 구제는 나라님도 못 한다** : 타인의 가난한 살림을 구제하여 주기는 끝이 없기 때문에 국가의 힘으로도 못 하는 것을 이르는 말.

◎ **가난이 원수** : 가난으로 인하여 억울한 경우나 고통을 당하게 되어 가난이 원수처럼 느껴지는 것을 이르는 말.

◎ 가는 날이 장날이라 : 우연히 갔다가 우연히 재미를 보았을 때를 이르는 말.

◎ 가는 말이 고와야 오는 말이 곱다 : 내가 먼저 타인에게 잘 대해 주어야 남도 나에게 잘 대해 주는 것을 이르는 말.

◎ 가는 방망이 오는 홍두깨 : 타인에게 해를 끼치려고 하다가 도리어 더 큰 화를 입게 됨을 이르는 말.

◎ 가랑비에 옷 젖는 줄 모른다 : 아무리 사소한 것이라도 그것이 거듭되면 무시하지 못할 정도로 크게 되는 것을 이르는 말.

◎ 가랑이가 찢어지게 가난하다 : 매우 가난함을 이르는 말.

◎ 가랑잎으로 똥 싸 먹겠다 : 잘 살던 사람이 갑자기 궁핍해져서 어찌할 수 없는 신세가 되는 것을 이르는 말.

◎ 가랑잎으로 보지 가리기다 : 도저히 되지도 않을 일을 어슬프게 하는 것을 이르는 말.

◎ 가려운 데를 긁어 준다 : 원하는 것을 만족 시켜 주는 것을 이르는 말.

◎ 가마솥에 든 고기 : 꼼짝없이 죽게 된 신세를 이르는 말.

◎ 가만히 있으면 무식이나 면한다 : 잘 알지도 못하면서 아는체하면 무식함이 드러나니 모르면 가만히 있을 것을 이르는 말.

◎ 가문 덕에 대접받는다 : 변변치 못한 사람이 좋은 가문(家門)에 태어나 대우받는 것을 이르는 말.

◎ 가뭄에 콩 나듯 한다 : 수가 너무 적은 것을 이르는 말.

◎ 가슴이 두 근 반 세 근 반 한다 : 불안감 혹은 놀람 등으로 가슴이 두근거림을 익살조로 이르는 말.

◎ 가을바람에 낙엽 지듯 한다 : 많은 일들이 동시에 잘못되어 가는 것을 이르는 말.

◎ 가을 부채는 시세가 없다 : 때가 지난 것은 그 가치가 없음을 이르는 말.

◎ 가재걸음 친다 : 모든 일이 진보하지 못하고 퇴보되는 것을 이르는 말.

◎ 가재는 게 편 : 모양이나 형편이 서로 비슷하고 인연이 있는 것끼리 서로 잘 어울리고, 사정을 보아주고 감싸주는 것을 이르는 말.

◎ 가진 놈이 더 무섭다 : 재물이 많은 사람일수록 적게 가지고 있는 사람보다 인색함을 이르는 말.

◎ 간 빼 먹고 등쳐먹다 : 남을 놀라게 하여 정신없이 만들어 놓고 그 재물을 빼앗은 것을 이르는 말.

◎ 간에 붙었다 쓸개에 붙었다 한다 : 자기에게 조금이라도 이익

이 되면 지조없이 여기 붙었다 저기 붙었다 하는 것을 이르는 말.

◎ 간이 콩알만 해졌다 : 매우 놀라는 것을 이르는 말.

◎ 간이라도 빼어 먹이겠다 : 무엇이든 다 내어 줄 것 같은 것을 이르는 말.

◎ 갈수록 태산이라 : 갈수록 어려운 지경에 처하게 되는 것을 이르는 말.

◎ 감꼬치 빼먹듯 한다 : 있는 재물을 하나씩 축내며 살아가는 것을 이르는 말.

◎ 값싼 비지떡 : 값이 싼 물건은 품질도 그만큼 좋지 않음을 이르는 말.

◎ 강 건너 불구경 : 어떠한 일에 관여하지 않고 방치하거나 관여하고 싶어도 관여할 수 없는 상황을 이르는 말.

◎ 강아지 메주 먹듯 한다 : 강아지가 메주를 잘 먹듯이 어떠한 음식을 매우 좋아하는 것을 이르는 말.

◎ 같은 떡도 남의 것이 커 보인다 : 같은 물건인데도 남이 가진 것이 더 돋보이는 것을 이르는 말.

◎ 같은 값이면 다홍치마 : 여럿 중에서도 모양 좋고 보기 좋은 것을 선택함을 이르는 말.

◎ 게 눈 감추듯 한다 : 음식을 몹시 빠르게 먹는 것이 게가 눈을 감추듯이 빠름을 이르는 말.

◎ 개가 미치면 주인도 문다 : 개가 미치면 주인도 물듯이 사람도 배은(背恩)하면 은인(恩人)도 해치는 것을 이르는 말.

◎ 개 같이 벌어서 정승같이 쓴다 : 돈을 벌 때는 천한 일을 했어도 돈을 번 뒤에는 품위 있게 살면 되는 것을 이르는 말.

◎ 개구리가 올챙이 적 생각 못한다 : 출세하고 나면 어려웠던 지난날을 생각하지 않는 것을 이르는 말.

◎ 개구리 돌다리 건너듯 : 개구리가 껑충껑충 돌다리를 건넌다는 뜻으로, 일을 건성건성 하는 모양을 이르는 말.

◎ 개 꾸짖듯 한다 : 체면을 조금도 돌보지 않고 마구 꾸짖는 것을 이르는 말.

◎ 개 눈에는 똥만 보인다 : 평소 자신이 좋아하거나 관심을 가지고 있는 것이 눈에 잘 뜨이는 것을 놀림조로 이르는 말.

◎ 개도 뒤 본 자리는 덮는다 : 개도 똥을 누고 나서는 흙으로 덮는다는 말로, 자기가 벌인 일은 자기가 뒷마무리를 해야 하는 것을 이르는 말.

◎ 개도 먹는 개는 때리지 않는다 : 개가 잘못을 저질렀어도 먹을 때는 때리지 않듯이, 사람도 음식을 먹고 있을 때에는 잘못이 있다 하더라도 먹고 난 다음에 나무라야 하는 것을 이르는 말.

◎ 개도 은혜는 잊지 않는다 : 개도 주인의 은혜를 잊지 않는데, 하물며 사람이 남의 은혜를 갚지 않아서야 되겠느냐는 것을 이르는 말.

◎ 개똥도 약에 쓰려면 없다 : 아무리 흔한 것일지라도 정작 소용이 있어서 찾으면 없는 것을 이르는 말.

◎ 개똥밭에 굴러도 이승이 좋다 : 아무리 고생스럽게 살지라도 죽는 것 보다는 사는 것이 나은 것을 이르는 말.

◎ 개만도 못한 놈이다 : 사람 구실을 못하는 못된 사람을 나무라는 것을 이르는 말.

◎ 개 발싸개 같다 : 보잘것없거나 아무런 가치가 없는 것을 이르는 말.

◎ 개밥에 도토리 : 개는 도토리를 먹지 아니하기 때문에 밥 속에 있어도 따돌리듯이, 여럿 속에 끼지 못하는 사람을 이르는 말.

◎ 개 발에 주석 편자 : 옷차림이나 지닌 물건 따위가 제 격에 맞지 않거나 어울리지 않는 것을 이르는 말.

◎ 개천에서 용 난다 : 영물(靈物)인 용이 더럽고 자그마한 내에서 났다는 뜻으로, 변변치 않은 집안이나 부모에게서 훌륭한 인물이 나오는 경우를 이르는 말.

◎ 개 팔자가 상팔자다 : 놀고 있는 개가 부럽다는 뜻으로, 일이 분주하거나 고생스러울 때 넋두리로 하는 것을 이르는 말.

◎ 개같이 벌어서 정승같이 산다 : 돈을 벌 때는 천한 일이라도 하면서 벌고 쓸 때는 떳떳하고 보람 있게 쓰는 것을 이르는 말.

◎ 거지발싸개 같다 : 더럽고 지저분한 것을 이르는 말.

◎ 걱정도 팔자 : 필요 없는 걱정을 한다는 말로, 자기와 관계도 없는 남의 일에 참견하는 일을 비웃는 것을 이르는 말.

◎ 거짓말은 십 리를 못 간다 : 거짓말은 오래가지 못하고 곧 탄로가 나는 것을 이르는 말.

◎ 겉보리 서 말만 있으면 처가살이 하랴 : 처가살이는 할 것이 못 됨을 이르는 말.

◎ 겉 다르고 속 다르다 : 말이나 행동이 겉과 속이 일치하지 않음을 이르는 말.

◎ 겨 묻은 개가 똥 묻은 개 나무란다 : 작은 허물이라도 있는 사람은 다른 사람의 허물을 나무랄 수 없음을 이르는 말.

◎ 고기도 씹어야 맛을 안다 : 무엇이든 바로 알려면 실제로 겪어 보아야 함을 이르는 말.

◎ 고기도 큰물에서 노는 놈이 크다 : 물고기도 큰물에서 자라는 놈일수록 더욱 크기 마련이라는 의미로, 사람도 좋은 환경에서 교육을 잘 받아야 훌륭한 사람으로 자라날 수 있음을 이르는 말.

◎ 고기도 먹어 본 놈이 잘 먹는다 : 무슨 일이든지 늘 하던 사람이 더 잘하게 되는 것을 이르는 말.

◎ 고니의 날개는 물에 젖지 않는다 : 천성이 착한 사람은 나쁜 것에 물들지 않음을 이르는 말.

◎ 고래 싸움에 새우 등 터진다 : 세력이 있거나 강한 자들의 싸움에 공연히 약한 자가 끼여 해를 입는 것을 이르는 말.

◎ 고생 끝에 낙이 온다 : 어려운 일이나 고된 일을 겪은 뒤에는 반드시 즐겁고 좋은 일이 생기는 것을 이르는 말.

◎ 고생을 사서 한다 : 잘못 처신하여 하지 않아도 될 고생을 하게 되는 것을 이르는 말.

◎ 고슴도치도 제 새끼가 함함하다고 한다 : 부모의 눈에는 자기 자식은 모두 잘나 보이는 것을 이르는 말.

◎ 고양이 목에 방울 달기 : 실행하기 어려운 것을 공연히 의논하는 것을 이르는 말.

◎ 고양이 세수하듯 : 어떠한 일을 하나 마나 하게 함. 혹은 남이 하는 것을 흉내만 내고 그치는 것을 이르는 말.

◎ 고양이 앞에 쥐 : 무서운 사람 앞에서 설설 기는 것을 이르는 말.

◎ 고양이 쥐 생각하네 : 속으로는 해칠 생각을 하면서 겉으로는 생각해 주는 척하는 것을 이르는 말.

◎ 고양이한테 생선을 맡기다 : 고양이한테 생선을 맡기면 고양이가 생선을 먹을 것이 뻔하다는 의미로, 어떠한 일을 믿지 못할 사람에게 맡겨 놓고 마음이 놓이지 않아 걱정하는 것을 이르는 말.

◎ 고운 정 미운 정 : 오래 사귀는 사이에 서로 뜻이 맞거나 혹은 맞지 않는 때도 있었지만 이러한 고비를 모두 넘기고 깊이 든 정을 이르는 말.

◎ 공든 탑이 무너지랴 : 온갖 정성을 다하여 한 일은 실패하지 않음을 이르는 말.

◎ 공은 공이고 사는 사다 : 공(公)적인 일과 사(私)적인 일은 반드시 가려야 하는 것을 이르는 말.

◎ 공자 앞에서 문자 쓴다 : 학식이 높은 사람 앞에서 조금 아는 사람이 아는 체를 많이 하는 것을 조롱함을 이르는 말.

◎ 공자 왈 맹자 왈 : 공자, 맹자를 거론하면서 유학의 가르침을 아는 체하거나, 혹은 실천은 없이 헛된 이론만을 일삼는 태도를

이르는 말.

◎ 과부는 찬물만 먹어도 살이 찐다 : 남편 시중을 들지 않아도 되는 홀어미의 마음이 편안함을 이르는 말.

◎ 구더기 무서워 장 못 담글까 : 방해가 되는 일이 있더라도 할 일은 해야 되는 것을 이르는 말.

◎ 구슬이 서 말이라도 꿰어야 보배 : 아무리 훌륭하고 좋은 것이라도 쓸모 있게 만들어 놓아야 가치가 있음을 이르는 말.

◎ 굳은 땅에 물이 고인다 : 검소하고 절약하는 마음이 단단한 사람이라야 재산을 모을 수 있음을 이르는 말.

◎ 굼벵이도 구르는 재주가 있다 : 무능한 사람도 한 가지 재주는 있음을 이르는 말.

◎ 굿이나 보고 떡이나 먹지 : 남의 일에 쓸데없는 간섭 하지 말고 이익이나 얻으라는 것을 이르는 말.

◎ 귀신 씻나락 까먹는 소리 : 이치에 닿지 않고 엉뚱하고 쓸데없음을 이르는 말.

◎ 귀에 걸면 귀걸이, 코에 걸면 코걸이 : 관점에 따라서 이렇게도 저렇게도 해석되는 것을 이르는 말.

◎ 그 나물에 그 밥 : 서로 격이 어울리는 것끼리 짝이 되었을 경우를 두고 이르는 말.

◎ 그림의 떡 : 보기는 하여도 먹을 수 없다는 말로, 실속 없어 오히려 보지 않느니만 못함을 이르는 말.

◎ 그 아비에 그 자식 : 잘난 어버이에게서는 잘난 자식이, 못난 어버이에게서는 못난 자식이 태어나는 것을 이르는 말.

◎ 글 모르는 귀신 없다 : 귀신도 글을 알고 있는 것처럼 사람도 마땅히 글을 배워야 함을 이르는 말.

◎ 급히 먹는 밥이 체한다 : 너무 급히 서둘러 일을 하면 낭패하는 것을 이르는 말.

◎ 긁어 부스럼 : 공연히 건드려서 만들어낸 걱정거리를 이르는 말.

◎ 금강산도 식후경 : 아무리 재미있는 일이라도 배가 불러야 흥이 나지 배가 고파서는 아무 일도 할 수 없음을 이르는 말.

◎ 금이야 옥이야 : 무엇을 다루는 데 매우 애지중지(愛之重之) 하는 것을 이르는 말.

◎ 기대가 크면 실망도 크다 : 처음부터 너무 큰 기대를 하지 말 것을 이르는 말.

◎ 기름 먹인 가죽이 부드럽다 : 뇌물(賂物)을 써서 통해 놓으면 일이 순조롭게 되는 것을 이르는 말.

◎ 기쁨은 나눌수록 커지고 슬픔은 나눌수록 준다 : 많은 사람이 축하해 주면 기쁨은 커지고, 슬픔은 많은 사람이 위로해 주면 줄어드는 것을 이르는 말.

◎ 긴 병에 효자 없다 : 부모가 너무 오래 앓으면 자식의 보살핌이 성실치 못할 때도 있다는 것으로, 무슨 일이든 너무 오해하다 보면 그 일에 성의가 덜해질 때가 있음을 이르는 말.

◎ 길이 아니면 가지를 말고 말이 아니면 듣지를 말라 : 언행(言行)을 소홀히 하지 말고 정도에서 벗어나는 일은 하지 말 것을 이르는 말.

◎ 까마귀 고기를 먹었나 : 잊어버리기를 잘하는 사람을 놀리거나 나무라는 것을 이르는 말.

◎ 까마귀 날자 배 떨어진다 : 아무 관계없이 한 일이 다른 일과 공교롭게 때가 같아 어떠한 관계가 있는 것처럼 의심을 받게 되는 것을 이르는 말.

◎ 까마귀밥이 된다 : 주인 없는 시체가 되는 것을 이르는 말.

◎ 깨가 쏟아진다 : 몹시 재미가 있는 것을 이르는 말.

◎ 깨소금 맛 : 몹시 통쾌함을 이르는 말.

◎ 깨물어서 아프지 않은 손가락 없다 : 자식이 아무리 많아도 부모에게는 모두 소중함을 이르는 말.

◎ 꿀도 약이라면 쓰다 : 자기에게 이로운 충고를 싫어함을 이르는 말.

◎ 꿩 대신 닭 : 적당한 것이 없을 때에 그와 비슷한 것으로 대신하는 경우를 이르는 말.

◎ 꿩 먹고 알 먹는다 : 한 가지 일에 두 가지 이상의 이익을 보는 것을 이르는 말.

[ㄴ]

◎ 나는 새도 떨어뜨린다 : 권세가 당당하여 모든 일을 제 뜻대로 휘둘러 하는 것을 이르는 말.

◎ 나그네 주인 쫓는 격 : 주객이 전도된 경우를 이르는 말.

◎ 나는 홍범도에 뛰는 차도선 : 의병 대장이었던 홍범도나 차도선과 같이 몸이 날랜 사람을 이르는 말.

◎ 나라 없는 백성은 상갓집 개만도 못하다 : 나라 없는 백성의 처지가 몹시 고달픔을 이르는 말.

◎ 나라의 쌀독이 차야 나라가 잘산다 : 나라가 잘되려면 무엇보다 식량 사정이 좋아야 하는 것을 이르는 말.

◎ 나막신 신고 얼음지치기 : 걷는 것도 불편한 나막신을 신고 미끄러운 얼음판을 지친다는 의미로, 매우 불편하고 위태로운 모습으로 일에 임하는 어리석음을 이르는 말.

◎ 나 먹자니 싫고, 개 주자니 아깝다 : 자기에게 소용이 없으면서도 타인에게는 주기 싫은 인색한 마음을 이르는 말.

◎ 나무를 보고 숲을 보지 못한다 : 부분만 보고 전체는 보지 못하는 근시안적인 행동을 이르는 말.

◎ 나무에 오르라하고 흔드는 격 : 남을 위험하게 하고 궁지에 몰아넣는 것을 이르는 말.

◎ 나루 건너 배타기 : 일의 순서가 바뀌었음을 이르는 말.

◎ 나중 난 뿔이 우뚝하다 : 후배가 선배보다 훌륭하게 되거나, 혹은 나중에 생긴 것이 먼저 것보다 훨씬 나음을 이르는 말.

◎ 나중에 보자는 사람 무섭지 않다 : 나중에 어떻게 하겠다고 말로만 하는 것은 아무 소용이 없음을 이르는 말.

◎ 나중 달아난 놈이 먼저 달아난 놈을 비웃는다 : 둘 사이에 약간의 차이는 있지만 본질적으로는 서로 같음을 이르는 말.

◎ 낙동강 오리알 : 무리에서 떨어져 나오거나, 홀로 소외되어 처량한 신세가 됨을 이르는 말.

◎ 난다 긴다 한다 : 재주나 활동력이 남보다 매우 뛰어난 것을 이르는 말.

◎ 낙타가 바늘구멍 찾는 격 : 아주 찾기 힘든 것을 이르는 말.

◎ 날개 없는 봉황 : 아무 쓸데가 없고 보람 없게 된 처지를 이르는 말.

◎ 남의 장단에 춤춘다 : 관계없는 남의 일에 관심을 가지거나 넋 빠진 사람을 이르는 말.

◎ 남의 떡이 커 보인다 : 자기의 것보다 남의 것이 더 많아 보이거나 좋아 보이는 것을 이르는 말.

◎ 남의 잔치에 감 놓아라 배 놓아라 한다 : 남의 일에 공연히 간섭하고 나서는 것을 이르는 말.

◎ 남의 싸움에 칼 빼기 : 자기와는 아무 관계없는 일에 공연히 뛰어들어 간섭하기를 좋아하는 것을 이르는 말.

◎ 남의 눈에 눈물 내면 제 눈에는 피눈물이 난다 : 남에게 악한 짓을 하면 자기는 그보다 더한 벌을 받게 되는 것을 이르는 말.

◎ 남의 제사에 감 놓아라 배 놓아라 한다 : 남의 일에 공연히 간섭하고 나서는 것을 이르는 말.

◎ 낫 놓고 기역자도 모른다 : 몹시 무식한 사람을 이르는 말.

◎ 낫으로 눈 가리기 : 당치 않은 행동으로 숨기려 하나 숨기지 못하는 것을 이르는 말.

◎ 낮말은 새가 듣고 밤말은 쥐가 듣는다 : 비밀리에 한 말일지라도 반드시 남의 귀에 들어가게 됨을 이르는 말.

◎ 내 딸이 고와야 사위를 고르지 : 자기는 부족하면서 남의 완전한 것만을 구하는 것은 부당함을 이르는 말.

◎ 내 손톱에 장을 지져라 : 손톱에 불을 달아 장(醬)을 지지면 그 고통은 매우 큰데, 그러한 모진 일을 담보로 하여 자기가 옳다는 것을 장담할 때 이르는 말.

◎ 내 코가 석 자 : 내 사정이 급해서 남을 돌볼 여유가 없음을 이르는 말.

◎ 냉수 먹고 이 쑤시기 : 잘 먹은 체하며 이를 쑤신다는 뜻으로, 실속은 없으면서 무엇이 있는 체하는 것을 이르는 말.

◎ 냉수 먹고 속 차려라 : 지각 있게 처신하지 못하는 사람에게 정신 차리라고 비난조로 이르는 말.

◎ 넌덜머리가 난다 : 어떠한 일에 몹시 싫증이 나는 것을 이르는 말.

◎ 논두렁에 구멍 뚫기 : 논두렁에 구멍을 뚫어 논물이 새어 나가게 하는 못된 짓이라는 의미로, 매우 심술이 사나운 것을 이르는 말.

◎ 놀고 먹는 밥벌레 : 하는 일 없이 매일 먹고 노는 사람을 이르는 말.

◎ 누워서 떡 먹기 : 매우 쉽고 간단한 일을 이르는 말.

◎ 누워서 침 뱉기 : 남을 해치려고 하다가 도리어 자기가 해를 입게 되는 것을 이르는 말.

◎ 눈 가리고 아웅 : 얕은수로 다른 사람을 속이려 하는 것을 이르는 말.

◎ 눈 감으면 코 베어 간다 : 세상 인심이 험악하고 사나워 조금도 남을 믿거나 마음을 놓을 수 없음을 이르는 말.

◎ 눈덩이처럼 붇는다 : 눈덩이는 굴릴수록 잠깐 동안 커지듯이, 재물이 잠깐 사이 많이 늘어난 것을 이르는 말.

◎ 눈도 깜짝 안 한다 : 조금도 두려워하거나 놀라지 않음을 이르는 말.

◎ 눈 뜨고 도둑맞는다 : 번연히 알고 있으면서도 어쩔 수 없이 손해 보는 것을 이르는 말.

◎ 눈먼 놈이 앞장선다 : 못난이가 남보다 먼저 나대는 것을 이르는 말.

◎ 눈엣가시 : 몹시 미워하는 사람을 이르는 말.

◎ 눈에는 눈 이에는 이 : 해를 입은 만큼 앙갚음하는 것을 이르는 말.

◎ 눈에 불을 켜다 : 무엇을 찾으려고 온 정신을 집중하여 덤비는 것을 이르는 말.

◎ 눈에 쌍심지를 켜다 : 몹시 화가 나서 두 눈을 부릅뜨는 것을 이르는 말.

◎ 눈에 콩깍지가 씌었다 : 앞이 가려져서 정확히 보지 못하는 것을 이르는 말.

◎ 눈이 시퍼렇다 : 멀쩡하게 살아 있는 것을 이르는 말.

◎ 눈 코 뜰 새 없다 : 매우 바쁨을 이르는 말.

◎ 늙어도 기생 : 비록 늙었지만 기생이라는 신분은 버릴 수 없다는 의미로, 본질은 좀처럼 변하지 않고 오래 남아 있음을 이르는 말.

◎ 늙으면 아이된다 : 늙으면 모든 행동이 어린아이처럼 되는 것을 이르는 말.

◎ 늙게 된서방 만난다 : 늙어 갈수록 신세가 더욱 고되어 가는 것을 이르는 말.

◎ 늙은이 말 그른 데 없다 : 세상을 오래 산 사람의 말은 많은 경험에서 나온 말이므로 대부분이 옳음을 이르는 말.

◎ 능구렁이가 되었다 : 사실은 다 알면서 모르는 체하는 것을 이르는 말.

◎ 늦게 배운 도둑이 날 새는 줄 모른다 : 어떠한 일에 남보다 늦게 재미를 붙인 사람이 그 일에 더욱 열중하게 됨을 이르는 말.

◎ 늦잠은 가난 잠이다 : 게으르면 가난하게 사는 것을 이르는 말.

◎ 늦바람이 용마름을 벗긴다 : 늦게 불기 시작한 바람이 초가집 지붕마루에 얹은 용마름을 벗겨 갈 만큼 세다는 의미로, 사람도 늙은 후에 한 번 바람이 나기 시작하면 걷잡을 수 없음을 이르는 말.

[ㄷ]

◎ 다 된 죽에 코 풀기 : 거의 다 된 일을 뜻하지 않은 실수로 망치는 것을 이르는 말.

◎ 다 된 농사에 낫 들고 덤빈다 : 일이 다 끝난 뒤에 쓸데없이 참견하고 나서는 것을 이르는 말.

◎ 다람쥐 계집 얻은 것 같다 : 힘겹고 다루기 어려운 것을 맡았음을 이르는 말.

◎ 다람쥐 밤 까먹듯 : 욕심스럽게 잘 먹는 모양을 이르는 말.

◎ 다리야 날 살려라 : 도망칠 때 마음이 조급하여 다리가 빨리

놀려지기를 갈망하는 것을 이르는 말.

◎ 다 먹은 죽에 코 빠졌다 한다 : 잘 먹고 나서 그 음식에 대하여 불평하는 것을 이르는 말.

◎ 다 쑤어 놓은 죽 : 잘되었든 못되었든 이미 끝나 더 이상 어쩔 수 없게 된 것을 이르는 말.

◎ 다 퍼먹은 김칫독 : 앓거나 굶주려 눈이 쑥 들어간 사람 혹은 쓸모없게 된 물건을 이르는 말.

◎ 달걀로 바위 치기 : 대항해도 도저히 이길 수 없는 경우를 이르는 말.

◎ 달걀로 치면 노른자다 : 달걀에서 가장 중요한 것이 노른자이듯, 어떠한 물건 중 가장 중요한 부분을 이르는 말.

◎ 달면 삼키고 쓰면 뱉는다 : 옳고 그름이나 신의를 돌보지 않고 자기의 이익만을 꾀하는 것을 이르는 말.

◎ 달도 차면 기운다 : 세상의 온갖 것이 한번 번성하면 다시 쇠하기 마련임을 이르는 말.

◎ 달팽이도 집이 있다 : 달팽이도 하물며 집이 있는데 사람이 어찌 집이 없겠느냐는 말.

◎ 닭 소 보듯, 소 닭 보듯 한다 : 서로 보기만 하고 아무 말도 없이 덤덤히 있음을 가리키는 것으로, 상대방의 일에 아무런 관심이 없음을 이르는 말.

◎ 닭은 삼 년 기르지 않고, 개는 오 년 기르지 않는다 : 닭은 3년 이상 기르면 주인이 해롭고, 개는 5년 이상 기르면 주인이 해로운 것을 이르는 말.

◎ 닭의 목을 베고 잔다 : 닭의 목을 베고 자다가 닭과 함께 새벽 일찍 깨어난다는 의미로, 새벽잠이 없음을 이르는 말.

◎ 닭 잡아먹고 오리발 내놓기 : 옳지 못한 일을 저질러 놓고 엉뚱한 수작으로 남을 속여 넘기려 하는 일을 이르는 말.

◎ 닭 쫓던 개 꼴이다 : 한참 애쓰던 일이 실패로 돌아가거나, 서로 경쟁하던 상대가 앞서가게 되어 막막해지게 되는 것을 이르는 말.

◎ 닭 쫓던 개 지붕 쳐다보듯 : 개에게 쫓기던 닭이 지붕으로 올라가자 개가 쫓아 올라가지 못하고 지붕만 쳐다본다는 뜻으로,

애써 하던 일이 실패로 돌아가거나 남보다 뒤떨어져 어찌할 도리가 없이 됨을 이르는 말.

◎ 대낮에 도깨비에 홀렸나 : 도무지 이해가 가지 않는 일을 당한 경우를 이르는 말.

◎ 대낮에 마른벼락 : 뜻밖의 일로 당한 화를 이르는 말.

◎ 대낮의 올빼미 : 어떠한 사물을 보고도 알아보지 못하고 멍청하게 있는 것을 이르는 말.

◎ 대동강에서 모래알 줍기 : 아무리 애써도 보람 없는 일을 이르는 말.

◎ 대들보 썩는 줄 모르고 기왓장 아낀다 : 장차 크게 손해 볼 것을 모르고 당장 물건이 아깝거나 돈이 조금 든다고 작은 것을 아끼는 어리석은 행동을 이르는 말.

◎ 대한이 소한의 집에 가서 얼어 죽는다 : 대한 때보다 소한 때가 더 추울 때 하는 말, 혹은 소문과 실제가 다른 경우를 이르는 말.

◎ 더도 말고 덜도 말고 늘 한가윗날만 같아라 : 추석에는 음식이 풍성하고 즐거운 놀이로 밤낮을 지내므로, 언제나 잘 먹고 잘 입고 놀고만 지냈으면 하는 소원을 이르는 말.

◎ 더운밥 먹고 식은 말 한다 : 하루 세 끼 더운밥 먹고 살면서 실없는 소리만 하는 것을 이르는 말.

◎ 더운 죽에 파리 날아들 듯 : 무턱대고 덤벙이다가 곤경에 처하게 되는 것을 이르는 말.

◎ 덜미를 잡다 : 꼼짝 못하게 하는 것을 이르는 말.

◎ 덜미를 잡히다 : 못된 일을 꾸미다가 발각되는 것을 이르는 말.

◎ 도깨비감투를 뒤집어쓰다 : 똑똑히 알지도 못할 억울한 누명을 뒤집어쓰는 것을 이르는 말.

◎ 도깨비놀음 : 갈피를 잡을 수 없도록 일이 기상하게 되어 가는 것을 이르는 말.

◎ 도깨비를 사귀었나 : 까닭도 모르게 재산이 부쩍부쩍 늘어가는 경우를 이르는 말.

◎ 도깨비방망이 : 도깨비가 가지고 다니는 방망이로, 이것을 휘두르면 소원이 이루어짐을 이르는 말.

◎ 도깨비살림 : 있다가도 금방 없어지고 없다가도 금방 생기는 불안한 살림을 이르는 말.

◎ 도깨비장난 같다 : 하는 짓이 분명치 아니하여 갈피를 잡을 수 없는 것을 이르는 말.

◎ 도끼로 제 발등 찍는다 : 남을 해칠 요량으로 한 일이 결국에는 자기에게 해롭게 되는 것을 이르는 말.

◎ 도둑이 제 발이 저리다 : 지은 죄가 있으면 자연히 마음이 조마조마해 짐을 이르는 말.

◎ 도둑질도 손발이 맞아야 한다 : 무슨 일이든지 서로 뜻이 맞아야 성공할 수 있음을 이르는 말.

◎ 도루묵이다 : 빈천한 사람이 뜻밖에 출세를 하였다가 다시 빈천한 옛 신분이 되었음을 이르는 말.
※ 선조가 임진왜란 당시 피난을 갔을 때 묵(메기)라는 생선을 먹고 너무 맛이 있어 은어라고 명명했는데, 환도하여 다시 먹어보니 맛이 없어 '도로묵이라고 하라'는 분부로 인해 '도루묵(도로

메기)'가 된 것에서 유래된 말.

◎ 도토리 키 재기 : 비슷비슷하여 견주어 볼 필요가 없음을 이르는 말.

◎ 독사의 입에서 독이 나온다 : 본바탕이 악한 사람은 결국 악한 행동만 하게 되는 것을 이르는 말.

◎ 독 안에 든 쥐 : 아무리 애를 써도 벗어날 수 없게 된 운명을 비유하거나, 자기 능력을 제대로 발휘할 수 없는 처지를 이르는 말.

◎ 돈만 있으면 귀신도 부릴 수 있다 : 돈만 있으면 못할 일이 없음을 이르는 말.

◎ 돈 빌려주고 친구 잃는다 : 친한 사이일수록 금전 거래는 조심할 것을 이르는 말.

◎ 돈에 침 뱉는 놈 없다 : 사람은 누구나 돈을 매우 소중히 여기는 것을 이르는 말.

◎ 돈은 많아도 걱정 적어도 걱정 : 돈은 많아도 적어도 우환이 있을 수 있으므로, 돈을 벌 때나 사용할 때 지혜롭게 처신해야

함을 이르는 말.

◎ 돈이 돈을 번다 : 돈이 많은 사람이 그 이익을 통하여 돈을 더 벌 수 있음을 이르는 말.

◎ 돈이면 나는 새도 떨어뜨린다 : 돈이 있으면 어떠한 일도 할 수 있음을 이르는 말.

◎ 돌다리도 두들겨 보고 건너라 : 잘 아는 일이라도 세심하게 주의를 기울일 것을 이르는 말.

◎ 동네북 : 이 사람 저 사람에게서 비난을 받거나, 여러 사람의 분풀이 대상이 되는 사람을 이르는 말.

◎ 동(東)에 번쩍 서(西)에 번쩍 : 여기 나타났다 저기 나타났다 할 정도로 바쁘게 활동하는 것을 이르는 말.

◎ 돼지에 진주목걸이 : 값어치를 모르는 사람에게는 보물도 아무 소용없거나, 격에 어울리지 않는 것을 이르는 말.

◎ 돼지 용쓰듯 한다 : 돼지가 용을 써봤자 별것 아니듯이 아무리 애를 써도 대단한 존재가 아님을 이르는 말.

◎ 돼지 코는 잘산다 : 돼지의 코처럼 생긴 사람은 식복(食福)이 있어 잘사는 것을 이르는 말.

◎ 되로 주고 말로 받는다 : 조금 준 대가로 받은 것이 훨씬 크거나 많은 것, 혹은 타인을 조금 건드렸다가 큰 갚음을 당하는 경우를 이르는 말.

◎ 두 손뼉이 맞아야 소리 난다 : 무슨 일이든 두 편에서 서로 뜻이 맞아야 이루어질 수 있음을 이르는 말.

◎ 둘이 먹다 하나가 죽어도 모르겠다 : 음식의 맛이 대단히 좋은 것을 이르는 말.

◎ 뒤웅박 팔자 : 입구가 좁은 뒤웅박 속에 갇힌 팔자라는 의미로, 일단 신세를 망치면 거기서 헤어 나오기 어려운 것을 이르는 말.

◎ 뒷북치다 : 뒤늦게 쓸데없이 수선 떠는 것을 이르는 말.

◎ 드는 줄은 몰라도 나는 줄은 안다 : 사람이나 재물이 느는 것은 눈에 잘 띄지 않아도 그것이 줄어드는 것은 곧 알아차릴 수 있음을 이르는 말.

◎ 듣기 좋은 이야기도 늘 들으면 싫다 : 아무리 좋은 일이라도 여러 번 되풀이하여 대하게 되면 싫어지는 것을 이르는 말.

◎ 들고 나니 초롱꾼 : 초롱을 들고 나서면 초롱꾼이 되듯이, 사람은 어떠한 일이라도 다 할 수 있음을 이르는 말.

◎ 들어오는 복도 차 던진다 : 자기의 잘못으로 제게 오는 복을 잃어버리게 되는 경우를 이르는 말.

◎ 등잔 밑이 어둡다 : 대상에서 가까이 있는 사람이 도리어 대상에 대하여 잘 알기 어려운 것을 이르는 말.

◎ 등잔불에 콩 볶아 먹을 놈 : 어리석고 옹졸하여 하는 짓마다 답답한 일만 하는 사람을 낮잡아 이르는 말.

◎ 땅 짚고 헤엄치기 : 일이 매우 쉽거나, 일이 의심할 여지없이 확실한 것을 이르는 말.

◎ 때리는 시어머니보다 말리는 시누이가 더 밉다 : 겉으로는 위해 주는 척하면서 뒤로는 헐뜯는 사람이 더 미운 것을 이르는 말.

◎ 떡 본 김에 제사 지낸다 : 무엇을 하려고 생각하던 중, 마침 필요한 것을 구한 김에 해버리는 것을 이르는 말.

◎ 떡 줄 사람은 꿈도 안 꾸는데 김칫국부터 마신다 : 해 줄 사람은 생각지도 않는데 미리부터 다 된 일로 알고 행동하는 것을 이르는 말.

◎ 뛰어야 벼룩 : 도망쳐 보아야 크게 벗어날 수 없음을 이르는 말.

◎ 똥구멍이 찢어지게 가난하다 : 몹시 가난함을 이르는 말.

◎ 똥이 무서워 피하나 더러워서 피하지 : 악하거나 같잖은 사람을 상대하지 아니하고 피하는 것은 그가 무서워서가 아니라 상대할 가치가 없어서 피하는 것임을 이르는 말.

[ㅁ]

◎ 마누라 자랑은 말아도 병 자랑은 하랬다 : 마누라 자랑은 어리석은 일이지만 병이 나면 널리 알려야 경험자들로부터 고치는 방법을 알 수 있기 때문에 자랑해야 하는 것을 이르는 말.

◎ 마룻구멍에도 볕 들 날이 있다 : 불행하고 어려운 사람이라도 행운이 찾아올 날이 있음을 이르는 말.

◎ 마른하늘에 날벼락 : 뜻하지 아니한 상황에서 뜻밖에 입는 재난을 이르는 말.

◎ 마파람에 게 눈 감추듯 : 음식을 매우 빨리 먹어 버리는 모습, 혹은 어떠한 일을 순식간에 해치우는 것을 이르는 말.

◎ 마른하늘에 벼락 맞는다 : 뜻하지 않은 큰 재앙을 당하는 것을 이르는 말.

◎ 만나자 이별 : 서로 만나자마자 곧 헤어지는 것을 이르는 말.

◎ 말똥도 세 번 굴러야 제자리에 선다 : 무슨 일이든지 서너 번 해 봐야 제자리가 잡히는 것을 이르는 말.

◎ 말만 잘하면 천 냥 빚도 갚는다 : 말만 잘하면 어려운 일이나 불가능해 보이는 일도 해결할 수 있는 것을 이르는 말.

◎ 말 속에 가시가 있다 : 예사롭게 하는 말 속에 자신의 불평이나 상대방을 자극하는 의미가 들어 있는 것을 이르는 말.

◎ 말은 적을수록 좋다 : 말이 많으면 쓸데없는 말까지 많이 하게 되므로, 그 결과가 좋지 못한 것을 이르는 말.

◎ 말은 청산유수다 : 말을 그칠 줄 모르고 잘하는 것을 이르는 말.

◎ 말은 타 봐야 알고, 사람은 친해 봐야 안다 : 말(馬)이 좋고 나쁜 것은 타 봐야 알 수 있고, 사람은 가까이 사귀어 봐야 그 속을 알 수 있음을 이르는 말.

◎ 말이란 아 해 다르고 어 해 다르다 : 말이란 같은 내용이라도 표현하는 데 따라서 아주 다르게 들리는 것을 이르는 말.

◎ 말이 많으면 실패가 많다 : 말만 앞세워 많이 하다 보면 하던 일을 그르치는 경우가 있음을 이르는 말.

◎ 말 탄 거지 : 말은 귀인이 타는 것인데 거지가 탔다는 뜻으로, 격에 맞지 않음을 이르는 말.

◎ 말이 씨가 된다 : 늘 말하던 것이 마침내 사실대로 되었을 때를 이르는 말.

◎ 맑은 하늘에 벼락 맞겠다 : 한 짓이 너무 지나쳐서 반드시 보복을 당하리라는 것을 이르는 말.

◎ 망건 쓰고 세수한다 : 세수를 하고 머리를 빗고 그다음 망건을 쓰는 것이 순서인데, 망건을 먼저 쓰고 세수를 한다는 뜻으로 일의 순서가 뒤바뀜을 놀림조로 이르는 말.

◎ 맞장구치다 : 남의 말에 호응하거나 동의하는 것을 이르는 말.

◎ 매도 같이 맞으면 낫다 : 괴로운 일도 여러 사람이 함께 당하면 서로 위로받게 되어 견디기 나은 것을 이르는 말.

◎ 매도 먼저 맞는 놈이 낫다 : 어차피 당해야 할 일은 먼저 치르는 것이 나음을 이르는 말.

◎ 맨발로 바위 치기 : 되지도 아니할 것을 하여 도리어 자기에게 손해만 돌아오게 하는 어리석은 짓을 이르는 말.

◎ 맵고 차다 : 성질이 모질고 냉혹함을 이르는 말.

◎ 머리를 깎였다 : 남에게 어떤 일을 강제로 당하게 되는 것을 이르는 말.

◎ 머슴을 살아도 부잣집이 낫다 : 같은 머슴살이를 살아도 부잣집에서 살아야 의식주가 나은 것을 이르는 말.

◎ 머슴이 머슴을 부린다 : 일을 시키려면 일머리를 아는 사람이 시켜야 하는 것을 이르는 말.

◎ 머슴이 삼 년 되면 주인마님을 부리려고 한다 : 아랫사람이 오래 쓰이다 보면 분에 넘치는 행동도 하게 되는 것을 이르는 말.

◎ 먹고도 굶어 죽는다 : 욕심이 많은 사람을 두고 이르는 말.

◎ 먹고 죽은 귀신은 때깔도 좋다 : 먹을 것은 먹어야 함을 강조하는 말.

◎ 먹어 보지도 않고 맛없다고 한다 : 경험도 없고 내용도 모르는 사람이 아는 체 우겨대는 것을 이르는 말.

◎ 먹는 개는 짖지 않는다 : 개가 남이 주는 음식을 얻어먹으면 그 사람이 와도 짖지 않듯이, 뇌물을 먹으면 할 말도 못 하게 되는 것을 이르는 말.

◎ 먼 데 일가가 가까운 이웃만 못하다 : 가까이 지내는 이웃이 먼 데 사는 일가보다 낫다는 뜻으로, 이웃끼리 서로 도우며 사는 것이 중요함을 이르는 말.

◎ 먼저 먹는 놈이 임자 : 임자 없는 물건은 먼저 차지하는 사람의 것임을 이르는 말.

◎ 며느리가 미우면 손자까지 밉다 : 한 사람이 미우면 그에 딸린 밉지 않은 사람까지도 밉게 보이는 것을 이르는 말.

◎ 며느리들 싸움이 형제 싸움이 된다 : 며느리들 사이가 나쁘면 형제들 사이도 나빠지는 것을 이르는 말.

◎ 메뚜기도 유월이 한철이다 : 제때를 만난 듯이 한창 날뛰는 것을 이르는 말.

◎ 모기도 낯짝이 있지 : 염치없고 뻔뻔스러움을 이르는 말.

◎ 모기도 모이면 천둥소리 난다 : 힘없고 미약한 것이라도 많이 모이면 큰 힘을 낼 수가 있는 것을 이르는 말.

◎ 모깃소리만 하다 : 소리가 매우 작고 약하여 알아들을 수 없는 것을 이르는 말.

◎ 모난 돌이 정 맞는다 : 두각을 나타내는 사람이 남에게 미움을 받게 되는 것을 이르는 말.

◎ 모래 위에 물 쏟는 격 : 소용없는 짓을 하는 것을 이르는 말.

◎ 모로 가도 서울만 가면 된다 : 수단이나 방법은 어찌 되었든 목적만 이루면 되는 것을 이르는 말.

◎ 모르면 약이요 아는 게 병 : 차라리 아무것도 모르고 있으면 마음이 편하여 좋은데, 좀 알고 있으면 도리어 걱정거리가 생겨 편치 않은 것을 이르는 말.

◎ 모양내다 얼어 죽겠다 : 실속 없이 겉보기나 형식만 신경 쓰다가는 낭패할 수 있음을 핀잔하는 경우를 이르는 말.

◎ 목구멍에 풀칠한다 : 어렵게 살아가는 것을 이르는 말.

◎ 목구멍이 포도청 : 먹고 살기 위하여 하지 못할 일까지 하게 되는 것을 이르는 말.

◎ 목석(木石) 같다 : 감정이 무디고 무뚝뚝한 것을 이르는 말.

◎ 목이 말라야 우물을 판다 : 미리미리 준비를 하지 않고 급박해서야 허둥지둥 일을 처리하는 것을 이르는 말.

◎ 목마른 놈이 우물 판다 : 제일 급하고 일이 필요한 사람이 그 일을 서둘러 하게 되어 있는 것을 이르는 말.

◎ 못난 자식이 조상 탓한다 : 스스로 노력은 하지 않고 잘못되면 모두 조상 탓으로 돌리는 것을 이르는 말.

◎ 못된 송아지 엉덩이에 뿔이 난다 : 되지 못한 것이 더 미운 짓을 할 때 이르는 말.

◎ 못 먹는 떡 개 준다 : 남에게는 못 쓸 찌꺼기나 주는 야박한 인심을 이르는 말.

◎ 못 먹는 감 찔러나 본다 : 제 것으로 만들지 못할 바에야 남도 갖지 못하게 못쓰게 만들자는 뒤틀린 마음을 이르는 말.

◎ 무병이 장자(長者) : 병을 앓으면 비용이 많이 드니 앓지 않고 사는 것이 곧 부자로 사는 것임을 이르는 말.

◎ 무식하면 손발이 고생한다 : 모든 일을 머리를 써서 해야 고생이 덜한 것을 이르는 말.

◎ 무자식이 상팔자 : 자식이 없는 것이 도리어 걱정됨이 없어 편한 것을 이르는 말.

◎ 묵은 낙지 꿰듯 : 일이 매우 쉬운 것을 이르는 말.

◎ 물고기도 제 놀던 물이 좋다 한다 : 물고기조차도 제가 나서 자란 곳을 못 잊어 한다는 뜻으로, 나서 자란 고향이나 익숙한 곳이 생소한 곳보다 나은 것을 이르는 말.

◎ 물에 빠지면 지푸라기라도 잡는다 : 위급한 때를 당하면 무엇이나 닥치는 대로 잡고 의지하게 되는 것을 이르는 말.

◎ 물에 빠진 놈 건져 놓으니까 망건값 달라 한다 : 남에게 은혜를 입고서도 그 은혜를 갚기는커녕 도리어 배신하는 것을 이르는 말.

◎ 물에 빠진 생쥐 : 몸이 물에 흠뻑 젖어 있어서 몰골이 초췌하게 된 것을 이르는 말.

◎ 물 찬 제비다 : 깨끗하고 날씬한 것을 이르는 말.

◎ 미꾸라지 용 됐다 : 미천하고 보잘것없던 사람이 크게 되었음을 이르는 말.

◎ 미운 놈 떡 하나 더 주고, 우는 놈 한 번 더 때린다 : 미운 놈은 미워한다는 것이 알려지면 뒤에 화를 입을 수 있어서 마지못해 떡 하나를 더 주지만, 우는 놈은 당장 듣기 싫어서 울음을 멈추라고 한 대 더 때리게 된다는 의미로, 미운 놈보다 우는 놈이 더 귀찮음을 이르는 말.

◎ 미운 일곱 살 : 어린아이들은 일곱 살을 전후로 말썽을 많이 일으키는 것을 이르는 말.

◎ 미운털이 박혔나 : 몹시 미워하며 못살게 구는 것을 나무람을 이르는 말.

◎ 미친개는 주인도 문다 : 못된 놈은 저를 도와준 은인도 해치는 것을 이르는 말.

◎ 미친개 패듯 : 미친개는 사정없이 자꾸 때린다는 뜻으로, 마구 두들겨 때리는 모양을 이르는 말.

◎ 미친년 널뛰듯 : 멋도 모르고 미친 듯이 행동하는 것을 이르는 말.

◎ 미운 아이 떡 하나 더 준다 : 미운 사람에게는 쫓아가 인사하는 것을 이르는 말.

◎ 민심은 천심 : 백성의 마음이 곧 하늘의 마음과 같다는 뜻으로, 백성의 마음을 저버릴 수 없음을 이르는 말.

◎ 믿는 도끼에 발등 찍힌다 : 믿고 있던 사람이 도리어 배반하여 해를 끼치는 것을 이르는 말.

◎ 밑구멍으로 호박씨 깐다 : 겉으로는 점잖고 의젓하나 남이 보지 않는 곳에서는 엉뚱한 짓을 하는 경우를 이르는 말.

◎ 밑 빠진 독에 물 붓기 : 밑 빠진 독에는 아무리 물을 부어도 독이 채워질 수 없다는 뜻으로, 아무리 재물이나 공을 들여도 보람 없이 헛된 일이 되는 상태를 이르는 말.

◎ 밑이 구리다 : 숨기고 있는 잘못이나 범죄 때문에 떳떳하지 못한 것을 이르는 말.

◎ 밑천도 못 건지는 장사 : 어떤 이익을 얻자고 시작했던 것이 도리어 손해만 보게 되는 경우를 이르는 말.

[ㅂ]

◎ 바가지 긁는다 : 잔소리가 심한 것을 이르는 말.

◎ 바가지 썼다 : 손해를 보거나 어떠한 일에 책임을 지게 되는 일을 이르는 말.

◎ 바깥바람을 쐬다 : 외국에 가서 색다른 문물을 보고 체험하는 것을 이르는 말.

◎ 바늘 가는 데 실 간다 : 서로 밀접한 관계가 있는 것끼리는 떨어지지 아니하고 항상 따르는 것을 이르는 말.

◎ 바늘구멍으로 하늘 보기 : 조그만 바늘구멍으로 넓디넓은 하늘을 본다는 의미로, 전체를 보지 못하는 소견이나 견문이 좁음을 비꼬아 이르는 말.

◎ 바늘 도둑이 소도둑 된다 : 바늘을 훔치던 사람이 계속 반복하다 보면 결국은 소까지도 훔친다는 뜻으로, 작은 나쁜 짓도 자꾸 하게 되면 큰 죄를 저지르게 되는 것을 이르는 말.

◎ 바늘로 찔러도 피 한 방울 안 난다 : 사람의 성격이 매우 야무지거나 빈틈이 없음을 두고 이르는 말.

◎ 바늘방석에 앉은 것 같다 : 어떠한 자리에 있기가 몹시 거북하고 불안한 것을 이르는 말.

◎ 바늘 잃고 도끼 낚는다 : 작은 것을 잃고 큰 것을 얻는 것을 이르는 말.

◎ 바닷가에서 짠 물 먹고 자란 놈이다 : 사람이 너무 쌀쌀하고 냉정한 것을 이르는 말.

◎ 바닷물 고운 것과 계집 고운 것은 탈나기 쉽다 : 고요한 바다는 파도가 일기 쉽고, 여자가 예쁘면 부정을 저지르기 쉬운 것을 이르는 말.

◎ 바람 앞의 등불 : 생명이나 어떠한 일이 매우 위태로운 상태에 있는 것을 이르는 말.

◎ 바람을 넣다 : 타인을 부추겨서 무슨 행동을 하려는 마음이 생기게 만드는 것을 이르는 말.

◎ 박을 탔다 : 무슨 일이든지 이익을 얻지 못하는 것을 이르는 말.

◎ 반가운 손님도 사흘 : 아무리 반가운 손님도 오래 머물면 짐이 되는 것을 이르는 말.

◎ 발 없는 말이 천 리 간다 : 말에는 발도 없지만 그 소문이 퍼지는 것을 보면 순식간에 천 리 만 리까지 퍼져 나가므로, 말을 매우 조심해야 하는 것을 이르는 말.

◎ 발가락의 티눈만큼도 안 여긴다 : 남을 업신여김이 심한 것을 이르는 말.

◎ 발가벗고 달밤에 체조하다 : 분별없이 허황된 말을 떠벌리거나, 체통 없는 짓을 하는 사람을 비웃는 것을 이르는 말.

◎ 발등에 불을 먼저 꺼야 한다 : 위급한 일을 먼저 해야 하는 것을 이르는 말.

◎ 발등에 불이 떨어졌다 : 갑자기 피할 수 없는 재화가 닥쳐오는 것을 이르는 말.

◎ 발 벗고 나선다 : 남의 은공에 보답하거나, 어려움을 돕기 위해 자기를 망각할 정도로 열심히 하는 것을 이르는 말.

◎ 밥 먹을 때는 개도 안 때린다 : 비록 하찮은 짐승일지라도 밥을 먹을 때에는 때리지 않는다는 뜻으로, 음식을 먹고 있을 때에는 아무리 잘못한 것이 있더라도 때리거나 꾸짖지 말아야 하는 것을 이르는 말.

◎ 밥 아니 먹어도 배부르다 : 기쁜 일이 생겨서 마음이 매우 흡족한 것을 이르는 말.

◎ 밥 팔아 똥 사 먹겠다 : 사람이 미련하고 부족한 것을 비꼬아 이르는 말.

◎ 방귀 뀐 놈이 성낸다 : 자기가 방귀를 뀌고 오히려 남 보고 성낸다는 뜻으로, 잘못을 저지른 쪽에서 오히려 남에게 성냄을 비꼬아 이르는 말.

◎ 배가 등에 붙다 : 먹은 것이 없어서 배가 홀쭉하고 몹시 허기진 것을 이르는 말.

◎ 배가 아프다 : 남이 잘되어 심술이 나는 것을 이르는 말.

◎ 배부르고 등 따습다 : 배부르게 먹고 등이 따습게 옷을 입는다는 뜻으로, 잘사는 생활을 이르는 말.

◎ 배움 길에는 지름길이 없다 : 학문은 순서에 따라 차근차근히 해야 하는 것을 이르는 말.

◎ 배워서 남 주나 : 배움이란 남을 위한 것이 아니라 자신을 위한 것이니 열심히 할 것을 이르는 말.

◎ 백 년이 하루 같다 : 세월이 몹시 빠른 것을 이르는 말.

◎ 백 번 듣는 것이 한 번 보는 것만 못하다 : 듣기만 하는 것보다 직접 보는 것이 더 나은 것을 이르는 말.

◎ 백지장도 맞들면 낫다 : 쉬운 일이라도 협력하여 하면 훨씬 쉬운 것을 이르는 말.

◎ 밴댕이 소갈머리 : 아주 좁고 얕은 심지(心志)를 이르는 말.

◎ 뱁새가 황새를 따라가면 다리가 찢어진다 : 분수에 넘치는 짓을 하면 도리어 해만 입게 되는 것을 이르는 말.

◎ 번갯불에 콩 볶아 먹겠다 : 하는 짓이 번갯불에 콩 볶아 먹을 만큼 급하게 군다는 뜻으로, 어떠한 행동을 당장 해치우지 못하여 안달하는 조급한 성질을 이르는 말.

◎ 벌레도 밟으면 꿈틀한다 : 벌레 같은 미물도 밟으면 꿈틀한다는 뜻으로, 아무리 순하거나 참을성이 있는 사람, 혹은 하찮은 존재라도 지나치게 자극하면 반항하게 되는 것을 이르는 말.

◎ 법 없이도 살 사람 : 법이 없어도 나쁜 일을 하지 않을 착한 사람을 이르는 말.

◎ 법 없이 산다 : 성품이 선량하여 법의 규제 없이도 살 수 있는 것을 이르는 말.

◎ 벙어리 냉가슴 앓듯 : 답답한 사정이 있어도 남에게 말하지 못하고 혼자만 괴로워하며 걱정하는 것을 이르는 말.

◎ 벙어리 속은 그 어미도 모른다 : 말을 하지 않고 가만있는 벙어리의 속마음은 그 어머니조차도 알 길이 없다는 뜻으로, 무슨 말을 실제로 들어보지 않고는 그 내용을 알 수 없는 것을 이르는 말.

◎ 벙어리 재판 : 옳고 그름을 판단하기 어렵거나 곤란한 경우를 비유하여 이르는 말.

◎ 벼룩도 낯짝이 있다 : 매우 작은 벼룩조차도 낯짝이 있는데 하물며 사람이 체면이 없어서야 되겠느냐는 것을 이르는 말.

◎ 벼 이삭은 익을수록 고개를 숙인다 : 교양이 있고 수양을 쌓은 사람일수록 겸손하고 남 앞에서 자기를 내세우려 하지 않는다는 것을 이르는 말.

◎ 벽에도 귀가 있다 : 비밀은 없기 때문에 경솔히 말하지 말 것을 이르는 말.

◎ 변덕이 죽 끓듯 한다 : 말이나 행동이 몹시 이랬다저랬다 하는 것을 이르는 말.

◎ 병아리 세기다 : 어미 닭이 데리고 다니는 병아리를 세려고 해도 병아리가 왔다 갔다 하기 때문에 정확히 세기가 어렵듯이, 어떠한 물건을 정확히 세기가 어려운 것을 이르는 말.

◎ 병에는 장사없다 : 아무리 장사라도 병에 걸리면 맥을 못 추는 것을 이르는 말.

◎ 병 자랑은 하여라 : 병에 들었을 때는 자기가 앓고 있는 병을 자꾸 이 사람 저 사람에게 말하여 고칠 길을 물어보아야 좋은 치료 방법을 찾을 수 있음을 이르는 말.

◎ 병 주고 약 준다 : 남을 해치고 나서 약을 주며 그를 구원하는 체한다는 뜻으로, 교활하고 음흉한 자의 행동을 이르는 말.

◎ 보기 좋은 떡이 먹기도 좋다 : 겉모양이 괜찮으면 내용도 좋은 것을 이르는 말.

◎ 복숭아는 제물에 안 쓴다 : 복숭아는 귀신이 싫어하는 과일이므로 제물(祭物)에 쓰지 않는 것을 이르는 말.

◎ 복숭아의 벌레 : 집 안에 들어 있는 도둑이나 해를 끼치는 자를 이르는 말.

◎ 볶은 콩 먹기 : 주머니에 넣은 콩을 자기 마음대로 내먹듯이, 무슨 일을 자기 마음대로 하는 것을 이르는 말.

◎ 봄 눈 녹듯 한다 : 서로 간에 쌓였던 감정이 원만하게 풀리는 것을 이르는 말.

◎ 부부 싸움은 개도 안 말린다 : 부부 싸움은 섣불리 제삼자가 개입할 일이 아닌 것을 이르는 말.

◎ 부부 싸움은 칼로 물 베기 : 부부는 싸움을 하여도 화합하기 쉬운 것을 이르는 말.

◎ 부산 가시나 같다 : 억세고 체격이 딱 벌어진 여자를 이르는 말.

◎ 부엉이 살림 : 자기도 모르게 부쩍부쩍 느는 살림을 이르는 말.

◎ 부자가 더 무섭다 : 부자가 더 인색하게 구는 것을 이르는 말.

◎ 부자는 망해도 삼 년 먹을 것이 있다 : 부자로 살던 사람은 망해도 얼마 동안은 그럭저럭 살아갈 수 있음을 이르는 말.

◎ 부자 삼대 못 가고, 가난 삼대 안 간다 : 재산은 있다가도 없고 없다가도 생김으로 빈부의 운명은 항상 돌고 도는 것을 이르는 말.

◎ 부지런한 부자는 하늘도 못 막는다 : 부지런하면 반드시 부자가 되는 것을 이르는 말.

◎ 북 치고 장구 치고 한다 : 혼자서 여러 가지 일을 바삐 하는 것을 이르거나, 여러 사람이 어울려 흥을 돋우는 것을 이르는 말.

◎ 불로초를 먹었나 : 보통 이상으로 장수하는 사람에게 하는 말.

◎ 불알 두 쪽밖에는 없다 : 가진 것이 아무것도 없는 빈털터리임을 이르는 말.

◎ 보고 못 먹는 것은 그림의 떡 : 아무 실속이 없는 것을 이르는 말.

◎ 비단결 같다 : 마음이나 물건의 거죽이 매우 곱고 부드러운 상태를 이르는 말.

◎ 비 온 뒤에 땅이 굳어진다 : 비에 젖어 질척거리던 흙도 마르면서 단단하게 굳어진다는 뜻으로, 어떠한 시련을 겪은 뒤에 더 강해지는 것을 이르는 말.

◎ 비위가 사납다 : 남이 하는 짓이 비위에 거슬리고 언짢은 것을 이르는 말.

◎ 빛 좋은 개살구 : 겉보기에는 먹음직스러운 빛깔을 띠고 있지만 맛은 없는 개살구란 뜻으로, 겉만 그럴듯하고 실속이 없는 경우를 이르는 말.

[ㅅ]

◎ 사공이 많으면 배가 산으로 간다 : 여러 사람이 저마다 제 주장대로 배를 몰려고 하면 결국에는 배가 물로 못 가고 산으로 올라간다는 뜻으로, 주관하는 사람 없이 여러 사람이 자기주장만 내세우면 일이 제대로 되기 어려운 것을 이르는 말.

◎ 사나운 개도 제 주인은 안다 : 사나운 개도 저를 기르는 주인의 은공은 알듯이, 아무리 사나운 사람이라도 자기를 도와준 은인의 은공은 잊어서는 안 되는 것을 이르는 말.

◎ 사돈 모시듯 한다 : 온갖 정성을 다하여 손님을 접대하는 것을 이르는 말.

◎ 사돈의 팔촌 : 아주 먼 친척을 이르거나, 또는 자기와 아무런 상관없는 남을 이르는 말.

◎ 사또 덕분에 나팔 분다 : 남에게 붙어서 덕을 보는 것을 이르는 말.

◎ 사람 나고 돈 났지, 돈 나고 사람 났나 : 아무리 돈이 귀중하다 하여도 사람보다 더 귀중할 수는 없다는 뜻으로, 돈밖에 모르는 사람을 비난하여 이르는 말.

◎ 사람 위에 사람 없고, 사람 밑에 사람 없다 : 사람은 본시 모두가 태어날 때부터 평등하여서 그 권리나 의무가 동일한 것을 이르는 말.

◎ 사람은 얼굴보다 마음이 고와야 한다 : 사람은 인물이 잘생긴 것보다 마음이 고운 것이 더 중요함을 이르는 말.

◎ 사람은 죽으면 이름을 남기고, 범은 죽으면 가죽을 남긴다 : 호랑이가 죽은 다음에 귀한 가죽을 남기듯이 사람은 죽은 다음에 생전에 쌓은 공덕으로 명예를 남기게 된다는 뜻으로, 인생에서

가장 중요한 것은 생전에 보람 있는 일을 하여 후세에 명예를 떨치는 것임을 이르는 말.

◎ 사람은 지내봐야 안다 : 사람의 마음이란 겉으로 언뜻 보아서는 알 수 없으며 함께 오랫동안 지내보아야 알 수 있는 것을 이르는 말.

◎ 사람의 속은 눈을 보아야 안다 : 눈에는 사람의 마음이 그대로 반영되므로, 눈을 보면 그 사람의 속마음을 짐작할 수 있음을 이르는 말.

◎ 사람의 얼굴은 열두 번 변한다 : 사람의 얼굴 모양은 한평생 사는 동안 여러 번 변하는 것임을 이르는 말.

◎ 사람 팔자 시간문제 : 사람 팔자는 몇 시간도 안 되는 짧은 사이에 싹 달라질 수 있음을 이르는 말.

◎ 사서 고생한다 : 고생되는 일을 스스로 만들어 하는 것을 이르는 말.

◎ 사위는 백년손이라 : 사위는 언제나 소중한 손님처럼 접대해야 하는 것을 이르는 말.

◎ 사위 사랑은 장모 : 사위를 사랑하고 받드는 마음은 장인보다 장모가 더욱 극진함을 이르는 말.

◎ 사촌이 땅을 사면 배가 아프다 : 질투심과 시기심이 많은 것을 이르는 말.

◎ 사후 약방문 : 사람이 죽은 다음에야 약을 구한다는 뜻으로, 때가 지나서 일이 다 틀어진 후에야 뒤늦게 대책을 세우는 것을 이르는 말.

◎ 삭신이 쑤시면 비가 온다 : 신경통 환자나 늙은이들은 저기압이 되면 뼈마디가 쑤시므로 비가 오리라는 것을 알 수 있음을 이르는 말.

◎ 산 입에 거미줄 치겠다 : 양식이 떨어져서 먹지를 못하고 굶고 있는 것을 이르는 말.

◎ 산전수전 다 겪었다 : 세상의 모든 일을 골고루 겪어봐서 세상 물정을 다 아는 것을 이르는 말.

◎ 삽살개 뒷다리 : 삽살개 뒷다리처럼 앙상하고 볼품없는 모양을 이르는 말.

◎ 상갓집 개만도 못하다 : 제대로 얻어먹지를 못하는 상갓집 개만도 못한 신세라는 뜻으로, 의지할 곳 없고 천대받고 압박받는 처지가 몹시 가련하고 불쌍한 것을 이르는 말.

◎ 새 발의 피 : 분량이 아주 적은 것을 이르는 말.

◎ 새우 싸움에 고래 등 터진다 : 남의 싸움에 공연히 관계없는 사람이 해를 입는 경우를 이르는 말.

◎ 생쥐 발싸개만 하다 : 물건이 아주 작은 것을 이르는 말.

◎ 생일날 잘 먹으려고 이레를 굶는다 : 생일날 잘 먹겠다고 이레 전부터 굶는다는 뜻으로, 어떻게 될지도 모를 앞일을 미리부터 지나치게 기대하는 것을 이르는 말.

◎ 세 살 버릇이 여든까지 간다 : 어릴 때 몸에 밴 버릇은 늙어 죽을 때까지 고치기 힘들다는 뜻으로, 어릴 때부터 나쁜 버릇이 들지 않도록 잘 가르쳐야 하는 것을 이르는 말.

◎ 세 살 난 아이 물가에 놓은 것 같다 : 당장 무슨 일이라도 날 것같이 불안하거나 위태로워서 마음을 놓지 못하는 것을 이르는 말.

◎ 세상은 넓고도 좁다 : 서로 멀리 떨어져 있는 곳에서 우연히 아는 사람과 만나는 경우를 이르는 말.

◎ 세월이 약 : 아무리 괴로운 마음의 상처도 시간이 지나면 아물어 잊히게 되는 것을 이르는 말.

◎ 소가 웃을 일이다 : 소가 웃을 정도로 사람답지 못한 행동을 하는 것을 이르는 말.

◎ 소 닭 보듯 : 소와 닭은 아무런 관계가 없기 때문에 무관심하게 대하듯이, 서로 이해관계가 없으면 무관심하게 되는 것을 이르는 말.

◎ 소도적놈같이 생겼다 : 생김새가 몹시 흉악하고 우악스럽게 생겼음을 이르는 말.

◎ 소문난 잔치에 먹을 것 없다 : 평판과 실제와는 일치하지 아니하는 것을 이르는 말.

◎ 소 잃고 외양간 고친다 : 평소에는 관심을 두지 않다가 일을 그르친 뒤에 손을 쓰거나 관심을 두어야 소용이 없는 것을 이르는 말.

◎ 속 빈 강정 : 겉만 그럴듯하고 실속이 없는 것을 이르는 말.

◎ 속으로 호박씨만 깐다 : 어리석은듯하지만 의뭉한 데가 있어 제 실속은 다 차리는 것을 이르는 말.

◎ 손가락에 장을 지지겠다 : 자기가 주장하는 것이 틀림없다고 장담하는 것을 이르는 말.

◎ 손도 안 대고 코 풀려고 한다 : 조금도 힘쓰지 않고 쉽게 이익을 얻으려 하는 것을 이르는 말.

◎ 손바닥으로 하늘 가리기 : 가린다고 가렸으나 가려지지 아니하는 것을 이르는 말.

◎ 손발이 따로 놀다 : 함께 일을 하는데 마음이나 의견, 행동 방식 따위가 서로 맞지 않는 것을 이르는 말.

◎ 손 안 대고 코 풀기 : 손조차 사용하지 않고 코를 푼다는 뜻으로, 일을 힘 안 들이고 아주 쉽게 해치우는 것을 이르는 말.

◎ 손톱 밑의 가시 : 손톱 밑에 가시가 들면 매우 고통스럽고 성가시다는 뜻으로, 사소한 것 때문에 큰 해를 입게 되는 일을 이르는 말.

◎ 쇠귀에 경 읽기 : 아무리 가르치고 일러 주어도 알아듣지 못하는 것을 이르는 말.

◎ 쇠뿔도 단김에 빼라 : 든든히 박힌 소의 뿔을 뽑으려면 불로 달구어 놓은 김에 해치워야 한다는 뜻으로, 어떤 일이든지 하려고 생각했으면 한창 열이 올랐을 때 망설이지 말고 곧 행동으로 옮겨야 하는 것을 이르는 말.

◎ 쇠털같이 많다 : 소의 털과 같이 수효가 셀 수 없을 만큼 매우 많은 것을 이르는 말.

◎ 수박 겉핥기 : 사물의 속 내용은 모르고 겉만 건드리는 것을 이르는 말.

◎ 술친구는 친구가 아니다 : 술 마실 때에 같이 어울리는 친구는 참된 친구가 아님을 이르는 말.

◎ 숭어가 뛰니까 망둥이도 뛴다 : 남이 한다고 하니까 분별없이 덩달아 나서는 것을 이르는 말.

◎ 시장이 반찬 : 배가 고프면 반찬이 없어도 밥이 맛있는 것을 이르는 말.

◎ 시작이 반이다 : 무슨 일이든지 시작하기가 어렵지 일을 끝마치기는 그리 어렵지 아니한 것을 이르는 말.

◎ 식은 죽 먹기 : 하기에 매우 쉬운 일을 이르는 말.

◎ 십 년은 감수했다 : 몹시 위험한 일을 겪었음을 이르는 말.

◎ 십 년이면 강산도 변한다 : 십 년 정도의 세월이 흐르면 세상에 변하지 않는 것이 없음을 이르는 말.

◎ 십 리도 못 가서 발병 난다 : 무슨 일이 얼마 가지 않아서 탈이 생기는 것을 이르는 말.

◎ 싹수가 노랗다 : 잘될 가능성이나 희망이 애초부터 보이지 않는 것을 이르는 말.

◎ 썩은 동아줄 같다 : 힘없이 뚝뚝 끊어지거나 맥없이 쓰러지는 모양을 이르는 말.

◎ 쑥대밭이 되었다 : 영화롭던 곳이 폐허가 되었음을 이르는 말.

◎ 쓴맛 단맛 다 보았다 : 세상의 괴로움과 즐거움을 모두 겪은 것을 이르는 말.

◎ 쓸개 빠진 놈 : 제정신을 바로 차리지 못하는 사람을 이르는 말.

◎ 씨를 뿌리면 거두게 마련이다 : 일한 보람이나 결과는 꼭 나타나게 되는 것을 이르는 말.

◎ 생일날 잘 먹으려고 이레를 굶는다 : 생일날 잘 먹겠다고 이레 전부터 굶는다는 뜻으로, 어떻게 될지도 모를 앞일을 미리부터 지나치게 기대하는 것을 이르는 말.

◎ 세 살 버릇이 여든까지 간다 : 어릴 때 몸에 밴 버릇은 늙어 죽을 때까지 고치기 힘들다는 뜻으로, 어릴 때부터 나쁜 버릇이 들지 않도록 잘 가르쳐야 하는 것을 이르는 말.

◎ 소 잃고 외양간 고친다 : 일을 그르친 뒤에는 뉘우쳐도 소용없는 것을 이르는 말.

◎ 쇠귀에 경 읽기 : 둔한 사람은 아무리 가르치고 일러주어도 알아듣지 못하는 것을 이르는 말.

◎ 쇠뿔도 단김에 빼라 : 든든히 박힌 소의 뿔을 뽑으려면 불로 달구어 놓은 김에 해치워야 한다는 뜻으로, 어떤 일이든지 하려고 생각했으면 한창 열이 올랐을 때 망설이지 말고 곧 행동으로

옮겨야 하는 것을 이르는 말.

[ㅇ]

◎ 아내가 귀여우면 처갓집 말뚝 보고도 절한다 : 아내가 좋으면 아내 주위의 보잘것없는 것까지 좋게 보이는 것을 이르는 말.

◎ 아는 것이 힘, 배워야 산다 : 세상을 살아가는 데에는 지식이 큰 힘이 되니 열심히 공부하라고 조언하는 것을 이르는 말.

◎ 아니 땐 굴뚝에 연기 날까 : 원인이 없으면 결과가 있을 수 없음을 이르는 말.

◎ 아닌 밤중에 웬 떡이냐 : 뜻밖의 요행이나 횡재를 이르는 말.

◎ 아닌 밤중에 홍두깨 : 뜻하지 않은 말을 불쑥 꺼내거나, 별안간 무슨 짓을 하는 것을 이르는 말.

◎ 아랫돌 빼서 윗돌 괴고 윗돌 빼서 아랫돌 괴기 : 일이 몹시 급할 때 임시변통으로 이리저리 둘러맞추어 가는 것을 이르는 말.

◎ 아비만한 자식 없다 : 자식이 부모에게 아무리 잘해도 부모가

자식 생각하는 것만큼 못하는 것을 이르는 말.

◎ 아이들 보는 데는 찬물도 못 마신다 : 아이들은 남의 흉내를 잘 내기 때문에 아이들 앞에서는 행동을 조심해야 하는 것을 이르는 말.

◎ 아이 보채듯 한다 : 몹시 졸라대는 것을 이르는 말.

◎ 아이 싸움이 어른 싸움 된다 : 대수롭지 않은 일이 점점 커지는 것을 이르는 말.

◎ 아 해 다르고 어 해 다르다 : 같은 내용의 말이라도 말하기 나름에 따라 그 느낌이 사뭇 달라지는 것을 이르는 말.

◎ 아홉 가진 놈이 하나 가진 놈 부러워한다 : 욕심이 많은 것을 이르는 말.

◎ 앉을 자리 봐 가면서 앉으라 : 모든 행동을 분별 있고 눈치 있게 하라는 것을 이르는 말.

◎ 알다가도 모르겠다 : 도무지 이해할 수 없는 것을 이르는 말.

◎ 앓던 이 빠진 것 같다 : 어떤 고통이나 걱정거리가 없어져서 후련한 것을 이르는 말.

◎ 암탉이 운다 : 가정에서 여자가 남자를 제쳐 놓고 집안일을 좌지우지하는 것을 이르는 말.

◎ 앞 못 보는 생쥐 : 정신이 몽롱하여 무엇을 잘 보지 못하는 사람을 이르는 말.

◎ 약방에 감초 : 한약에는 감초가 들어가는 것이 많듯, 어떤 일 등에 빠짐없이 참석하는 사람을 이르는 말.

◎ 얌전한 고양이 부뚜막에 먼저 올라간다 : 겉으로는 얌전하고 아무것도 못 할 것처럼 보이는 사람이 딴짓을 하거나 자기 실속을 다 차리는 경우를 이르는 말.

◎ 어른 말을 들으면 자다가도 떡 생긴다 : 어른이 시키는 대로 하면 실수도 없을 뿐만 아니라, 여러 가지로 이익이 되는 것을 이르는 말.

◎ 어머니 손은 약손 : 어지간한 어린아이의 병은 어머니의 자애로운 간호만으로도 낫는다는 것을 이르는 말.

◎ 어물전(魚物廛) 망신은 꼴뚜기가 시킨다 : 못난이가 동료들에게 폐를 끼치는 것을 이르는 말.

◎ 어중이떠중이 : 여러 방면에서 모여든, 탐탁하지 못한 사람들을 통틀어 낮잡아 이르는 말.

◎ 언 발에 오줌 누기 : 언 발을 녹이려고 오줌을 발에 누어 봤자 효력이 별로 없다는 뜻으로, 임시변통은 될지 모르나 효력이 오래가지 못하는 것을 이르는 말.

◎ 엎어지면 코 닿을 데 : 매우 가까운 거리를 이르는 말.

◎ 얼굴값을 한다 : 얼굴이 잘생긴 만큼 그 품위를 지킨다는 말, 혹은 품위를 잃고 그와 정반대 행위를 할 때도 반어적으로 사용하는 말.

◎ 얼굴에 똥칠한다 : 남 앞에 얼굴을 들고 다닐 수 없을 정도로 창피한 짓을 할 때 이르는 말.

◎ 얼굴에 철판을 깔다 : 몹시 뻔뻔스러워 전혀 부끄러운 기색이 없는 것을 이르는 말.

◎ 얼굴에 침을 뱉다 : 직접 대면하여 모욕이나 창피를 주는 것을 이르는 말.

◎ 엎어지면 코 닿을 데 : 거리가 아주 가까운 곳을 이르는 말.
엎질러진 물 : 한번 저지른 잘못은 다시 수습할 수 없음을 이르는 말.

◎ 엎친 데 덮친 격 : 어려운 처지에 또 어려운 일이 겹치어 생기는 것을 이르는 말.

◎ 여름 하늘에 소낙비 : 흔히 있을 만한 일이기 때문에 조금도 놀랄 것이 없음을 이르는 말.

◎ 여자 팔자는 뒤웅박 팔자다 : 뒤웅박의 끈이 떨어지면 소용이 없듯이, 남편에게 매인 것이 여자의 팔자임을 이르는 말.

◎ 열 손가락 깨물어 안 아픈 손가락이 없다 : 혈육은 다 귀하고 소중한 것임을 이르는 말.

◎ 열을 듣고 하나도 모른다 : 아무리 들어도 깨우치지 못하는 어리석고 우둔함을 이르는 말.

◎ 열 일 제치다 : 한 가지 긴요한 일 때문에 다른 모든 일을 그

만두는 것을 이르는 말.

◎ 영감의 상투 : 물건이 하찮은 것을 이르는 말.

◎ 예쁜 세 살, 미운 일곱 살 : 아이들은 대개 세 살 적에는 가장 귀여움을 떨고, 일곱 살 적에는 가장 말썽꾸러기 짓을 하는 것을 이르는 말.

◎ 예쁜 자식 매로 키운다 : 귀여운 자식일수록 엄하게 키워야 하는 것을 이르는 말.

◎ 예술은 길고, 인생은 짧다 : 그리스의 의학자 히포크라테스의 <양생훈(養生訓)> 첫머리에 실린 말로, 인생은 백 년을 넘지 못하나 한 번 남긴 예술은 영구히 그 가치를 빛낸다는 것을 이르는 말.

◎ 옛말 그른 데 없다 : 옛날부터 전해오는 명언은 삶의 철학이 들어 있어 모두 옳고 이로운 것을 이르는 말.

◎ 오뉴월 감투도 팔아먹는다 : 먹을 것이 궁한 때인 오뉴월에는 팔 수 없는 자주 감투까지 판다는 뜻으로, 물품을 가리지 아니하고 모두 다 파는 것, 혹은 집안 살림이 궁하여 도무지 무엇 하나 팔아먹을 만한 것이 없음을 이르는 말.

◎ 오르지 못할 나무는 쳐다보지도 마라 : 불가능한 일은 처음부터 단념할 것을 이르는 말.

◎ 오뉴월 쇠파리 : 몹시 귀찮고 성가신 존재를 이르는 말.

◎ 오는 말이 고와야 가는 말이 곱다 : 상대편이 자기에게 말이나 행동을 좋게 하여야 자기도 상대편에게 좋게 하는 것을 이르는 말.

◎ 오늘 내일한다 : 죽을 때, 또는 해산할 때가 가까이 다가왔음을 이르는 말.

◎ 오다가다 옷깃만 스쳐도 전세의 인연이다 : 인간이 살면서 부딪치는 사소한 만남이라도 불가에서 말하는 전생의 인연에서 비롯된다는 뜻으로, 살면서 겪게 되는 사람들과의 만남을 소중하게 여겨야 하는 것을 이르는 말.

◎ 오라는 데는 없어도 갈 데는 많다 : 자기를 알아주거나 청하여 주는 데는 없어도 자기로서는 가야 할 데나 하여야 할 일이 많은 것을 이르는 말.

◎ 오랜 가뭄 끝에 단비 온다 : 오랫동안 기다렸던 일이 성사되어 기쁜 것을 이르는 말.

◎ 오른손이 한 일은 왼손이 몰라야 한다 : 비밀은 잘 지켜야 하는 것을 이르는 말.

◎ 오리발을 내민다 : 자기의 잘못을 숨기려고 딴전을 부리는 것을 이르는 말.

◎ 오장이 뒤집힌다 : 분이 치밀어 견딜 수 없음을 이르는 말.

◎ 오지랖이 넓다 : 쓸데없이 지나치게 아무 일에나 참견하는 것을 이르는 말.

◎ 옥에 티다 : 본바탕은 썩 좋으나 아깝게도 흠이 있는 것을 이르는 말.

◎ 외갓집 들어가듯 : 예의도 차릴 필요 없이 자기 집 들어가는 것처럼 거리낌 없이 쉽게 들어가는 것을 이르는 말.

◎ 왼눈도 깜짝 아니한다 : 조금도 놀라지 않는 것을 이르는 말.

◎ 요지경 속이다 : 속 내용이 알쏭달쏭하고 복잡하여 뭐가 뭔지 이해할 수 없는 것을 이르는 말.

◎ 우는 아이 젖 준다 : 무슨 일이든 자기가 요구하여야 쉽게 구할 수 있는 것을 이르는 말.

◎ 우물 안 개구리 : 넓은 세상의 형편을 알지 못하는 사람을 이르는 말.

◎ 우물에 가 숭늉 찾는다 : 모든 일에는 질서와 차례가 있는 법인데 일의 순서도 모르고 성급하게 덤비는 것을 이르는 말.

◎ 우물을 파도 한 우물을 파라 : 무슨 일이든 한 가지 일을 끝까지 꾸준히 해야 성공할 수 있는 것을 이르는 말.

◎ 울며 겨자 먹기 : 맵다고 울면서도 겨자를 먹는다는 뜻으로, 싫은 일을 억지로 하는 것을 이르는 말.

◎ 웃는 낯에 침 뱉으랴 : 좋은 낯으로 대하는 사람에게는 나쁘게 대할 수 없는 것을 이르는 말.

◎ 웃는 집에 복이 있다 : 집안이 화목하여 늘 웃음꽃이 피는 집에는 행복이 찾아들게 되는 것을 이르는 말.

◎ 원수는 외나무다리에서 만난다 : 꺼리고 싫어하는 대상을 피할 수 없는 곳에서 공교롭게 만나게 되는 것을 이르는 말.

◎ 원숭이도 나무에서 떨어진다 : 아무리 익숙하고 잘하는 사람이라도 간혹 실수할 때가 있음을 이르는 말.

◎ 원님 덕에 나발 분다 : 다른 사람 덕택에 분에 넘치는 대접을 받는 것을 이르는 말.

◎ 은 나오라 뚝딱, 금 나오라 뚝딱 : 도깨비들이 이런 말을 하면서 방망이를 치며 떠들썩한다 함이니, 시끄러운 것을 이르는 말.

◎ 은혜를 원수로 갚는다 : 은혜를 배신하는 것을 이르는 말.

◎ 이래도 한세상 저래도 한세상 : 어떻게 살든 한평생 사는 것은 마찬가지니 둥글둥글 원만하게 살 것을 이르는 말.

◎ 이 방 저 방 좋아도 내 서방이 제일 좋고, 이 집 저 집 좋아도 내 계집이 제일 좋다 : 뭐니뭐니해도 자기 남편과 자기 아내가 제일 좋은 것을 이르는 말.

◎ 이웃이 사촌보다 낫다 : 가까이 사는 이웃이 먼 곳에 사는 친족보다 좋다는 뜻으로, 자주 보는 사람이 정도 많이 들고 따라서 도움을 주고받기도 쉬운 것을 이르는 말.

◎ 이 없으면 잇몸으로 살지 : 요긴한 것이 없으면 안 될 것 같지만 없으면 없는 대로 그럭저럭 살아 나갈 수 있음을 이르는 말.

◎ 이 잡듯이 한다 : 샅샅이 뒤지어 찾는 모양을 비유하여 이르는 말.

◎ 인간 만사는 새옹지마(塞翁之馬)라 : 인생의 길흉화복은 예측할 수 없음을 이르는 말.

◎ 인중이 길다 : 수명이 긴 것을 이르는 말.

◎ 입만 살았다 : 실천은 하지 않으면서 말만 그럴듯하게 하거나, 격에 맞지 않게 음식을 까탈스럽게 먹는 것을 이르는 말.

◎ 입에 발린 소리다 : 마음에는 없이 상대방이 듣기 좋으라고 하는 말.

◎ 입에서 신물이 난다 : 어떤 것이 극도의 싫증을 느낄 정도로 지긋지긋한 것을 이르는 말.

◎ 입에 쓴 약이 병에는 좋다 : 자기에게 이로운 충고나 교훈은 듣기는 싫으나 자신의 수양을 위해서는 좋으니 받아들여야 하는

것을 이르는 말.

◎ 입에 재갈을 물리다 : 함부로 입을 놀리지 못하게 하는 것을 이르는 말.

◎ 입이 개차반이다 : 입이 똥개가 먹은 차반과 같이 너절하다는 뜻으로, 아무 말이나 가리지 않고 되는대로 상스럽게 마구 하는 경우를 이르는 말.

◎ 입은 비뚤어져도 말은 바로 해라 : 언제든지 말을 정직하게 해야 하는 것을 이르는 말.

◎ 얌전한 고양이 부뚜막에 먼저 올라간다 : 겉으로는 얌전하고 아무것도 못 할 것처럼 보이는 사람이 딴짓을 하거나 자기 실속을 다 차리는 경우를 이르는 말.

[ㅈ]

◎ 자다가 벼락을 맞는다 : 급작스럽게 뜻하지 아니한 큰 봉변을 당하는 것을 이르는 말.

◎ 자다가 봉창 두드린다 : 남이 이해할 수 없는 말이나 일을 불현듯 하는 것을 이르는 말.

◎ 자라 보고 놀란 가슴 솥뚜껑 보고 놀란다 : 어떤 사물에 한 번 놀란 사람은 그와 비슷한 사물만 보아도 겁을 내는 것을 이르는 말.

◎ 자빠져도 코가 깨진다 : 일이 안 되려면 하는 모든 일이 잘 안 풀리고 뜻밖의 큰 불행도 생기는 것을 이르는 말.

◎ 자식은 낳은 자랑 말고 키운 자랑 해라 : 자식을 키울 때는 잘 가르치며 길러야 하는 것을 이르는 말.

◎ 자식을 길러 봐야 부모 은공을 안다 : 부모의 입장이 되어 봐야 비로소 부모님의 사랑을 헤아릴 수 있음을 이르는 말.

◎ 작년에 왔던 각설이 또 찾아왔다 : 반갑지 아니한 사람이 다시 찾아왔음을 이르는 말.

◎ 작은 고추가 더 맵다 : 작은 사람이 큰 사람보다 더 뛰어나거나 야멸참을 두고 이르는 말.

◎ 작은 부자는 노력이 만들고 큰 부자는 하늘이 만든다 : 돈을

버는 데에는 노력이 필요하지만 인간의 노력에는 한계가 있음을 이르는 말.

◎ 잔병에 효자 없다 : 늘 잔병을 앓고 있는 사람의 자식은 효도하기가 쉽지 않은 것을 이르는 말.

◎ 잔생이 보배라 : 지지리 못난 체하는 것이 오히려 해를 덜 입게 되어 처세에 이로운 것을 이르는 말.

◎ 잔잔한 물에 고기가 모인다 : 평안한 환경이라야 살기가 좋은 것을 이르는 말.

◎ 잘난 사람이 있어야 못난 사람이 있다 : 선과 악, 좋은 점과 나쁜 점 따위는 비교가 되어야 뚜렷하게 나타나는 것임을 이르는 말.

◎ 잘 살고 못 사는 것은 다 제 탓이다 : 모든 삶은 자기 스스로가 할 나름임을 이르는 말.

◎ 잘 자랄 나무는 떡잎부터 알아본다 : 잘될 사람은 어려서부터 남달리 장래성이 엿보이는 것을 이르는 말.

◎ 잠이 보약이다 : 건강을 지키는 데 있어서 잠이 그만큼 중요

한 것임을 이르는 말.

◎ 장가는 얕이 들고 시집은 높이 가렸다 : 아내는 가난하나 가르침이 있는 집 여자를 택하는 것이 좋고, 남편감은 가문 있는 배운 집 자식이 좋은 것임을 이르는 말.

◎ 장난 끝에 살인 난다 : 장난삼아 한 일이 큰 사고를 일으키기도 하는 것을 이르는 말.

◎ 장님이 사람 친다 : 뜻밖의 사람이 뜻밖의 짓을 할 때 이르는 말.

◎ 장님이 장님을 인도한다 : 자기 앞가림도 못 하는 주제에 분에 넘치게 남의 일까지 하여 주려고 나서는 것을 이르는 말.

◎ 장마철에 햇빛 보기다 : 장마 때는 구름 틈으로 잠깐 햇빛이 나타났다가 바로 구름 속으로 사라지듯이, 무엇이 잠깐 나타났다가 바로 사라지는 것을 이르는 말.

◎ 장맛이 좋아야 집안이 잘된다 : 주부가 살림을 잘해야 집안이 잘되는 것임을 이르는 말.

◎ 장비 포도청에 갇힌 것 같다 : 자기 몸을 자기 마음대로 움직이지 못하게 된 처지를 이르는 말.

◎ 장비 호통이라 : 큰 소리로 꾸짖는 것을 비꼬아 이르는 말.

◎ 재떨이와 부자는 모일수록 더럽다 : 재물이 많이 모이면 모일수록 마음씨는 더 인색해지는 것임을 이르는 말.

◎ 재주는 곰이 넘고, 돈은 되놈이 번다 : 정작 수고한 사람은 대가를 못 받고 엉뚱한 사람이 가로챌 때를 이르는 말.

◎ 저승길이 구만 리 : 저승이 아득히 멀다는 뜻으로, 아직 살날이 많이 남아 있음을 이르는 말.

◎ 저 잘난 맛에 산다 : 사람은 누구나 자기에 대한 애착심을 갖고 살아가는 것임을 이르는 말.

◎ 저 하고 싶어서 하는 일은 힘든 줄 모른다 : 자기가 하고 싶어서 하는 일은 흥이 나서 하는 것을 이르는 말.

◎ 젊어 고생은 돈 주고도 못 산다 : 젊었을 때 열심히 노력하면 고생은 되지만 훗날 큰 보람이 되니, 젊을 때의 고생은 소중히 여기고 참을 것을 이르는 말.

◎ 젊어서 고생은 사서도 한다 : 몸이 건강하고 젊었을 때 고생스럽더라도 열심히 일하면 늙어서는 낙이 있으므로, 젊어서 고생을 달게 할 것을 이르는 말.

◎ 점잖은 강아지 부뚜막에 먼저 오른다 : 겉으로는 점잖은 체하면서 엉뚱한 짓은 남보다 먼저 하는 것을 이르는 말.

◎ 접시 물에 빠져 죽지 : 처지가 매우 궁박하여 어쩔 줄을 모르고 답답해하는 것을 이르는 말.

◎ 정들자 이별 : 만났다가 얼마 되지 아니하여 헤어지는 것을 이르는 말.

◎ 정승도 저 싫으면 안 한다 : 아무리 좋은 것이라도 제 마음에 내키지 않으면 하지 않을 것을 이르는 말.

◎ 정월 보름날 개고기를 먹으면 그해 유행병에 걸리지 않는다 : 음력 1월15일에 개고기를 먹으면 1년 동안 유행병을 예방할 수 있음을 이르는 말.

◎ 젖 먹던 힘이 다 든다 : 무슨 일이 몹시 힘든 것을 이르는 말.

◎ 젖 먹은 밸까지 뒤집힌다 : 매우 속이 상하고 아니꼬운 것을 이르는 말.

◎ 제 논에 물대기 : 자기에게만 이롭게 되도록 생각하거나 행동하는 것을 이르는 말.

◎ 제 눈에 안경이다 : 보잘것없는 물건이라도 제 마음에 들면 좋아 보이는 것을 이르는 말.

◎ 제 똥 구린 줄은 모른다 : 자기의 허물을 모르거나 반성할 줄 모르는 것을 이르는 말.

◎ 제 몸 구린 줄은 모른다 : 자기의 허물을 모르는 것을 이르는 말.

◎ 제 발등에 오줌 누기 : 자기가 한 짓이 자기를 모욕하는 결과가 되는 것임을 이르는 말.

◎ 제 발등의 불을 먼저 끄랬다 : 남의 일을 간섭하기 전에 자기의 급한 일을 먼저 살필 것을 이르는 말.

◎ 제 버릇 개 줄까 : 한번 젖어 버린 나쁜 버릇은 쉽게 고치기가 어려운 것을 이르는 말.

◎ 제 부모 위하려면 남의 부모를 위해야 한다 : 자기 부모를 잘 섬기고 위하려면 부모가 남의 공대를 받을 수 있도록 저도 남의 부모를 잘 섬겨야 하는 것을 이르는 말.

◎ 제 사람 되면 다 고와 보인다 : 남이라도 자기 집 식구나 자기 집단의 성원이 되면 정이 가고 고와 보이게 되는 것을 이르는 말.

◎ 제 사랑 제가 진다 : 저 하기에 따라서 사랑을 받을 수도 있고 미움을 받을 수도 있음을 이르는 말.

◎ 제 살 궁리는 다 한다 : 어려운 경우를 당하여도 누구나 자기가 살아갈 궁리는 다 하는 것을 이르는 말.

◎ 제 살 깎아 먹기 : 자기가 한 일의 결과가 자신에게 해가 되는 것을 이르는 말.

◎ 제 손금 보듯 한다 : 무엇을 환히 꿰뚫어 보는 것을 이르는 말.

◎ 제 얼굴은 제가 못 본다 : 자기의 허물을 자기가 잘 모르는 것을 이르는 말.

◎ 제 자식 잘못은 모른다 : 제 자식의 결점은 눈에 잘 띄지 않는 것을 이르는 말.

◎ 제 처 말 안 듣는 사람 없다 : 흔히 아내의 말이나 청을 딱 자르지 못하고 들어주거나 그대로 믿다가 일을 그르치는 수가 많다는 의미로, 아내의 말을 조심하여 들을 것을 이르는 말.

◎ 젬병이라 : 모든 일이 불미스럽고 낭패된 상황이나 모습을 이르는 말.

◎ 조상 신주 모시듯 : 몹시 받들어 우대하는 경우를 이르는 말.

◎ 좋은 노래도 세 번 들으면 귀가 싫어한다 : 아무리 좋은 것이라도 지루하게 끌면 싫어지게 되는 것을 이르는 말.

◎ 좋은 약은 입에 쓰다 : 좋은 약은 입에 쓰지만 몸에는 좋듯이, 충고의 말은 듣기 싫으나 유익한 것임을 이르는 말.

◎ 죄짓고 못 산다 : 죄를 지으면 불안과 가책으로 고통을 당하므로 죄를 짓지 말아야 하며, 이미 지은 죄는 털어놓고 용서를 받아야 하는 것을 이르는 말.

◎ 주는 떡도 못 받아먹는다 : 제가 받을 수 있는 복도 멍청하게 놓치는 것을 이르는 말.

◎ 주름을 잡는다 : 뭇사람을 자기 손아귀에 넣고 농락하거나 매사를 제멋대로 좌우하는 것을 이르는 말.

◎ 주리 참듯 : 모진 고통을 억지로 참는 것을 이르는 말.

◎ 주린 고양이가 쥐를 만났다 : 놓칠 수 없는 좋은 기회를 만났을 때를 이르는 말.

◎ 주먹이 운다 : 분한 일이 있어서 치거나 때리고 싶지만 참을 것을 이르는 말.

◎ 주사위는 던져졌다 : 일이 되돌릴 수 없는 지경에 이르렀으니 단행하는 수밖에 없음을 이르는 말.

◎ 죽고 못 살다 : 한쪽이 죽으면 못 살 정도로 서로 몹시 사랑하는 것을 이르는 말.

◎ 죽 쑤어 개 좋은 일 하였다 : 애써 한 일이 허사로 돌아가고 엉뚱한 사람에게 이로운 일을 한 결과가 되었음을 이르는 말.

◎ 죽은 사람의 원도 푼다 : 죽은 사람의 원도 풀어 주는데 하물며 산 사람의 정을 어찌 풀어 줄 수 없겠느냐는 말.

◎ 죽은 죽어도 못 먹고 밥은 바빠서 못 먹고 : 술 생각이 나는 것을 이르는 말.

◎ 죽을 쑤다 : 손해를 크게 보는 것을 이르는 말.

◎ 죽지도 살지도 못한다 : 이러지도 저러지도 못하여 난처한 경우를 이르는 말.

◎ 줄 듯 줄 듯 하면서 안 준다 : 말로만 준다 준다 하고 도무지 실행은 하지 않는 것을 이르는 말.

◎ 줄수록 양양 : 주면 줄수록 더 요구한다는 의미로, 사람의 욕심이 한이 없음을 이르는 말.

◎ 쥐구멍에도 볕 들 날 있다 : 몹시 고생을 하는 사람도 좋은 운수가 터질 날이 있는 것을 이르는 말.

◎ 쥐뿔같다 : 아주 작거나 보잘것없음을 이르는 말.

◎ 쥐었다 폈다 한다 : 사물이나 상대방을 자기 마음대로 다루는 것을 이르는 말.

◎ 지는 게 이기는 거다 : 맞설 형편이 못 되는 아주 수준이 어린 상대한테 옥신각신 시비를 가리기보다 아량 있고 너그럽게 대하면서 양보하는 것이 도덕적으로 승리하는 것임을 이르는 말.

◎ 지렁이도 밟으면 꿈틀한다 : 아무리 보잘것없이 지내는 미천한 사람이나 순하고 착한 사람이라도 누가 건드리거나 너무 업신여기면 반항하는 것을 이르는 말.

◎ 지성이면 감천이다 : 무슨 일이든 정성이 지극하면 다 이룰 수 있음을 이르는 말.

◎ 지위가 높을수록 마음은 낮추어 먹어야 : 높은 자리에 앉게 될수록 겸손해야 하는 것임을 이르는 말.

◎ 집도 절도 없다 : 가진 집이나 재산이 없어 여기저기로 떠돌아다니는 신세를 이르는 말.

◎ 집 떠나면 고생이다 : 이러니저러니 해도 제집이 제일 좋은 것임을 이르는 말.

◎ 집안 망신은 며느리가 시킨다 : 제 집안 식구나 함께 생활하는 사람이 분수없이 처신하여 집단의 흠을 드러내게 된 경우를 이르는 말.

◎ 집어삼킬 듯이 본다 : 몹시 미워서 노려보는 것을 이르는 말.

◎ 집에 꿀단지를 파묻었나 : 집에 빨리 가고 싶어 안달하는 사람을 놀림조로 이르는 말.

◎ 짖는 개는 물지 않는다 : 겉으로 떠들어 대는 사람은 도리어 실속이 없음을 이르는 말.

◎ 짚신도 제짝이 있다 : 보잘것없는 사람도 배필은 있음을 이르는 말.

◎ 짝 잃은 기러기 : 몹시 외로운 사람을 형용하여 이르는 말.

◎ 쪽박을 찬다 : 동냥질하는 신세를 이르는 말.

◎ 찔러도 피 한 방울 안 나겠다 : 냉혹하기 짝이 없어 인정이라고는 없음을 이르는 말.

◎ 찜통 같은 날씨다 : 찌는 듯 삶는 듯한 무더운 여름 날씨를

이르는 말.

[ㅊ]

◎ 차면 넘친다 : 너무 정도에 지나치면 도리어 불완전하게 되는 것을 이르는 말.

◎ 착한 며느리도 악처만 못하다 : 차라리 악처가 남보다 나을 경우를 이르는 말.

◎ 찬물도 위아래가 있다 : 무엇에나 순서가 있으니, 그 차례를 따라 하여야 하는 것을 이르는 말.

◎ 찬물에 기름 돌 듯 : 서로 화합하지 못하고 따로 도는 경우를 이르는 말.

◎ 찬물을 끼얹다 : 잘되어 가고 있는 일에 뛰어들어 분위기를 흐리거나 공연히 트집을 잡아 헤살을 놓는 것을 이르는 말.

◎ 찬밥 더운밥 가리게 됐나 : 좋고 나쁜 대우를 가리고 따질 형편이 아님을 이르는 말.

◎ 참는 자에게 복이 있다 : 억울하고 분한 일이 있더라도 필요에 따라서는 꾹 참고 견디는 것이 상책임을 이르는 말.

◎ 참새가 방앗간을 그저 지나랴 : 욕심 많은 사람이 이끗을 보고 가만있지 못함, 혹은 자기가 좋아하는 곳은 그대로 지나치지 못하는 경우를 이르는 말.

◎ 처가 재물, 양가 재물은 쓸데없다 : 제 손으로 번 것이라야 제 재산이 되는 것임을 이르는 말.

◎ 처갓집 말뚝에도 절하겠네 : 지나친 애처가를 빈정대어 이르는 말.

◎ 천 길 물속은 알아도 한 길 사람의 속은 모른다 : 사람의 속마음을 알기란 매우 힘든 것임을 이르는 말.

◎ 천 리 강산(江山)이다 : 시간이나 거리가 아주 멀었다는 말.

◎ 천 리 길도 십 리 : 그리운 사람을 만나러 갈 때에는 먼 거리도 아주 가깝게 느껴지는 경우를 이르는 말.

◎ 천 리 길도 한 걸음부터 : 무슨 일이든 그 시작이 중요한 것임을 이르는 말.

◎ 천하(天下)를 얻은 듯하다 : 매우 기쁘고 흡족함을 이르는 말.

◎ 첫닭이 운다 : 날이 밝아 옴을 이르는 말.

◎ 첫술에 배부르랴 : 어떠한 일이든지 단번에 만족할 수 없음을 이르는 말.

◎ 초록(草綠)은 동색(同色) : 풀색과 녹색은 같은 색이라는 뜻으로, 처지가 같은 사람들끼리 한패가 되는 경우를 이르는 말.

◎ 초록은 제 빛이 좋다 : 처지가 같고 수준이 비슷한 사람끼리 어울려야 좋음을 이르는 말.

◎ 초상집 개 같다 : 먹을 것이 없어서 이 집 저 집 돌아다니며 빌어먹는 사람이나 궁상이 끼고 초췌한 꼴을 한 사람을 이르는 말.

◎ 취중에 진담이 나온다 : 술이 취하여 함부로 하는 말 속에 솔직하고 진실한 말이 있음을 이르는 말.

◎ 치마가 열두 폭인가 : 남의 일에 쓸데없이 간섭하고 참견하는 것을 비꼬아 이르는 말.

◎ 치마 밑에 키운 자식 : 과부의 자식을 이르는 말.

◎ 친구 따라 강남 간다 : 자기는 하고 싶지 아니하나 남에게 끌려서 덩달아 하게 되는 경우를 이르는 말.

◎ 칠색 팔색을 한다 : 전혀 믿지 않음을 이르는 말.

◎ 칠월 송아지 : 칠월이 되어 농사의 힘드는 일도 끝나고 여름내 푸른 풀을 뜯어 먹어 번지르르해진 송아지라는 뜻으로, 팔자 늘어진 사람을 이르는 말.

◎ 칠 푼짜리 돼지 꼬리 같다 : 아무짝에도 쓸모없음을 이르는 말.

◎ 침 발린 말 : 겉으로만 꾸며서 듣기 좋게 하는 말을 이르는 말.

[ㅋ]

◎ 칼 든 놈은 칼로 망한다 : 남을 해치고자 하는 사람은 반드시 남의 해침을 당하는 것을 이르는 말.

◎ 칼로 물 베기 : 서로 불화(不和)하였다가도 다시 곧잘 화합하는 것을 이르는 말.

◎ 코가 높다 : 잘난 체하고 뽐내는 기세가 있음을 이르는 말.

◎ 코가 납작해지다 : 몹시 무안을 당하거나 기가 죽어 위신이 뚝 떨어지는 것을 이르는 말.

◎ 코 묻은 돈이라도 빼앗아 먹겠다 : 하는 행동이 너무 치사하고 마음에 거슬리는 경우를 비꼬아 이르는 말.

◎ 코에 걸면 코걸이 귀에 걸면 귀걸이 : 정당한 근거와 원인을 밝히지 아니하고 제게 이로운 대로 이유를 붙이는 경우를 이르는 말.

◎ 콧등이 세다 : 남의 말은 안 듣고 제 고집대로만 하는 성미를 이르는 말.

◎ 콧방귀만 뀌다 : 남의 말은 들은 체 만 체 말대꾸가 없음을 이르는 말.

◎ 콩나물시루다 : 협소한 장소에 사람이 빽빽이 들어섰음을 이르는 말.

◎ 콩밥 먹으러 갔다 : 왜정 시대에 감옥에서 콩밥을 준 데서 유래된 말로, 감옥살이를 하는 것을 이르는 말.

◎ 콩 볶듯 한다 : 사람을 달달 볶아서 괴롭히는 모양, 혹은 총소리가 요란한 모양을 이르는 말.

◎ 콩 세 알도 못 세는 부모도 부모는 부모다 : 부모가 아무리 무식하여도 자식은 그 부모를 공경해야 하는 것임을 이르는 말.

◎ 콩 심어라 팥 심어라 한다 : 대수롭지 아니한 일을 가지고 지나칠 정도로 세세한 구별을 짓거나 시비를 가려 간섭하는 것을 이르는 말.

◎ 콩 심은 데 콩 나고 팥 심은 데 팥 난다 : 모든 일은 근본에 따라 거기에 걸맞은 결과가 나타나는 것임을 이르는 말.

◎ 콩알 세 개도 못 센다 : 콩 세 개도 못 셀 정도로 무식한 것을 이르는 말.

◎ 콩으로 메주를 쑨다 하여도 곧이듣지 않는다 : 상대방이 거짓말을 잘하여 신용할 수 없음을 이르는 말.

◎ 콩 팔러 갔다 : 콩을 팔러 저승으로 갔다는 의미로, 죽은 사람을 비유하여 이르는 말.

◎ 콩팔칠팔한다 : 무슨 말인지 알지도 못하는 말을 지껄이는 것을 이르는 말.

◎ 큰 고기는 깊은 물속에 있다 : 훌륭한 인물은 잘 드러나지 않음을 이르는 말.

◎ 큰 물에 고기 논다 : 활동 무대가 커야 통이 큰 사람도 보이고 클 수 있음을 이르는 말.

◎ 큰집 드나들 듯 : 자기 큰집 드나들 듯 매우 익숙하게 드나드는 것을 이르는 말.

◎ 키 크고 속없다 : 허우대는 큰데 내용이 없거나 하는 짓이 실속 없다는 뜻으로, 키가 큰 데 비하여 생각이나 행동이 허술한 것을 이르는 말.

◎ 키 크고 싱겁지 않은 사람 없다 : 키 큰 사람의 행동은 야무지지 못하고 싱거운 것을 이르는 말.

[ㅌ]

◎ 타고난 재주 사람마다 하나씩은 있다 : 사람은 누구나 한 가지 재주는 갖추고 있어서 그것으로 먹고 살아가게 마련임을 이르는 말.

◎ 타고난 팔자 : 날 때부터 지니고 있어서 평생 동안 작용하는 좋거나 나쁜 운수를 이르는 말.

◎ 태화탕이다 : 태화탕(太和湯)은 독이 없는 약이니, 곧 사람이 담담하고 무미함을 이르는 말.

◎ 터를 닦아야 집을 짓는다 : 기초를 닦고 나야 그 위에 일을 벌일 수 있다는 의미로, 무슨 일이든 기초 작업부터 해야 하는 것을 이르는 말.

◎ 터진 꽈리 보듯 한다 : 사람이나 물건을 아주 쓸데없는 것으로 여겨 중요시하지 아니하는 것을 이르는 말.

◎ 털끝도 못 건드리게 한다 : 조금도 손을 대지 못하게 하는 것을 이르는 말.

◎ 털어서 먼지 안 나오는 사람 없다 : 아무리 깨끗하고 선한 사람이라고 하더라도 숨겨진 허점은 있는 것을 이르는 말.

◎ 토끼가 제 방귀에 놀란다 : 남몰래 저지른 일이 염려되어 스스로 겁을 먹고 대수롭지 아니한 것에도 놀라는 것을 이르는 말.

◎ 토끼 둘을 잡으려다가 하나도 못 잡는다 : 욕심을 부려 한꺼번에 여러 가지 일을 하려 하면 그 가운데 하나도 이루지 못하는 것을 이르는 말.

◎ 티끌 모아 태산 : 아무리 적은 것이라도 모이면 큰 것이 될 수 있음을 이르는 말.

[ㅍ]

◎ 파김치가 되었다 : 피로에 지쳐 기력이 없는 형상을 이르는 말.

◎ 파주(坡州) 미륵(彌勒) : 몸이 비대한 사람을 비유하여 이르는 말.

◎ 판에 박은 것 같다 : 모습이나 모양이 신통스럽게 꼭 같은 것을 이르는 말.

◎ 팔 고쳐 주니 다리 부러졌다 한다 : 체면이 없이 무리하게 계속 요구를 하는 경우, 혹은 사고가 잇따라 일어남을 이르는 말.

◎ 팔이 안으로 굽지 밖으로 굽나 : 자기 혹은 자기와 가까운 사람에게 정이 더 쏠리거나 유리하게 일을 처리함은 인지상정임을 이르는 말.

◎ 팔자 고치다 : 여자가 재혼하는 것, 혹은 가난하던 사람이 잘 살게 되는 경우를 이르는 말.

◎ 팔자는 길들이기로 간다 : 습관이 마침내 천성이 되어 사람의 일생을 좌우하는 것을 이르는 말.

◎ 팥으로 메주를 쑤겠다(팥으로 메주를 쑨대도 곧이 듣는다) : 지나치게 남을 믿는 사람을 조롱하여 이르는 말.

◎ 팥죽 내가 난다 : 늙어서 죽을 날이 가까워지는 것을 이르는 말.

◎ 평생을 살아도 님의 속은 모른다 : 함께 사는 부부간이라도 상대방의 속을 짐작하기 어려운 것을 이르는 말.

◎ 평안 감사도 저 싫으면 그만이다 : 아무리 좋은 일이라도 당사자의 마음이 내키지 않으면 억지로 시킬 수 없음을 이르는 말.

◎ 품 안의 자식 : 자식이 어렸을 때는 부모의 뜻을 따르지만 자라서는 제 뜻대로 행동하려 하는 것을 이르는 말.

◎ 풋나물 먹듯 한다 : 무엇이나 아까운 줄 모르고 엄청나게 먹는 것을 이르는 말.

◎ 피가 끓는다 : 혈기나 감정 따위가 북받쳐 오르는 것을 이르는 말.

◎ 피가 마르다 : 몹시 애가 타는 것을 이르는 말.

◎ 피도 눈물도 없다 : 사람이 지나치게 쌀쌀맞고 냉정한 것을 이르는 말.

◎ 피장파장이다 : 서로 낫고 못 함이 없이 매 일반임을 이르는 말.

◎ 핑계 없는 무덤이 없다 : 처녀가 아이를 낳아도 할 말이 있는 것을 이르는 말.

[ㅎ]

◎ 하고 싶은 말은 내일 하랬다 : 하고 싶은 말은 충분히 생각한 후에 해야 실수가 없음을 이르는 말.

◎ 하나를 가르치면 열을 안다 : 조금만 가르쳐도 미루어 많이 안다는 말로, 사람이 영리함을 이르는 말.

◎ 하나를 보고 열을 안다 : 일부만 보고 전체를 미루어 아는 것을 이르는 말.

◎ 하나부터 열까지 : 하나로부터 열에 이르기까지 모두, 또는 어떤 것의 모두를 이르는 말.

◎ 하늘과 땅이다 : 서로 비교가 안 될 만큼 차이가 큰 것을 이르는 말.

◎ 하늘도 알고 땅도 안다 : 아무리 혼자 한 일이라도 비밀은 있을 수 없음을 이르는 말.

◎ 하늘 무서운 말 : 사람의 도리에 어긋나 천벌을 받을 만한 일을 이르는 말.

◎ 하늘 보고 침 뱉기 : 하늘을 향하여 침을 뱉어 보아야 자기 얼굴에 떨어진다는 뜻으로, 자기에게 해가 돌아올 짓을 하는 것을 이르는 말.

◎ 하늘을 두고 맹세한다 : 절대로 약속을 어기지 않는 것을 이르는 말.

◎ 하늘을 보아야 별을 따지 : 어떤 성과를 거두려면 그에 상당하는 노력과 준비가 있어야 함을 이르는 말.

◎ 하늘의 별 따기 : 성취하기가 매우 어려운 경우를 이르는 말.
하늘이 노랗다 : 지나친 과로나 기력이 몹시 쇠함을 이르는 말.

◎ 하늘이 무너져도 솟아날 구멍이 있다 : 아무리 어려운 경우에 처하더라도 살아나갈 방도가 생기는 경우를 이르는 말.

◎ 하늘 천 하면 검을 현 한다 : 하나를 가르치면 둘, 셋을 앞질러 가며 깨닫는 것을 이르는 말.

◎ 하던 짓도 멍석 펴 놓으면 안 한다 : 평소에는 시키지 않다가도 곧잘 하던 일을 정작 남이 하라고 권하면 아니하는 것을 이르는 말.

◎ 하루 세 끼 밥 먹듯 : 아주 예사로운 일로 생각하는 것을 이르는 말.

◎ 하룻강아지가 재 못 넘는다 : 지식이나 경험이 부족한 사람은 큰일을 할 수 없음을 이르는 말.

◎ 하룻강아지 범 무서운 줄 모른다 : 멋도 모르고 자기보다 강한 자에게 철없이 덤비는 것을 이르는 말.

◎ 하인을 잘 두어야 양반 노릇도 잘한다 : 아랫사람들이 똑똑하게 잘해야 윗사람도 모든 일 처리를 잘할 수 있음을 이르는 말.

◎ 한 가지로 열 가지를 안다 : 한 가지 행동을 보면 그 사람의 모든 행동을 알 수 있음을 이르는 말.

◎ 한 말 주고 한 되 받는다 : 손해 보는 짓만 하는 경우를 이르는 말.

◎ 한 마디(말) 했다가 본전도 못 찾는다 : 말을 했다가 아무런 소득 없이 핀잔만 받게 되는 경우를 이르는 말.

◎ 한 번 속지 두 번 안 속는다 : 처음에는 모르고 속을 수 있으나 두 번째는 그렇지 아니한 것을 이르는 말.

◎ 한 번 실수는 병가(兵家)의 상사(常事) : 실수는 누구에게나 다 있음을 이르는 말.

◎ 한번 엎지른 물을 다시 주워 담지 못한다 : 일단 저지른 잘못은 회복하기 어려운 것을 이르는 말.

◎ 한 술 더 뜨다 : 어떤 말이나 행동을 엉뚱하게 더 심히 하며 비뚜로 나가는 것을 이르는 말.

◎ 한 입으로 두 말 하기 : 한 번 한 말을 뒤집어 이랬다저랬다 하는 것을 이르는 말.

◎ 한 치를 못 본다 : 시력이 몹시 나쁘거나 식견이 얕음을 이르는 말.

◎ 한 치 앞이 어둠 : 어떠한 일이나 사람의 앞일을 전혀 짐작할 수 없음을 이르는 말.

◎ 한 푼을 아끼면 한 푼이 모인다 : 재물은 아끼는 대로 모이는 것을 이르는 말.

◎ 함흥차사(咸興差使)다 : 심부름을 간 사람이 돌아오지 않거나 소식이 없을 때를 이르는 말.

◎ 허물을 벗다 : 죄명이나 누명 등에서 벗어나는 것을 이르는 말.

◎ 허파에 바람 들었다 : 지나치게 웃으며 실없이 행동하거나, 마음이 들떠 엉뚱한 짓을 하는 사람을 두고 이르는 말.

◎ 허풍에 넘어간다 : 남의 거짓말에 속아 넘어가는 것을 이르는 말.

◎ 헌신짝같이 버린다 : 요긴하게 쓰고 나서는 아낌없이 버리는 것을 이르는 말.

◎ 헌 집 고치기 : 헌 집은 한 군데를 고치고 나면 또 고칠 곳이 생기듯, 경비만 많이 들고 실속 없는 일거리가 계속되는 것을 이르는 말.

◎ 헌 짚신도 짝이 있다 : 아무리 가난하고 못난 사람도 배필은 있음을 이르는 말.

◎ 헛소문이 빨리 난다 : 거짓 소문은 호기심 때문에 빨리 퍼지는 것을 이르는 말.

◎ 형만한 아우 없다 : 아우가 형만 못한 경우를 이르는 말.

◎ 호떡집에 불난 것 같다 : 질서없이 마구 떠들어 대는 모양을 이르는 말.

◎ 호랑이 담배 먹던 시절 이야기다 : 지금과는 상황이 아주 달랐던 오랜 옛날의 이야기라서 현실에 맞지 않음을 이르는 말.

◎ 호랑이도 제 말 하면 온다 : 깊은 산에 있는 호랑이조차도 저에 대하여 이야기하면 찾아온다는 뜻으로, 다른 사람에 관한 이야기를 하는데 공교롭게 그 사람이 나타나는 경우를 이르는 말.

◎ 호랑이에게 물려 가도 정신만 차리면 산다 : 아무리 위급한 상황이라도 신중을 기해서 대처하면 헤어날 방법이 생기는 것을 이르는 말.

◎ 호박꽃도 꽃이냐 : 여자는 모름지기 예뻐야 함을 이르는 말.

◎ 호박꽃이다 : 얼굴이 예쁘지 못한 여자를 이르는 말.

◎ 호박이 넝쿨째로 굴러떨어졌다 : 뜻밖에 좋은 물건을 얻거나 행운을 얻는 것을 이르는 말.

◎ 호미로 막을 것을 가래로 막는다 : 적은 힘으로 충분히 처리할 수 있는 일에 쓸데없이 많은 힘을 들이는 경우를 이르는 말.

◎ 혹 떼러 갔다가 혹 붙여 온다 : 자기의 부담을 덜려고 하다가 다른 일까지도 맡게 된 경우를 이르는 말.

◎ 혹시가 사람 잡는다 : 행여나 하면서 응당 취하여야 할 대책을 세우지 아니하고 있다가 돌이킬 수 없는 결과를 가져올 수 있음을 경계하여 이르는 말.

◎ 혼쭐났다 : 공포의 분위기에 놀라 입을 딱 벌리고 말을 못하는 경우를 이르는 말.

◎ 홍두깨 같은 자랑 : 크게 내놓고 말할 만한 자랑을 이르는 말.

◎ 홍시 빨아 먹듯 한다 : 물렁물렁한 홍시를 한입에 쭉 빨아 먹듯이, 남의 재산 중에서 가장 중요한 것만 독차지하는 경우를 이

르는 말.

◎ 홍제원 인절미 : 성질이 몹시 차진 사람을 이르는 말.

◎ 화(禍)가 복(福)이 된다 : 처음에는 재앙으로 여겼던 것이 원인이 되어 뒤에 다행스러운 결과를 가져오는 것을 이르는 말.

◎ 황소 뒷걸음치다가 쥐 잡는다 : 어쩌다 우연히 이루거나 알아맞히는 것을 이르는 말.

◎ 훈장 똥은 개도 안 먹는다 : 애탄 사람의 똥은 매우 쓰다는 데서 유래된 말로, 선생 노릇이 매우 힘든 것을 이르는 말.

◎ 흉 없는 사람 없다 : 결함이 없는 사람은 없으니 어떤 결함을 너무 과장하거나 나무라지 말 것을 이르는 말.

◎ 흰머리에 이 잡듯 : 이리저리 한없이 뒤지는 것을 이르는 말.

◎ 흰죽의 코 : 죽과 코는 빛깔이 비슷하여 분간하기 어렵다는 뜻으로, 좋은 일과 나쁜 일을 구별하기 힘든 경우를 이르는 말.

고사
성어

[ㄱ]

◇ 가렴주구(苛斂誅求) : 세금을 가혹하게 거두어 들이고 무리하게 재물을 빼앗은 것을 이르는 말.

◇ 가인박명(佳人薄命) : 여자의 용모가 너무 아름다우면 운명이 기박한 것을 이르는 말.

◇ 가화만사성(家和萬事成) : 집안이 화목하면 모든 일이 잘되는 것을 이르는 말.

◇ 각골난망(刻骨難忘) : 입은 은혜에 대한 고마운 마음이 깊이 뼈에 사무쳐 잊혀지지 않음을 이르는 말.

◇ 각주구검(刻舟求劍) : 융통성 없이 현실에 맞지 않는 낡은 것만 고집하는 어리석음을 이르는 말.

◇ 간난신고(艱難辛苦) : 갖은 고초를 겪어 몹시 고되고 괴로운 것을 이르는 말.

◇ 간담상조(肝膽相照) : '간과 쓸개를 내놓고 서로에게 내보인다'는 뜻으로, 서로 속마음을 털어놓고 친하게 사귀는 것을 이르는 말.

◇ 감언이설(甘言利說) : 남의 비위에 맞도록 꾸민 달콤한 말과 이로운 이야기를 이르는 말.

◇ 감지덕지(感之德之) : 분에 넘치는 듯싶어 몹시 고맙게 여기는 모양을 이르는 말.

◇ 갑남을녀(甲男乙女) : 이름이 널리 알려지지 않은 평범한 사람들을 이르는 말.

◇ 갑론을박(甲論乙駁) : 여러 사람들이 서로 자기주장을 내세우고 상대방의 주장을 반박하는 것을 이르는 말.

◇ 강개무량(慷慨無量) : 의기에 북받쳐 원통하고 슬픔이 한이 없음을 이르는 말.

◇ 개과천선(改過遷善) : 지난날의 허물을 고치고 옳은 길로 들어서는 것을 이르는 말.

◇ 거두절미(去頭截尾) : 앞뒤의 잔사설을 빼놓고 요점만을 말하는 것을 이르는 말.

◇ 건곤일척(乾坤一擲) : 흥망을 걸고 온 힘을 다 기울여 마지막 승부를 겨루는 것을 이르는 말.

◇ 견마지로(犬馬之勞) : 개나 말 정도의 하찮은 힘이란 뜻으로, 임금이나 나라를 위해 충성을 다하는 것을 이르는 말.

◇ 견마지심(犬馬之心) : 개나 말이 주인을 위하는 마음이라는 뜻으로, 신하나 백성이 임금이나 나라에 충성하는 마음을 낮추어 이르는 말.

◇ 결자해지(結者解之) : 처음 시작한 사람이 그 일을 끝맺는 것을 이르는 말.

◇ 결초보은(結草報恩) : 남의 은혜를 깊이 느끼는 것을 이르는 말.

◇ 경국지색(傾國之色) : 한 나라를 위기에 빠뜨리게 할 만한 미인임을 이르는 말.

◇ 군계일학(群鷄一鶴) : 많은 평범한 사람 가운데 뛰어난 한 사람이 끼어있는 것을 이르는 말.

◇ 고진감래(苦盡甘來) : 고생한 끝에 즐거움이 있음을 이르는 말.

◇ 곡학아세(曲學阿世) : 진리에 어그러진 학문을 하여 세상에 아첨하는 것을 이르는 말.

◇ 골육상잔(骨肉相殘) : 부자나 형제 등 가까운 친족끼리 서로 해치는 것을 이르는 말.

◇ 공수래공수거(空手來空手去) : 빈손으로 왔다가 빈손으로 가는 것을 뜻하는 것으로, 재물에 욕심을 부릴 필요가 없음을 이르는 말.

◇ 공중누각(空中樓閣) : 근거나 토대가 없는 사물의 이름을 이르는 말.

◇ 과유불급(過猶不及) : 정도를 지나치는 것은 곧 미치지 못한 것과 같음을 이르는 말.

◇ 관포지교(管鮑之交) : 아주 친한 친구 사이의 사귐을 이르는 말.

◇ 괄목상대(刮目相對) : 남의 학식이나 재주가 놀랄 만큼 갑자기 크는 것을 이르는 말.

◇ 구태의연(舊態依然) : 옛 모양 그대로인 것을 이르는 말.

◇ 권모술수(權謀術數) : 목적 달성을 위하여 수단과 방법을 가리지 않고 온갖 재주를 부리는 것을 이르는 말.
◇ 권선징악(勸善懲惡) : 착한 일을 권장하고 악한 일을 징계하는 것을 이르는 말.

◇ 권토중래(捲土重來) : 한번 싸움에 패하였다가 다시 힘을 길러 쳐들어오는 일을 이르는 말.

◇ 극기복례(克己復禮) : 자기의 욕심을 버리고 예의범절을 따르는 것을 이르는 말.

◇ 금과옥조(金科玉條) : 금이나 옥처럼 귀중히 여기는 법률을 이르는 말.

◇ 금상첨화(錦上添花) : 비단 위에 꽃을 더한다는 뜻으로, 그렇지 않아도 좋은데 그 위에 더 좋은 것을 보태는 것을 이르는 말.

◇ 금시초문(今時初聞) : 이제야 막 처음으로 듣는 것을 이르는 말.

◇ 금의야행(錦衣夜行) : 비단옷을 입고 밤길을 간다는 뜻으로, 자랑삼아 하지만 생색이 나지 않는 것을 이르는 말.

◇ 금의환향(錦衣還鄕) : 벼슬 혹은 성공하여 고귀한 신분이 되어 고향에 돌아오는 것을 이르는 말.

◇ 금지옥엽(金枝玉葉) : 금으로 만든 가지와 옥으로 만든 잎이란 뜻으로, 세상에 둘도 없이 귀한 자손을 이르는 말.

◇ 기고만장(氣高萬丈) : 우쭐하여 기세가 대단한 것을 이르는 말.

◇ 기사회생(起死回生) : 죽을 뻔 하다가 다시 살아나는 것을 이르는 말.

◇ 기진맥진(氣盡脈盡) : 기운과 의지력이 다하여 스스로 가누지 못할 만한 지경에 이르렀음을 이르는 말.

◇ 기호지세(騎虎之勢) : 호랑이를 타고 달리는 기세라는 뜻으로, 범을 타고 달리는 사람이 도중에서 내릴 수 없는 것처럼 도중에서 그만두거나 물러설 수 없는 형세를 이르는 말.

[ㄴ]

◇ 낙화유수(落花流水) : 떨어지는 꽃과 흐르는 물이라는 뜻으로, 가는 봄의 경치를 나타내거나 힘과 세력이 약해져 보잘것없이 쇠퇴해가는 것을 비유하거나 남녀 간에 서로 그리워하는 애틋한 정을 이르는 말.

◇ 난중지난(難中之難) : 어려운 일 가운데서도 가장 어려운 일을 이르는 말.

◇ 난형난제(難兄難弟) : 형이라 하기도 어렵고 아우라 하기도 어렵다는 뜻으로, 학문이나 재능이 비슷해서 우열을 가리기 곤란한 것을 이르는 말.

◇ 남가일몽(南柯一夢) : 꿈과 같이 헛된 한 때의 부귀영화를 이르는 말.
◇ 남남북녀(南男北女) : 우리나라에서 남쪽 지방은 남자가 잘나

고 북쪽 지방은 여자가 고운 것을 이르는 말.

◇ 남부여대(男負女戴) : 남자는 등에 지고 여자는 머리에 인다는 뜻으로, 가난한 사람이 집을 떠나 이리저리 떠돌아다니는 것을 이르는 말.

◇ 내우외환(內憂外患) : 안으로는 걱정이요, 밖으로는 근심이라는 뜻으로, 사방에 온통 걱정거리뿐임을 이르는 말.

◇ 노마지지(老馬之智) : 아무리 하찮은 사람일지라도 자신 특유의 장점이 있음을 이르는 말.

◇ 노불습유(路不拾遺) : 길에 떨어진 남의 물건을 주어 자기가 가지려는 짓은 하지 않는다는 뜻으로, 나라가 잘 다스려져 모든 백성이 매우 정직한 모양을 이르는 말.

◇ 노심초사(勞心焦思) : 마음으로 애를 쓰며 속을 태우는 것을 이르는 말.

◇ 녹의홍상(綠衣紅裳) : 연두저고리에 다홍치마라는 뜻으로, 젊은 여자의 고운 옷치장을 이르는 말.

◇ 누란지위(累卵之危) : 쌓아 올린 달걀이 금방 무너질 것처럼 위험하다는 뜻으로, 몹시 위태로운 모양을 이르는 말.

◇ 능곡지변(陵谷之變) : 언덕과 골짜기가 서로 뒤바뀐다는 뜻으로, 세상일의 극심한 변천을 이르는 말.

[ㄷ]

◇ 다다익선(多多益善) : 많을수록 더욱 좋은 것을 이르는 말.

◇ 다문다독다상량(多聞多讀多商量) : 많이 듣고, 많이 읽으며, 많이 생각하는 것을 이르는 말.
◇ 다사다단(多事多端) : 일이 많은 데다가 까닭도 많은 것을 이르는 말.

◇ 다정불심(多情佛心) : 다정다감하고 착한 마음을 이르는 말.

◇ 단사표음(簞食瓢飮) : 도시락에 담은 밥과 표주박 물이라는 뜻으로, 좋지 못한 적은 음식을 이르는 말.

◇ 단순호치(丹脣皓齒) : 붉은 입술과 하얀 치아라는 뜻으로, 아름다운 여자를 이르는 말.

◇ 단표누항(簞瓢陋巷) : 도시락과 표주박과 누추한 마을이라는 뜻으로, 소박한 시골 살림을 이르는 말.

◇ 대경실색(大驚失色) : 크게 놀라 얼굴빛이 변하는 것을 이르는 말.

◇ 대기만성(大器晩成) : 큰 인물이 될 사람은 오랫동안 공적을 쌓아 늦게 이루어지는 것을 이르는 말.

◇ 대동소이(大同小異) : 큰 차이가 없이 거의 같고 조금만 다른 것을 이르는 말.

◇ 대인군자(大人君子) : 말과 행실이 바르고 점잖으며 덕이 높

은 사람을 이르는 말.

◇ 독서삼매(讀書三昧) : 다른 생각은 하지 않고 오직 책을 읽는 데에만 몰두하는 것을 이르는 말.

◇ 동가홍상(同價紅裳) : 같은 값이면 다홍치마라는 뜻으로, 같은 값이면 좋은 물건을 가지는 것을 이르는 말.

◇ 동고동락(同苦同樂) : 괴로움도 즐거움도 함께하는 것을 이르는 말.

◇ 동문서답(東問西答) : 물음과는 딴판으로 하는 아주 엉뚱한 대답을 이르는 말.

◇ 동분서주(東奔西走) : 이리저리 분주히 돌아다녀 여가가 없는 것을 이르는 말.

◇ 동상이몽(同床異夢) : 같은 침대에서 자면서 다른 꿈을 꾼다는 것으로, 겉으로는 같은 입장인 듯하지만 실제로는 의견이나 주장이 다른 사이를 이르는 말.

◇ 두문불출(杜門不出) : 집에만 박혀 있어 세상밖에 나가지 않는 것을 이르는 말.

◇ 등용문(登龍門) : 용문에 오른다는 뜻으로, 입신출세의 관문을 이르는 말.

◇ 등화가친(燈火可親) : 서늘한 가을밤은 마음이 밝고 상쾌하므로 등불을 가까이하여 글 읽기에 좋은 것을 이르는 말.

[ㅁ]

◇ 마이동풍(馬耳東風) : 남의 의견이나 비평을 전혀 귀담아듣지 않고 무관심하게 흘려 버리는 것을 이르는 말.

◇ 마중지봉(麻中之蓬) : 삼밭에서 자라는 쑥이 붙들어 주지 않아도 곧게 자라듯 선량한 사람과 사귀면 감화를 받아 자연히 선인이 되는 것을 이르는 말.

◇ 막상막하(莫上莫下) : 더 낫고 더 못함의 차이가 없어 구별하기 힘든 것을 이르는 말.

◇ 막역지우(莫逆之友) : 아주 허물없이 지내는 친구를 이르는 말.

◇ 만경창파(萬頃蒼波) : 끝없이 넓디넓은 바다를 이르는 말.

◇ 만리동풍(萬里同風) : 천하가 통일되어 태평한 것을 이르는 말.

◇ 만수무강(萬壽無疆) : 끝없이 오래도록 장수하는 것을 이르는 말.

◇ 만신창이(滿身瘡痍) : 온몸이 성한 구석이라곤 없이 상처투성이가 되는 것을 이르는 말.

◇ 망국지음(亡國之音) : 나라를 망하게 할 퇴폐적인 음악이라는 말로 저속하고 잡스러운 음악을 이르는 말.

◇ 망중한(忙中閑) : 바쁜 가운데의 한가한 틈을 이르는 말.

◇ 맥수지탄(麥秀之嘆) : 나라가 망한 것을 한탄하는 것을 이르는 말.

◇ 맹모삼천(孟母三遷) : 맹자의 어머니가 맹자를 제대로 교육하기 위하여 집을 세 번이나 옮겼다는 뜻으로, 교육에는 주변 환경이 중요함을 이르는 말.

◇ 명월청풍(明月淸風) : 밝은 달밤에 부는 시원한 바람을 이르는 말.

◇ 모순(矛盾) : 일의 앞뒤가 서로 맞지 않은 것을 이르는 말.

◇ 목불식정(目不識丁) : 고무래를 보고도 정자를 알지 못한다는 뜻으로, 일자무식인 사람을 이르는 말.

◇ 목불인견(目不忍見) : 너무나 딱해서 눈으로 차마 볼 수 없음을 이르는 말.

◇ 무릉도원(武陵桃源) : 세상과 따로 떨어진 별천지, 즉 이상향을 이르는 말.

◇ 무상무념(無想無念) : 아무런 생각을 하지 않는 상태를 이르는 말.

◇ 무위도식(無爲徒食) : 아무 하는 일도 없이 놀고먹기만 하는 것을 이르는 말.

◇ 문경지교(刎頸之交) : 서로 죽음을 함께 할 수 있는 막역한 사이를 이르는 말.

◇ 문전성시(門前成市) : 권세가나 부잣집 문 앞이 방문객으로

시장을 이루다시피 하는 것을 이르는 말.

◇ 문정약시(門庭若市) : 문 앞에 마치 시장이 선 것 같다는 뜻으로, 세력이 있어 찾아오는 사람이 매우 많음을 이르는 말.

◇ 미망인(未亡人) : 아직 죽지 않은 사람이란 뜻으로, 남편을 따라 죽지 않은 과부를 이르는 말.

◇ 미봉책(彌縫策) : 실로 꿰매는 방책이란 뜻으로, 일시적인 눈가림으로 꾸며대는 계책을 이르는 말.

[ㅂ]

◇ 박문약례(博文約禮) : 널리 학문을 닦고 사리를 깨달아 예절을 잘 지키는 것을 이르는 말.

◇ 박장대소(拍掌大笑) : 손뼉을 치면서 크게 웃는 것을 이르는 말.

◇ 반목질시(反目嫉視) : 서로 미워하여 시기하는 것을 이르는 말.

◇ 반신반의(半信半疑) : 참과 거짓의 판단이 어려워 반쯤은 믿고 반쯤은 의심하는 일을 이르는 말.

◇ 반포지효(反哺之孝) : 자식이 자라서 어버이의 은혜에 보답하는 효성을 이르는 말.

◇ 발본색원(拔本塞源) : 나무를 뿌리째 뽑고 물의 근원을 없앤다는 뜻으로, 폐단의 근본 원인을 모조리 없애는 것을 이르는 말.

◇ 방방곡곡(坊坊曲曲) : 어느 한 군데도 빼놓지 않은 모든 곳을 이르는 말.

◇ 배산임수(背山臨水) : 산을 등지고 물을 바라보는 지세라는 뜻으로, 풍수지리설에서 주택이나 건물을 지을 때 이상적으로 여기는 배치를 이르는 말.

◇ 배수진(背水陣) : 물을 등지고 진을 친다는 뜻으로, 어떤 일에 결사적인 각오로 임한다는 말.

◇ 백골난망(白骨難忘) : 남에게 큰 은혜나 덕을 입었을 때 고마움의 표시를 하는 것을 이르는 말.

◇ 백년지객(百年之客) : 늘 손님처럼 대한다는 뜻으로, 사위를 가리킬 때 이르는 말.

◇ 백년하청(百年河淸) : 황허강의 물이 맑아지기를 무작정 기다린다는 뜻으로, 아무리 기다려도 소용이 없음을 이르는 말.

◇ 백미(白眉) : 여럿 가운데 가장 뛰어난 사람이나 물건을 이르는 말.

◇ 백면서생(白面書生) : 글만 읽고 세상일에 경험이 없는 사람을 이르는 말.

◇ 백문불여일견(百聞不如一見) : 백 번 듣는 것이 한 번 보는 것보다 못하다는 뜻으로, 직접 경험해야 확실히 알 수 있음을 이르는 말.

◇ 백발백중(百發百中) : 무슨 일이든지 틀림없이 잘 들어맞는 것을 이르는 말.

◇ 백일몽(白日夢) : 대낮에 꿈을 꾼다는 뜻으로, 허황된 공상을 하고 있는 것을 이르는 말.

◇ 백중지간(伯仲之間) : 서로 엇비슷하여 우열을 가리기 어려운 것을 이르는 말.

◇ 백척간두(百尺竿頭) : 백 자나 되는 높은 장대 위에 올라선 것 같은 위태로움이 극도에 달한 지경을 이르는 말.

◇ 백팔번뇌(百八煩惱) : 인간이 지닌 108가지의 번뇌를 이르는 말.

◇ 복과재생(福過災生) : 지나친 행복은 도리어 재앙을 부르는 것을 이르는 말.

◇ 부동심(不動心) : 마음이 사리사욕에 흔들리지 않는 것을 이르는 말.
◇ 부전자전(父傳子傳) : 자자손손이 전하여 가진다는 뜻으로, 대대로 아버지가 아들에게 전하는 것을 이르는 말.

◇ 부창부수(夫唱婦隨) : 남편이 주장하고 아내가 이에 따르는 것을 이르는 말.

◇ 부화뇌동(附和雷同) : 줏대 없이 남들의 의견에 그대로 따라 움직이는 것을 이르는 말.

◇ 분골쇄신(粉骨碎身) : 뼈가 가루가 되고 몸이 으스러질 만큼 온 힘을 다하는 모습을 이르는 말.

◇ 불가사의(不可思議) : 보통 사람의 생각으로는 미루어 헤아릴 수 없이 이상한 것을 이르는 말.

◇ 불감생심(不敢生心) : 감히 엄두도 낼 수 없음을 이르는 말.

◇ 불생불사(不生不死) : 살아 있는 것도 죽은 것도 아니고 겨우 목숨만 붙어 있는 것을 이르는 말.

◇ 불세출(不世出) : 좀처럼 세상에 태어나지 아니할 만큼 뛰어난 것을 이르는 말.

◇ 불초(不肖) : 아버지를 닮지 않았다는 뜻으로, 못나고 어리석은 사람을 이르는 말.

◇ 불편부당(不偏不黨) : 어느 한 편으로도 치우치지 아니하고 중립의 태도를 지켜 매우 공평한 것을 이르는 말.

◇ 붕정만리(鵬程萬里) : 먼 곳으로 떠나는 여행길을 이르는 말.

◇ 비몽사몽(非夢似夢) : 꿈인지 생시인지 어렴풋한 상태를 이르는 말.

◇ 비분강개(悲憤慷慨) : 슬프고 분한 느낌이 마음속에 가득 차 있는 것을 이르는 말.

◇ 비육지탄(髀肉之嘆) : 큰 뜻을 펼칠 기회가 없이 세월만 헛되이 보냄을 한탄하는 것을 이르는 말.

◇ 비일비재(非一非再) : 같은 현상이 한둘이 아니고 많은 것을 이르는 말.

◇ 빈천지교(貧賤之交) : 가난하고 미천할 때 친하게 지낸 사이를 이르는 말.

[ㅅ]

◇ 사기충천(士氣衝天) : 사기가 하늘을 찌를 듯한 것을 이르는 말.

◇ 사농공상(士農工商) : 선비 · 농부 · 공장(工匠) · 상인 등 네 가지 신분을 아울러 이르는 말.

◇ 사면초가(四面楚歌) : '사방에서 들려오는 초나라의 노래'라는 뜻으로, 사방이 적에게 포위당하여 고립되어 있거나 곤경에 처한 상태를 이르는 말.

◇ 사무사(思無邪) : 생각이 바르므로 사악함이 없는 것을 이르는 말.

◇ 사분오열(四分五裂) : 여러 갈래로 찢어지거나 뿔뿔이 흩어지는 것을 이르는 말.

◇ 사상누각(砂上樓閣) : 모래 위에 세운 누각이라는 뜻으로, 기초가 튼튼하지 못하여 오래 견디지 못함을 이르는 말.

◇ 사생동고(死生同苦) : 어떠한 어려움도 같이 나누는 것을 이르는 말.

◇ 사양지심(辭讓之心) : 사양하거나 남에게 양보할 줄 아는 마음을 이르는 말.

◇ 사자후(獅子吼) : 사자가 울부짖는 소리라는 뜻으로, 석가의 설법에 모든 악마가 불교에 귀의하였음을 이르는 말. 혹은 크게 부르짖어 열변을 토하는 것을 이르는 말.

◇ 사족(蛇足) : 뱀의 발이라는 뜻으로, 쓸데없는 것 또는 쓸데없는 군더더기를 이르는 말.

◇ 사필귀정(事必歸正) : 모든 일은 반드시 바른 데로 돌아가는 것을 이르는 말.

◇ 산해진미(山海珍味) : 산과 바다의 산물을 다 갖추어 썩 잘 차린 진귀하고 맛 좋은 음식을 이르는 말.

◇ 살신성인(殺身成仁) : 자기의 몸을 희생하여 인(仁)을 이루는 것을 이르는 말.

◇ 삼고초려(三顧草廬) : 오두막집을 세 번이나 돌아본다는 뜻으로, 뛰어난 인재를 얻으려면 참을성 있게 정성을 다해야 하는 것을 이르는 말.

◇ 삼라만상(森羅萬象) : 우주 사이에 존재하는 온갖 사물과 현상을 이르는 말.

◇ 삼삼오오(三三五五) : 몇 사람이 무리 지어 다니거나 모여 무엇인가를 도모하는 모습을 이르는 말.

◇ 삼천지교(三遷之教) : 맹자의 어머니가 아들 교육을 위하여 세 번 거처를 옮겼다는 고사로, 생활환경이 교육에 있어 큰 구실을 하는 것을 이르는 말.

◇ 상달(上達) : 윗사람에게 말이나 편지로 여쭈어 알려 드리는 것을 이르는 말.

◇ 상사불견(想思不見) : 남녀가 서로 그리워하면서도 만나지 못하는 것을 이르는 말.

◇ 새옹지마(塞翁之馬) : 인생의 길흉화복은 변화가 많아 예측할 수 없음을 이르는 말.

◇ 생로병사(生老病死) : 태어나고, 늙고, 병들고, 죽는, 인간이 평생 거치게 되는 네 가지 큰 고통을 이르는 말.

◇ 선견지명(先見之明) : 앞으로 닥칠 일을 미리 짐작하는 밝은 지혜를 이르는 말.

◇ 선남선녀(善男善女) : 착한 남자와 착한 여자를 이르는 말.

◇ 설상가상(雪上加霜) : 눈 위에 서리가 덮인다는 뜻으로, 난처한 일이나 불행이 거듭하여 일어나는 것을 이르는 말.

◇ 설왕설래(說往說來) : 서로 변론하느라 옥신각신 하는 것을 이르는 말.

◇ 섬섬옥수(纖纖玉手) : 가냘프고 고운 여자의 손을 이르는 말.

◇ 성덕군자(成德君子) : 덕을 매우 높이 쌓은 훌륭한 사람을 이르는 말.

◇ 속수무책(束手無策) : 손을 묶은 것처럼 어찌할 도리가 없어 꼼짝 못 하는 것을 이르는 말.

◇ 수불석권(手不釋卷) : 손에서 책을 놓을 사이가 없이 항상 열심히 글을 읽는 것을 이르는 말.

◇ 수색만면(愁色滿面) : 근심하는 빛이 얼굴에 가득한 것을 이르는 말.

◇ 수서양단(首鼠兩端) : 어느 쪽으로도 마음을 정하지 못하고 의심하며 주저하는 것을 이르는 말.

◇ 수수방관(袖手傍觀) : 팔짱을 끼고 보고만 있다는 뜻으로, 어떤 일을 당하여 옆에서 보고만 있는 것을 이르는 말.

◇ 수주대토(守株待兎) : 어떤 착각에 빠져 되지도 않을 일을 공연히 고집하는 어리석음을 이르는 말.

◇ 순결무구(純潔無垢) : 마음과 몸가짐이 깨끗하여 조금도 더러운 티가 없는 것을 이르는 말.

◇ 순망치한(脣亡齒寒) : 입술이 없으면 이가 시리다는 말로 서로 떨어질 수 없는 밀접한 관계임을 이르는 말.

◇ 슬하(膝下) : 무릎 아래라는 뜻으로, 주로 부모의 따뜻한 보살핌 아래를 이르는 말.

◇ 승승장구(乘勝長驅) : 승리를 거듭하여 계속 나아가는 것을 이르는 말.

◇ 시시비비(是是非非) : 옳고 그름을 공정하게 판단하는 것을 이르는 말.

◇ 심기일전(心機一轉) : 어떠한 동기에 의하여 이제까지 먹었던 마음을 바꾸는 것을 이르는 말.

◇ 심사숙고(深思熟考) : 깊이 생각하고 깊이 고찰하는 것을 이르는 말.

◇ 십년지계(十年之計) : 십 년을 목표로 한 원대한 계획을 이르는 말.

◇ 십시일반(十匙一飯) : 여러 사람이 힘을 보태면 한 사람은 쉽게 도와줄 수 있음을 이르는 말.

[ㅇ]

◇ 아비규환(阿鼻叫喚) : 차마 눈뜨고 보지 못할 참상을 이르는 말.

◇ 아전인수(我田引水) : 자기 논에만 물을 대려는 행동으로, 자기에게만 유리하게 해석하고 행동하는 태도를 이르는 말.

◇ 안면박대(顔面薄待) : 잘 아는 사람을 푸대접하는 것을 이르는 말.

◇ 안면부지(顔面不知) : 만난 일이 없어 얼굴을 잘 모르는 것을 이르는 말.

◇ 안하무인(眼下無人) : 교만하여 사람을 업신여기는 것을 이르는 말.

◇ 암중모색(暗中摸索) : 어둠 속에서 더듬어 찾다는 말로 어림짐작으로 무엇을 찾거나 알아내는 것을 이르는 말.

◇ 양두구육(羊頭狗肉) : 양의 머리를 진열해 놓고 개고기를 판다는 뜻으로, 겉으로 내세우는 것과 실물이 일치하지 않음을 이르는 말.

◇ 양상군자(梁上君子) : 대들보 위의 군자라는 뜻으로, 도둑을 이르는 말.

◇ 어두육미(魚頭肉尾) : 물고기는 대가리 쪽이 맛이 있고, 짐승의 고기는 꼬리 쪽이 맛이 있어야 함을 이르는 말.

◇ 어부지리(漁父之利) : 양자가 다투고 있는 사이에 제삼자가 이익을 보게 되는 것을 이르는 말.

◇ 어불성설(語不成說) : 말이 조금도 이치에 맞지 아니하는 것을 이르는 말.

◇ 엄동설한(嚴冬雪寒) : 눈이 오고 매우 추운 겨울을 이르는 말.

◇ 역지사지(易地思之) : 처지를 바꾸어 생각하라는 것을 이르는 말.

◇ 연목구어(緣木求魚) : 나무 위에 올라가서 물고기를 잡으려고 한다는 뜻으로 되지 못할 일을 무리하게 하려는 것을 이르는 말.

◇ 염량세태(炎凉世態) : 권세가 있을 때는 아첨하여 좇고, 권세가 떨어지면 푸대접하는 세상인심을 이르는 말.

◇ 오리무중(五里霧中) : 짙은 안개가 끼어 길을 찾기 어려움, 혹은 무슨 일에 대하여 알 길이 없음을 이르는 말.

◇ 오비이락(烏飛梨落) : 까마귀 날자 배 떨어진다는 뜻으로, 우연히 동시에 일어난 일로 궁지에 몰리는 것을 이르는 말.

◇ 오십보백보(五十步百步) : 백 보를 도망간 사람이나 오십 보

를 도망간 사람이나 도망한 사실에는 양자의 차이가 없음을 이르는 말.

◇ 오월동주(吳越同舟) : 서로 사이가 나쁜 자들이 같은 처지나 한자리에 있게 된 경우를 이르는 말.

◇ 오합지중(烏合之衆) : 까마귀 떼처럼 아무런 통제 없는 무리를 이르는 말.

◇ 온고지신(溫故知新) : 옛 것을 익혀 새로운 도리를 알아내는 것을 이르는 말.

◇ 와신상담(臥薪嘗膽) : 원수를 갚으려고 고생을 참고 견디는 것을 이르는 말.

◇ 외강내유(外剛內柔) : 겉으로는 강하게 보이지만 속은 부드러운 것을 이르는 말.

◇ 용두사미(龍頭蛇尾) : 용의 머리와 뱀의 꼬리라는 뜻으로, 시작은 훌륭하지만 나중으로 갈수록 나빠지는 것을 이르는 말.

◇ 우유부단(優柔不斷) : 유약해서 결단성이 없음을 이르는 말.

◇ 우후죽순(雨後竹筍) : 비 온 뒤에 솟아나는 죽순처럼 한때에 무성하게 생기거나 일어나는 모습을 이르는 말.

◇ 위기일발(危機一髮) : 조금도 여유가 없는 위급한 고비에 다다른 순간을 이르는 말.

◇ 유명무실(有名無實) : 이름만 있고 실상은 없는 것을 이르는 말.

◇ 유아독존(唯我獨尊) : 석가모니가 탄생했을 때 가장 처음 했다는 말로, 이 우주 안에서 내가 가장 높고 존귀하다는 것을 이르는 말.

◇ 유유낙낙(唯唯諾諾) : 일의 좋고 나쁨을 가리지 않고 무조건 따르는 것을 이르는 말.

◇ 유유자적(悠悠自適) : 속세를 떠나 아무것에도 속박되지 않고 하고 싶은 대로 한가히 세월을 보내는 것을 이르는 말.

◇ 음담패설(淫談悖說) : 음탕하고 상스러운 이야기를 이르는 말.

◇ 읍참마속(泣斬馬謖) : 눈물을 머금고 마속의 목을 베라는 의미로 사랑하는 신하를 법대로 처단하여 질서를 바로잡는 것을 이르는 말.

◇ 이구동성(異口同聲) : 입은 다르지만 하는 말은 같다는 뜻으로, 여러 사람의 말이 한결같음을 이르는 말.

◇ 이실직고(以實直告) : 사실 그대로 고하는 것을 이르는 말.

◇ 이심전심(以心傳心) : 마음에서 마음으로 전하는 것을 이르는 말.

◇ 인과응보(因果應報) : 원인과 결과에는 반드시 그에 합당한 이유가 있음을 이르는 말.

◇ 인면수심(人面獸心) : 사람의 얼굴을 하였으나 마음은 짐승과 같다는 뜻으로, 사람의 도리를 지키지 못하고 배은망덕하거나 행동이 흉악하고 음탕한 사람을 이르는 말.

◇ 인산인해(人山人海) : 사람이 헤아릴 수 없이 많이 모이는 것을 이르는 말.

◇ 일석이조(一石二鳥) : 돌 하나를 던져 두 마리 새를 잡는다는 뜻으로, 적은 노력으로 큰 성과를 거두는 경우를 이르는 말.

◇ 일장춘몽(一場春夢) : 한바탕의 봄 꿈이라는 뜻으로, 인생의 부귀영화가 덧없이 사라짐을 이르는 말.

◇ 일취월장(日就月將) : 날로 달로 나아가거나 발전해 나가는 것을 이르는 말.

◇ 임시변통(臨時變通) : 갑자기 생긴 일을 임시로 처리하는 것을 이르는 말.

◇ 입신양명(立身揚名) : 출세하여 자기의 이름이 세상이 드날리게 되는 것을 이르는 말.

[ㅈ]

◇ 자가당착(自家撞著) : 한 사람의 언행이 앞뒤가 서로 맞지 아니하여 모순되는 것을 이르는 말.

◇ 자수성가(自手成家) : 물려받은 재산 없이 자기의 힘으로 재산을 모으는 것을 이르는 말.

◇ 자승자박(自繩自縛) : 자신이 만든 줄로 제 몸을 스스로 묶는다는 뜻으로, 자기가 한 말과 행동에 자신이 구속되어 어려움을 겪는 것을 이르는 말.

◇ 자업자득(自業自得) : 자기가 저지른 일의 과보가 자기 자신에게 돌아가는 것을 이르는 말.

◇ 자중지란(自中之亂) : 같은 패 안에서 일어나는 싸움을 이르는 말.

◇ 자포자기(自暴自棄) : 스스로 자신을 학대하고 돌보지 아니하는 것을 이르는 말.

◇ 전도유망(前途有望) : 앞으로 잘 될 희망이 있는 것을 이르는 말.

◇ 전전반측(輾轉反側) : 이리 뒤척 저리 뒤척하며 잠을 못 이루는 것을 이르는 말.

◇ 전화위복(轉禍爲福) : 재앙이 복으로 바뀌는 것을 이르는 말.

◇ 절차탁마(切磋琢磨) : 학문이나 덕행 등을 배우고 닦음을 이르는 말.

◇ 점입가경(漸入佳境) : 시간이 지날수록 더욱 뛰어나거나 들어갈수록 뛰어난 경치가 나타나는 것을 이르는 말.

◇ 조강지처(糟糠之妻) : 지게미와 쌀겨로 끼니를 이어가며 고생을 같이 해온 아내를 이르는 말.

◇ 조령모개(朝令暮改) : 아침에 내린 명령을 저녁에 고친다는 뜻으로, 일관성이 없이 갈팡질팡하는 것을 이르는 말.

◇ 조삼모사(朝三暮四) : 간사한 말주변으로 사람을 우롱하는 것을 이르는 말.

◇ 조족지혈(鳥足之血) : 새 발의 피라는 뜻으로, 아주 작은 것을 이르는 말.

◇ 종횡무진(縱橫無盡) : 자유자재하여 거침없는 상태를 이르는 말.

◇ 좌지우지(左之右之) : 왼쪽으로 했다가 오른쪽으로 했다가 하는 모습, 혹은 자기 마음대로 일을 다루고 권력을 휘두르는 것을 이르는 말.

◇ 좌충우돌(左衝右突) : 이리저리 막 치고받고 하는 것을 이르는 말.

◇ 주경야독(晝耕夜讀) : 낮에는 밭을 갈고 밤에는 책을 읽는다는 뜻으로, 어려움 속에서도 학업을 게을리하지 않는 모습을 이르는 말.

◇ 주마등(走馬燈) : 사물이 몹시 빨리 변하며 돌아가는 것을 이르는 말.

◇ 죽마고우(竹馬故友) : 어릴 때부터 친하게 지내며 자란 친구를 이르는 말.

◇ 중언부언(重言復言) : 한 말을 자꾸 되풀이하는 것을 이르는 말.

◇ 지란지교(芝蘭之交) : 지초와 난초같이 향기로운 사귐이라는 뜻으로, 벗 사이의 맑고도 높은 사귐을 이르는 말.

◇ 지록위마(指鹿爲馬) : 사실이 아닌 것으로 웃사람을 속여 권세를 함부로 부리는 것을 이르는 말.

◇ 지피지기(知彼知己) : 자기와 상대방의 정황에 대해 잘 아는 것을 이르는 말.

◇ 진퇴양난(進退兩難) : 나아갈 수도 없고 물러설 수도 없는 어려운 사정을 이르는 말.

[ㅊ]

◇ 천고마비(天高馬肥) : 가을 하늘이 높으니 말이 살찐다는 뜻으로, 가을은 날씨가 매우 좋은 계절임을 형용하여 이르거나 활동하기 좋은 계절을 이르는 말.

◇ 천진난만(天眞爛漫) : 천진함이 넘친다는 뜻으로, 조금도 꾸밈없이 아주 순진하고 참됨을 이르는 말.

◇ 천편일률(千篇一律) : 천 권의 책이 모두 한 가지 가락으로 이루어져 있음을 이르는 말.

◇ 철두철미(徹頭徹尾) : 처음부터 끝까지 방침을 바꾸지 않고, 생각을 철저히 관철함을 이르는 말.

◇ 철면피(鐵面皮) : 뻔뻔스럽고 염치를 모르는 사람을 이르는 말.

◇ 청산유수(靑山流水) : 막힘없이 말을 썩 잘하는 것을 이르는 말.

◇ 청상과부(靑孀寡婦) : 나이가 젊었을 때 남편을 여읜 여자를 이르는 말.

◇ 청천벽력(靑天霹靂) : 맑은 하늘에 벼락이라는 뜻으로, 필세가 약동함을 비유하거나 갑자기 일어난 큰 사건이나 이변을 이르는 말.

◇ 청출어람(靑出於藍) : 제자가 스승보다 더 나음을 이르는 말.

◇ 촌철살인(寸鐵殺人) : 한 치의 쇠붙이로 살인한다는 뜻으로, 날카로운 경구로 상대편의 급소를 찌르는 것을 이르는 말.

◇ 추풍낙엽(秋風落葉) : 가을바람에 흩어져 떨어지는 잎이나 낙엽처럼 어떤 형세나 판국, 세력 등이 시들어 떨어지는 것을 이르는 말.

◇ 측은지심(惻隱之心) : 불쌍하고 가엾게 여기는 마음을 이르는 말.

◇ 칠전팔기(七顚八起) : 일곱 번 넘어져도 여덟 번 일어선다는 뜻으로, 많은 실패에도 굽히지 않고 분투하는 것을 이르는 말.

[ㅌ]

◇ 타산지석(他山之石) : 다른 산에 있는 돌이라 해도 나의 옥을 가는 데 큰 도움이 된다는 뜻으로, 다른 사람의 사소한 언행이나 실수라도 나에게는 커다란 교훈이나 도움이 될 수 있음을 이르는 말.

◇ 태교(胎敎) : 임신부가 태아에게 좋은 영향을 주기 위하여 말과 행동·마음가짐 등을 조심하는 일을 이르는 말.

◇ 태평무상(太平無象) : 천하가 태평할 때는 이를 지적하여 말

할 만한 형상이 없음을 이르는 말.

◇ 토사구팽(兎死狗烹) : 토끼 사냥이 끝나면 개를 삶아 먹는다는 뜻으로, 필요할 때는 요긴하게 쓰다가 쓸모가 없어지면 헌신짝 버리듯 하는 것을 이르는 말.

[ㅍ]

◇ 파경(破鏡) : 부부의 사이가 깨어져 이혼하는 것을 이르는 말.

◇ 파란만장(波瀾萬丈) : 일의 진행에서 일어나는 몹시 심한 기복과 변화를 이르는 말.

◇ 파죽지세(破竹之勢) : 대나무를 쪼개 듯 단호하고 맹렬하여 대항이 불가능한 기세를 이르는 말.

◇ 파천황(破天荒) : 아무도 하지 못한 큰일을 행하는 것을 이르는 말.

◇ 팔방미인(八方美人) : 모든 분야에서 뛰어난 사람을 이르는 말.

◇ 편모시하(偏母侍下) : 홀로 남은 어머니를 모시고 있는 처지를 이르는 말.

◇ 포복절도(抱腹絶倒) : 몹시 우스워서 배를 움켜쥐고 있음을 이르는 말.

◇ 표절(剽竊) : 남의 시나 문장을 따다가 자기 것으로 발표하는 것을 이르는 말.

◇ 풍전등화(風前燈火) : 바람 앞의 등불이라는 뜻으로, 존망이 달린 매우 위급한 처지를 이르는 말.

◇ 필부필부(匹夫匹婦) : 평범한 남자와 평범한 여자를 이르는 말.

[ㅎ]

◇ 학수고대(鶴首苦待) : 학처럼 목을 길게 빼고 기다린다는 뜻으로, 몹시 기다리는 것을 이르는 말.

◇ 함흥차사(咸興差使) : 심부름을 간 사람이 소식이 아주 없거나 또는 회답이 좀처럼 오지 않는 것을 이르는 말.

◇ 허송세월(虛送歲月) : 하는 일 없이 세월만 헛되이 보내는 것을 이르는 말.

◇ 허허실실(虛虛實實) : 서로 계략이나 기량을 다하여 적의 실을 피하고 허를 틈타 싸우는 것을 이르는 말.

◇ 혈맥상통(血脈相通) : 혈맥이 서로 통하는 것을 이르는 말.

◇ 혈혈단신(孑孑單身) : 외로워서 의지할 곳이 없는 홀몸을 이르는 말.

◇ 형설지공(螢雪之功) : 가난한 사람이 반딧불과 눈빛으로 글을 읽어가며 고생 속에서 공부하는 것을 이르는 말.

◇ 호가호위(狐假虎威) : 남의 권세를 빙자하여 위세를 부리는 것을 이르는 말.

◇ 호구지책(糊口之策) : 가난한 살림에서 그저 겨우 먹고 살아가는 방법을 이르는 말.

◇ 호사다마(好事多魔) : 좋은 일에는 흔히 방해되는 일이 생기는 것을 이르는 말.

◇ 호시탐탐(虎視眈眈) : 호랑이가 눈을 부릅뜨고 먹이를 노려본다는 뜻으로, 공격이나 침략의 기회를 노리는 모양을 이르는 말.

◇ 호연지기(浩然之氣) : 도의에 근거를 두고 굽히지 않고 흔들리지 않는 바르고 큰 마음을 이르는 말.

◇ 홍익인간(弘益人間) : 널리 인간 세계를 이롭게 하는 것을 이르는 말.

◇ 화룡점정(畵龍點睛) : 용을 그린 다음 마지막으로 눈동자를 그린다는 뜻으로, 가장 요긴한 부분을 마치어 일을 끝내는 것을 이르는 말.

◇ 확고부동(確固不動) : 확실하고 튼튼하여 마음이 움직이지 않음을 이르는 말.

◇ 환골탈태(換骨奪胎) : 뼈를 바꾸고 태를 벗다라는 뜻으로, 몸과 얼굴이 몰라볼 정도로 아름답게 변하거나 시나 문장이 완전히 새로워졌음을 이르는 말.

◇ 회자정리(會者定離) : 만나면 반드시 헤어짐, 혹은 세상만사의 무상함을 이르는 말.

◇ 흥망성쇠(興亡盛衰) : 흥하고 망하고 성하고 쇠하는 일을 이르는 말.

◇ 희노애락(喜怒哀樂) : 기쁨과 노여움, 슬픔과 즐거움이라는 뜻으로, 곧 사람의 여러 가지 감정을 이르는 말.

일본
속담

[あ]

◎ ああ言(い)えばこう言(い)う: '이렇게 말하면 저렇게 말한다'는 의미로, 남의 말에 말대꾸하면서 요리조리 구실만 내세우면서 상대의 의견을 곧이듣지 않는 모양을 이르는 말.

◎ 愛(あい)多(おお)ければ憎(にく)しみ至(いた)る: '사랑이 많으면 미움이 닥친다'는 의미로, 한쪽에서 남의 사랑을 많이 받으면 다른 쪽에서 반드시 남의 미움을 받게 되는 것을 이르는 말.

◎ 開(あ)いた口(くち)へ牡丹餅(ぼたもち): '벌린 입에 팥단자'라는 의미로, 재수가 있으면 노력하지 않아도 뜻밖에 행운이 굴러 오는 것을 이르는 말.

◎ 相手(あいて)のない喧嘩(けんか)はできぬ: '상대 없는 싸움은 못한다'는 의미로, 아무리 난폭한 사람이라도 상대가 없으면 싸움을 못하는 것을 이르는 말.

◎ 会(あ)うは別(わか)れの始(はじ)め: '상봉은 이별의 시초'라는 의미로, 사람과 사람이 만나게 되는 것은 헤어지는 시초가 된다는 말로 한 번 만난 사람은 언젠가는 반드시 이별할 때가 있음을 이르는 말.

◎ 仰(あお)いで唾(つば)を吐(は)く : ‘위를 향하여 침 뱉기’라는 의미로, 남을 해치려다가 도리어 제가 해를 입게 되는 것을 이르는 말.

◎ 青柿(あおがき)が熟柿(じゅくし)弔(とむら)う : ‘풋감이 홍시를 애도한다’는 의미로, 그다지 차이가 없는 자가 약간 뛰어난 것을 난 체하고 이것저것 말참견하는 것을 이르는 말.

◎ 赤子(あかご)の手(て)をひねるよう : ‘갓난아기의 손을 비틀 듯’이라는 의미로, 일이 매우 쉬운 것을 이르는 말.

◎ 明(あか)るけりゃ月夜(つきよ)だと思(おも)う : ‘방 안이 환하면 달밤인 줄 안다’는 의미로, 생각이 천하고 세상모르는 어리석은 사람을 이르는 말.

◎ 秋風(あきかぜ)が吹(ふ)く : ‘가을바람이 분다’는 의미로, 남녀 간의 애정이 변하는 것을 이르는 말.

◎ 空(あ)き樽(だる)は音(おと)が高(たか)い : ‘빈 통은 소리가 크다’는 의미로, 교양 없는 사람일수록 말이 많은 것을 이르는 말.

◎ 商(あきない)は牛(うし)の涎(よだれ) : '장사는 소의 침'이라는 의미로, 장사는 소의 침과 같이 가늘고 길고 참을성 있게 잘 노력해야 되는 것을 이르는 말.

◎ 秋茄子(あきなす)は嫁(よめ)に食(く)わすな : '가을 가지는 며느리에게 먹이지 말라'는 의미로, 가을 가지는 몸이 냉해지거나 씨가 적어 자손을 못 볼 수 있으므로 며느리에게 먹이지 말라는 고부간의 갈등을 이르는 말.

◎ 商人(あきんど)と屛風(びょうぶ)は曲(ま)がらねば世(よ)に立(た)たず : '장사치와 병풍은 구부러지지 않으면 서지 못한다'는 의미로, 장사치로서 살아가려면 자기감정을 누르고 사람과 상종하지 않으면 성공할 수 없음을 이르는 말.

◎ 商人(あきんど)の元値(もとね) : '장사꾼의 본전'이라는 의미로, 장사꾼이 말하는 본전에는 반드시 에누리가 있으니 그대로 믿을 수 없음을 이르는 말.

◎ 悪事(あくじ)千里(せんり)を走(は)しる : '나쁜 일은 천리를 달린다'는 의미로, 좋지 않은 소문은 먼 곳까지 퍼지는 것을 이르는 말.

◎ 悪縁(あくえん)契(ちぎ)り深(ふか)し : '악연은 인연이 깊다'는 의미로, 좋지 못한 인연이나 습관 등은 떼려고 해도 뗄 수 없는 못된 인연임을 이르는 말.

◎ 悪事(あくじ)身(み)にかえる : '나쁜 짓은 자기에게 되돌아온다'는 의미로, 자기가 범한 못된 짓의 보수는 언젠가는 자기에게 되돌아오는 것을 이르는 말.

◎ 悪因悪果(あくいんあくか) : '악인악과', 원인이 나쁘면 결과도 좋을 수 없음을 이르는 말.

◎ 悪女(あくじょ)の深情(ふかなさ)け : '추녀의 깊은 정'이라는 의미로, 미녀보다도 추녀의 애정이나 질투심이 더 강한 것을 이르는 말.

◎ 悪女(あくじょ)は鏡(かがみ)を疎(うと)む : '악녀는 거울을 싫어한다'는 의미로, 제가 잘못한 것을 모르고 모두 남의 탓이라고 하는 것을 이르는 말.

◎ 悪銭(あくせん)身(み)に付(つ)かず : '악전은 붙어 있지 않는다'는 의미로, 부정하게 번 돈은 낭비하게 되어 오래가지 못하는 것을 이르는 말.

◎ 欠伸(あくび)を一緒(いっしょ)にすれば三日従兄弟(みっかいとこ) : '하품을 같이 하면 사돈의 팔촌'이라는 의미로, 같이 하품을 하면 특별한 친밀감을 느끼게 되는 것을 이르는 말.

◎ 開(あ)けて見(み)たれば鳥(とり)の糞(くそ) : '열고 보니 새똥'이라는 의미로, 막상 정체를 본 후 기대에 어긋나서 실망하는 것을 이르는 말.

◎ 阿漕(あこぎ)が浦(うら)に引(ひ)く網(あみ) : '뻔뻔스러움에 치는 그물'이라는 의미로, 비밀로 하고 있는 일도 거듭되면 남에게 들키는 것을 이르는 말.

◎ 浅(あさ)い川(かわ)も深(ふか) く渡(わた)れ : '얕은 냇물도 깊은 곳처럼 건너라'라는 의미로, 무슨 일이나 쉽게 생각하지 말고 조심할 것을 이르는 말.

◎ 薊(あざみ)の花(はな)も一盛(ひとさか)り : '못생긴 여자라도 한때는 아름다운 시절이 있다'는 의미로, 누구나 한 번쯤은 좋은 시절이 있음을 이르는 말.

◎ 朝飯前(あさめしまえ)のお茶漬(ちゃづ)け : '아침밥 먹기 전의 찻물밥'이라는 의미로, 몹시 쉬운 것을 이르는 말.

◎ 足下(元)(あしもと)に火(ひ)がつく : '발등에 불이 붙다'는 의미로, 어차피 해야 할 일이라는 것을 알면서도 미루다가 막상 발등에 불이 떨어지고 나서야 바쁘게 움직이는 것을 이르는 말.

◎ 明日(あす)の親取(おやどり)より今日(きょう)の卵(たまご) : '내일의 어미닭보다 오늘의 달걀'이라는 의미로, 어떻게 될지 모르는 장래의 막연한 일보다 당장 실제로 가질 수 있는 것이 변변치 않더라도 더 나은 것을 이르는 말.

◎ 小豆(あずき)の豆腐(とうふ) : '팥으로 만든 두부'라는 의미로, 두부는 콩으로 만드는 것이므로 있을 수 없는 일임을 이르는 말.

◎ 青(あお)は藍(あい)より出(い)でて藍(あい)より青(あお)し : '푸른빛이 쪽빛에서 나왔지만 쪽빛보다 더 푸르리'라는 의미로, 제자가 스승보다 뛰어난 것을 이르는 말.

◎ 青菜(あおな)に塩(しお) : '풋나물에 소금'이라는 의미로, 무언가에 실패해서 단번에 기운이 없어져서 풀이 죽어 있는 모양을 이르는 말.

◎ 頭(あたま)が動(うご)けば尾(お)も動(うご)く : '머리가 움직이면 꼬리도 움직인다'는 의미로, 윗사람이 움직이면 아랫사람도

그것을 보고 움직이게 되는 것을 이르는 말.

◎ 頭(あたま)隠(かく)して尻(しり)隠(かく)さず : '머리만 감추고 엉덩이는 그대로 남아 있다'는 의미로, 얕은수로 남을 속이려고 하는 것을 이르는 말.

◎ 頭(あたま)剃(そ)るより心(こころ)を剃(そ)れ : '머리를 깎기보다 마음을 깎아라'라는 의미로, 머리를 깍고 중이 되기보다는 악한 마음을 고치는 것이 더욱 중요함을 이르는 말.

◎ 頭(あたま)に吸殻(すいがら)のせても知(し)らぬ : '머리 위에 꽁초를 얹어도 모르겠다'는 의미로, 한 가지 일에 몹시 골똘하여 정신이 없음을 이르는 말.

◎ 頭(あたま)の黒(くろ)い鼠(ねずみ) : '머리가 까만 쥐'라는 의미로, 같이 살면서 나쁜 짓을 하는 사람을 이르는 말.

◎ 頭(あたま)剥(は)げても浮気(うわき)は止(や)まぬ : '머리는 벗어져도 바람기는 그치지 않는다'는 의미로, 인간이란 아무리 늙어도 타고난 도락의 버릇은 고쳐지지 않는 것을 이르는 말.

◎ 仇(あだ)を恩(おん)で返(かえ)す : '원수를 은혜로 갚는다'는 의미로, 당연히 원망해야 할 사람에게 도리어 인정을 베푸는 것

을 이르는 말.

◎ 羹(あつもの)に懲(こ)りて膾(なます)を吹(ふ)く : '뜨거운 국에 질려서 차가운 회를 후후 분다'는 의미로, 한 번 무엇에 몹시 놀란 사람이 그와 비슷한 것만 보아도 겁을 낼 때를 이르는 말.

◎ 後足(あとあし)で砂(すな)をかける : '뒷발로 모래를 끼얹는다'는 의미로, 떠나는 마당에 남을 곤경에 빠뜨리는 따위의 나쁜 일을 하는 것을 이르는 말.

◎ 後(あと)の雁(かり)が先(さき)になる : '뒤에 처진 기러기가 앞서 간다'는 의미로, 뒤따라 오던 자가 앞사람을 앞지르는 것을 이르는 말.

◎ 後(あと)の喧嘩(けんか)先(さき)でする : '뒤에 할 싸움 먼저 한다'는 의미로, 뒤에 싸움이 일어나지 않도록 처음에 잘 음미하고 논의를 다하여 두는 것이 좋음을 이르는 말.

◎ 後薬(あとぐすり) : '때 늦은 약'이라는 의미로, 병자가 죽은 뒤에 아무리 양약이 있더라도 아무 소용없는 일임을 이르는 말.

◎ 後(あと)の祭(まつ)り : '축제가 끝난 뒤에 꽃가마를 대령한다'는 의미로, 이미 시기가 지난 후에 대책을 세우거나 후회해도

소용없게 되는 것을 이르는 말.

◎ 後(あと)は野(の)となれ山(やま)となれ: '나중에야 삼수갑산을 갈 망정'이라는 의미로, 지금 당장 해야 할 일이나 할 수 있는 일을 다 하고 나면 나중 일은 어떻게 되어도 할 수 없는 것을 이르는 말.

◎ 穴(あな)あらば入(はい)りたし: '구멍이 있으면 들어가고 싶다'는 의미로, 부끄럽거나 창피해서 몸 둘 데가 없는 것을 이르는 말.

◎ 穴蔵(あなぐら)で雷(かみなり)聞(き)く: '움막에서 천둥을 듣는다'는 의미로, 지나친 조심을 하는 것을 이르는 말.

◎ 穴(あな)の狢(むじな)を値段(ねだん)する: '굴 속 너구리 보고 값을 매긴다'는 의미로, 무슨 일이든지 이루어지기도 전에 그 이득을 셈하지 말 것을 이르는 말.

◎ 痘痕(あばた)もえくぼ: '마마자국도 보조개로 보인다'는 의미로, 제눈에 안경임을 이르는 말.

◎ 危(あぶな)い橋(はし)も一度(いちど)は渡(わた)れ: '위험한 다리도 한 번은 건너라'라는 의미로, 위험을 무릅쓰지 않으면 큰

수확을 얻을 수 없음을 이르는 말.

◎ 虻(あぶ)蜂(はち)取(と)らず : '게도 구럭도 다 놓치다'는 의미로, 이것 저것 다 얻으려 욕심부리다 뜻을 하나도 이루지 못하는 것을 이르는 말.

◎ 油紙(あぶらがみ)に火(ひ)の付(つ)いたよう : '기름 먹인 종이에 불이 붙은 듯'이라는 의미로, 발끈하고 화를 잘 내는 것을 이르는 말.

◎ 油(あぶら)に水(みず) : '기름 위의 물'이라는 의미로, 서로 융합하지 못하고 상극인 것을 이르는 말.

◎ 阿呆(あほ)に付(つ)ける薬(くすり)無(な)し : '바보에게 바를 약은 없다'는 의미로, 바보를 고칠 방법은 없음을 이르는 말.

◎ 雨垂(あまだ)れ石(いし)を穿(うが)つ : '낙수물이 돌을 뚫는다'는 의미로, 작은 힘이라도 끈기 있게 계속하면 성공하는 것을 이르는 말.

◎ 阿彌陀(あみだ)も銭(ぜに)で光(ひか)る : '아미타불도 돈으로 빛난다'는 의미로, 부처님의 힘도 돈만 못함을 이르는 말.

◎ 網(あみ)にかかった魚(うお) : '그물에 걸린 물고기'라는 의미로, 피하려야 피할 수 없는 막바지에 이르렀음을 이르는 말.

◎ 雨(あめ)の夜(よ)にも星(ほし) : '비 오는 밤에도 별'이라는 의미로, 있을 수 없다고 생각되는 일도 드물게는 있음을 이르는 말.

◎ 雨(あめ)降(ふ)って地(じ)固(かた)まる : '비 온 뒤에 땅이 굳는다'는 의미로, 시련을 겪은 뒤에 더욱 강해지는 것을 이르는 말.

◎ 過(あやま)ちの功名(こうみょう) : '과오의 공명'이라는 의미로, 잘못했거나 무의식 중에 한 일이 좋은 결과를 가져오는 것을 이르는 말.

◎ 蟻(あり)集(あつ)まって樹(き)を揺(ゆる)がす : '개미 모여서 나무를 뒤흔든다'는 의미로, 작은 힘이라도 많이 모으면 큰 힘이 되는 것을 이르는 말.

◎ 在(あ)りての厭(いと)い、亡(な)くての偲(しの)び : '있을 때는 싫어하다가 없어지면 그리워한다'는 의미로, 자기가 미워하고 싫어하던 사람이나 물건이 막상 없어지고 보면 아쉽게 생각나는 때가 있음을 이르는 말.

◎ 蟻(あり)の穴(あな)から堤(つつみ)も崩(くず)れる : '개미구멍으로 방축이 무너진다'는 의미로, 사소한 일을 무시한 데서 큰일이 벌어지는 것을 이르는 말.

◎ 蟻(あり)の思(おも)いも天(てん)にのぼる : '개미의 생각도 하늘에 오른다'는 의미로, 개미와 같이 미약한 것도 신념만 강하면 소망을 달성할 때가 있음을 이르는 말.

◎ 蟻(あり)の這出(はいで)る隙(すき)もない : '개미새끼 하나 기어나갈 틈이 없다'는 의미로, 경계가 매우 엄중한 것을 이르는 말.

◎ 合(あ)わぬ蓋(ふた)あれば合(あ)う蓋(ふた)あり : '안 맞는 뚜껑 있으면 꼭 맞는 뚜껑도 있다'는 의미로, 세상만사는 뜻대로 되지 않음을 이르는 말.

◎ 鮑(あわび)の貝(かい)の片想(かたおも)い : '전복 껍데기의 짝사랑'이라는 의미로, 전복의 껍데기가 한쪽만 있는 데서 나온 말로 짝사랑을 이르는 말.

◎ 鞍上人(あんじょうひと)無(な)く、鞍下馬(あんかうま)無(な)し : '안장 위에 사람 없고, 안장 밑에 말이 없다'는 의미로, 말을 능숙하게 잘 타는 것을 이르는 말.

◎ 按摩(あんま)の高下駄(たかげた) : '안마장이의 굽이 높은 나막신'이라는 의미로, 위태로운 것을 즐겨함을 이르는 말.

◎ 案(あん)ずるより生(う)むが易(よ)し : '아이 낳기를 걱정하는 것보다 실제로 낳는 것이 쉽다'는 의미로, 무엇이든 실제로 해 보면 걱정했던 것보다 쉬움을 이르는 말.

[い]

◎ 言(い)いたい事(こと)は明日(あす)言(い)え : '하고 싶은 말은 내일 하여라'라는 의미로, 생각한 것을 바로 말하면 감정에 치우치고 실패를 할 가능성이 있으므로 잘 생각해서 말하는 것이 좋음을 이르는 말.

◎ 言(い)うは易(やす)く行(おこな)うは難(かた)し : '말하기는 쉽고 행하기는 어렵다'는 의미로, 말로는 어떤 일이라도 간단하지만 실천은 어려운 것을 이르는 말.

◎ 家(いえ)を道端(みちばた)に作(つく)れば三年(さんねん)成(な)らず : '집을 길가에 세우면 삼 년에도 이루어질 수 없다'는 의미로, 다른 사람의 조언을 믿고 듣기만 하면 아무것도 이룩할 수 없음을 이르는 말.

◎ 家(いえ)の前(まえ)の痩犬(やせいぬ) : '집 앞의 여윈 개'라는 의미로, 자기 집 앞에서만 큰소리를 치고 호기 부리는 것을 이르는 말.

◎ 生(い)き馬(うま)の目(め)を抜(ぬ)く : '살아 있는 말의 눈을 뺀다'는 의미로, 일을 하는 데 있어 매우 재빠르고 교활하며 약은 것을 이르는 말.

◎ 生(い)き身(み)に餌食(えじき) : '산 몸에 먹이'라는 의미로, 무슨 짓을 하든 굶어 죽지는 않는 것을 이르는 말.

◎ 生(い)き身(み)は死(し)に身(み) : '살아 있는 몸은 죽어야 할 몸'이라는 의미로, 이 세상에 살아 있는 자는 언젠가는 반드시 죽는 것을 이르는 말.

◎ 生(い)き身(み)は死(し)に身(み) : '간다 간다 하면서 오랫동안 가지 않고 앉아 있음'이라는 의미로, 말로만 간다고 하면서 언제까지나 이야기에 열중하고 좀처럼 돌아가지 않는 것을 이르는 말.

◎ 生簀(いけす)の鯉(こい) : '고기통 속의 잉어'라는 의미로, 죽을 수를 당하여 어쩔 수 없게 된 경우를 이르는 말.

◎　生(い)ける犬(いぬ)は死(し)せる虎(とら)に勝(まさ)る : '산 개가 죽은 범보다 낫다'는 의미로, 아무리 고생스럽고 천하게 지내더라도 사는 것이 죽는 것보다 나음을 이르는 말.

◎ 石(いし)の上(うえ)にも三年(さんねん) : '차가운 돌도 그 위에서 3년 앉아 있으면 따뜻해진다'는 의미로, 괴롭고 힘든 일이 있더라도 참고 인내하면 복이오는 것을 이르는 말.

◎ 石橋(いしばし)を叩(たた)いて渡(わた)る : '돌다리도 두들겨 보고 건너라'는 의미로, 항상 주의에 주의를 기울여가며 하는 것을 이르는 말.

◎ 石(いし)が浮(うか)んで、木(こ)の葉(は)が沈(しず)む : '돌이 뜨고 나뭇잎이 가라앉는다'는 의미로, 사물의 이치에 맞지 않는 있을 수 없는 일을 이르는 말.

◎ 石(いし)に花(はな)咲(さ)く : '바위에 꽃이 핀다'는 의미로, 있을 수 없는 일을 이르는 말.

◎ 石(いし)に布団(ふとん)は着(き)せられず : '돌에 이불은 덮지 못한다'는 의미로, 돌아가시면 어버이에게 효도를 다할 수 없으므로 살아계실 동안 어버이에게 친절을 다할 것을 이르는 말.

◎ 石(いし)の上(うえ)にも三年(さんねん) : '돌 위에도 삼 년'이라는 의미로, 참고 견디면 반드시 성공함을 이르는 말.

◎ 医者(いしゃ)と味噌(みそ)は古(ふる)いほどよい : '의사와 된장은 오래될수록 좋다'는 의미로, 경험과 시간이 중요함을 이르는 말.

◎ 急(いそ)がば回(まわ)れ : '급할수록 돌아가라'는 의미로, 급할 때에는 지름길보다는 안전한 곳을 선택하여 가는 것이 더 빠름을 이르는 말.

◎ 居候(いそうろう)の三杯目(さんばいめ) : '식객이 식사할 때 세 그릇째는 미안해서 밥그릇을 슬며시 내민다'는 의미로, 남의 신세를 지고 있는 까닭으로 모든 일에 떳떳지 못하고 조심스러운 것을 이르는 말.

◎ 痛(いた)し痒(かゆ)し : '긁으면 아프고 안 긁으면 가렵다'는 의미로, 이럴 수도 저럴 수도 없는 경우를 이르는 말.

◎ 痛(いた)む上(うえ)に塩(しお)を塗(ぬ)る : '아픈 상처 위에 소금을 바른다'는 의미로, 불행한 일을 당하고 있는 그 위에 또 다시 좋지 못한 일을 가하는 것을 이르는 말.

◎ 一事(いちじ)が万事(ばんじ) : '하나를 보면 열을 안다'는 의미로, 한 가지 일을 보면 열 일을 미루어 짐작할 수 있음을 이르는 말.

◎ 一難(いちなん)去(さ)ってまた一難(いちなん) : '갈수록 태산'이라는 의미로, 재난이 연이어서 덮치는 것을 이르는 말.

◎ 一日(いちにち)千秋(せんしゅう)の思(おも)い : '하루가 천년처럼 길게 느껴진다'는 의미로, 지루하거나 애타게 기다리는 것을 이르는 말.

◎ 一年(いちねん)の計(けい)は元旦(がんたん)にあり : '1년 계획은 설날 세워야 한다'는 의미로, 한 해의 계획은 그 해의 첫날에 확실하게 세워야 함을 이르는 말.

◎ 一度(いちど)餅(もち)食(く)えば、二度(にど)食(く)おう : '한 번 떡 먹으면 다시 먹자'는 의미로, 한 번 은혜를 받으면 그것이 예사로워져서 버릇없이 굴게 되는 것을 이르는 말.

◎ 一(いち)も取(と)らず二(に)も取(と)らず : '하나도 못 잡고 둘도 못 잡는다'는 의미로, 두 가지를 다 잡으려다가 결국 하나도 못 잡는 것을 이르는 말.

◎ 一夜白髪(いちやはくはつ) : '일야백발'이라는 의미로, 심한 근심으로 하룻밤 사이에 백발이 되는 것을 이르는 말.

◎ 一葉(いちよう)落(お)ちて天下(てんか)の秋(あき)を知(し)る : '나뭇잎 하나 떨어진 것을 보고 가을이 오는 것을 안다'는 의미로, 한 가지 일을 보고 장차의 일을 짐작할 수 있음을 이르는 말.

◎ 一挙両得(いっきょりょうどく) : '일거양득', 한 가지 일을 하여 두 가지 이익을 거두는 것을 이르는 말.

◎ 一寸(いっすん)先(さき)は闇(やみ) : '한 치 앞을 예측할 수 없다'는 의미로, 앞일을 조금도 예측할 수 없음을 이르는 말.

◎ 一寸(いっすん)先(さき)の地獄(じごく) : '한 치 앞의 지옥'이라는 의미로, 위험은 가까운데 있고 사람은 어떤 재앙을 당할지 모르는 것을 이르는 말.

◎ 一寸(いっすん)の虫(むし)にも五分(ごぶ)の魂(たましい) : '한 치의 벌레에도 닷푼의 혼이 있다(지렁이도 밟으면 꿈틀한다)'는 의미로, 보잘것없는 약자일지라도 함부로 대하면 반항하는 것을 이르는 말.

◎ 一寸法師(いっすんぼうし)の背(せ)比(くら)べ : '난쟁이 키 대보기'라는 의미로, 모두 비슷하여 특별히 두드러진 것이 없음을 이르는 말.

◎ 一匹(いっぴき)の馬(うま)が狂(くる)えば千匹(せんびき)の馬(うま)も狂(くる)う : '한 마리 미치면 천 마리 말도 미친다'는 의미로, 군중은 약간의 암시로 쉽게 마음이 움직이고 부화뇌동하는 것을 이르는 말.

◎ 井戸(いど)の端(ばた)の童(わらべ) : '우물가의 어린애'라는 의미로, 마음이 몹시 걱정되는 것을 이르는 말.

◎ 田舎(いなか)の利口(りこう)より京(きょう)の馬鹿(ばか) : '시골의 똑똑한 사람보다 서울의 멍청이'라는 의미로, 시골에서 공부하는 사람보다 서울의 게으름뱅이가 견식이 넓음을 이르는 말.

◎ 犬(いぬ)にも食(く)わせず棚(たな)にも置(お)かず : '개에게도 먹이지 않고 선반에도 두지 않는다'는 의미로, 인색한 사람이 하는 것을 이르는 말.

◎ 犬(いぬ)も歩(ある)けば棒(ぼう)にあたる : '개도 쏘다니면 몽둥이 맞는다'는 의미로, 쓸데없는 참견을 하면 화를 입게 되는 것을 이르는 말.

◎ 犬(いぬ)の遠(とお)吠(ぼ)え : '실속 없이 큰 소리로 허세 부린다'는 의미로, 겁 많은 사람이 허세 부리면서 다른 사람을 비난하는 것을 이르는 말.

◎ 井(い)の中(なか)の蛙(かわず)大海(たいかい)を知らず : '우물 안 개구리 바다를 모른다(우물 안 개구리)'는 의미로, 좁은 소견으로 대국적 판단을 할 수 없음을 이르는 말.

◎ 命(いのち)長(なが)ければ恥多(はじおお)し : '목숨이 길면 수치도 많다'는 의미로, 오래 살아 있으면 창피당할 일도 많음을 이르는 말.

◎ 今(いま)の情(なさ)けは後(のち)の仇(あだ) : '지금의 동정은 훗날의 원수'라는 의미로, 안이한 친절은 후일에 도리어 해가 되는 것을 이르는 말.

◎ いやいや三杯(さんばい) : '싫다면서 석 잔 술'이라는 의미로, 말뿐인 사양을 비웃는 말.

◎ いらぬ物(もの)も三年(さんねん)たてば用(よう)に立(た)つ : '소용없는 물건도 삼 년 지나면 소용이 있다'는 의미로, 지금 불필요한 것이라도 언젠가는 소용 있는 날이 있음을 이르는 말.

◎ 煎(い)り豆(まめ)の選(え)り食(ぐ)い : '볶은 콩 골라 먹기'라는 의미로, 처음에는 좋은 것을 고르다가 점점 적게 되면 고르지 않게 되는 것을 이르는 말.

◎ いろはのいの字(じ)も知(し)らぬ : '이로하의 이자도 모른다'는 의미로, 매우 무식함을 이르는 말.

◎ 鰯(いわし)の頭(あたま)も信心(しんじん)から : '정어리 대가리도 믿기 나름'이라는 의미로, 정어리 대가리처럼 하찮은 것이라도 믿음을 가지면 고마운 것이 됨을 이르는 말.

◎ 言(い)わぬは言(い)うに勝(まさ)る : '말하지 않는 것이 말하는 것보다 낫다'는 의미로, 수다스러운 말을 늘어놓기보다는 오히려 침묵이 나음을 이르는 말.

◎ 言(い)わぬが花(はな) : '말하지 않는 게 꽃'이라는 의미로, 경사 혹은 가장 뛰어난 것 등을 이르는 말.

◎ 言(い)わねば腹(はら)張(は)る : '말을 안 하면 배가 부푼다'는 의미로, 속으로 생각하고 있는 것을 말하지 않으면 불쾌감이 쌓이게 되어 기분이 나쁜 것을 이르는 말.

[う]

◎ 飢(う)えたる犬(いぬ)は棒(ぼう)を恐(おそ)れず : '굶주린 개는 몽둥이를 두려워하지 않는다'는 의미로, 인간도 먹기 위해서는 법을 어기게 될 수 있음을 이르는 말.

◎ 上直(うえちょく)なれば下(しも)安(やす)し : '위가 바르면 아래도 편하다'는 의미로, 정치를 하는 사람이 바르면 국민의 생활도 편안해지는 것을 이르는 말.

◎ 魚心(うおごころ)あれば水心(みずごころ) : '오는 정이 있어야 가는 정이 있다'는 의미로, 상대방이 나에게 잘 대해주면 나도 상대방에게 잘해주는 것을 이르는 말.

◎ 魚(うお)の木(き)にのぼる如(ごと)し : '물고기가 나무에 오르는 격'이라는 의미로, 사정이 다르고 해볼 도리가 없음을 이르는 말.

◎ 魚(うお)の水(みず)を離(はな)れたよう : '물고기가 물을 떠난 것 같다'는 의미로, 유일하게 믿고 있던 것을 잃어 곤경에 처하게 되는 경우를 이르는 말.

◎ 浮世(うきよ)は衣装七分(いしょうしちぶ) : '현세는 의상이 칠 푼'이라는 의미로, 세상은 외관을 중시하고 내용은 경시하는 경향이 있음을 이르는 말.

◎ 浮世(うきよ)は心次第(こころしだい) : '뜬세상은 마음 나름이다'는 의미로, 사람은 마음가짐에 따라 생활을 즐겁게 지낼 수 있고 괴롭게 지낼 수도 있음을 이르는 말.

◎ 浮世(うきよ)渡(わた)らば豆腐(とうふ)で渡(わた)れ : '뜬세상 살아가려면 두부처럼 처세하라'는 의미로, 네모난 두부처럼 정직한 마음과 모나지 않은 부드러운 성격으로 사는 것이 세상을 사는 가장 좋은 처세법임을 이르는 말.

◎ 雨後(うご)の筍(たけのこ) : '비 온 뒤에 죽순이 돋아난다'는 의미로, 어떠한 일들이 계속해서 일어나는 것을 이르는 말.

◎ 氏素性(うじすじょう)は恥(はず)かしきもの : '가문과 태생은 부끄러운 것'이라는 의미로, 태생이나 혈통의 선악은 반드시 인품에 나타나므로 속일 수 없음을 이르는 말.

◎ 氏(うじ)無(な)くして玉(たま)の輿(こし) : '가문 없어도 옥가마'라는 의미로, 여자는 태어난 가문이 좋지 않아도 용모가 아름다우면 부잣집으로 출가하는 것을 이르는 말.

◎ 牛(うし)を馬(うま)に乗(の)り換(か)える : '소를 말로 바꿔 타다'는 의미로, 형편을 보고 유리한 편에 붙는 것을 이르는 말.

◎ 牛(うし)に引(ひ)かれて善行寺(ぜんこうじ)参(まい)り : '친구 따라 강남 간다'는 의미로, 우연한 일로 인해 좋은 일을 겪게 되는 경우를 이르는 말.

◎ 牛(うし)は牛(うし)連(づ)れ、馬(うま)は馬(うま)連(づ)れ : '유유상종(類類相從)'이라는 의미로, 뜻이 맞는 사람끼리는 서로 잘 어울리는 것을 이르는 말.

◎ 嘘(うそ)から出(で)た実(まこと) : '거짓말이 나중에는 사실로 되어버린다'는 의미로, 생각하지도 않았던 일이 현실이 되는 것을 이르는 말.

◎ 嘘(うそ)も方便(ほうべん) : '거짓도 하나의 방편이다'는 의미로, 어떠한 일을 원만하게 수습하기 위하여 상황에 따라 거짓도 필요한 것을 이르는 말.

◎ 嘘(うそ)つき世渡(よわた)り上手(じょうず) : '거짓말쟁이 처세가 능하다'는 의미로, 처세가 능한 사람 중에는 거짓말쟁이가 많음을 이르는 말.

◎ 疑(うたが)いは詞(ことば)で解(と)けぬ : '의혹은 말로 풀리지 않는다'는 의미로, 한 번 혐의를 받으면 아무리 변명해도 풀리지 않는 것을 이르는 말.

◎ 打(う)たれても親(おや)の杖(つえ) : '맞아도 어버이의 지팡이'라는 의미로, 어버이가 아들을 때리는 것은 자애의 마음에서 하는 짓이므로 맞아도 원망이 없는 것을 이르는 말.

◎ 内(うち)の米(こめ)の飯(めし)より隣(となり)の麦飯(むぎめし) : '우리 집 쌀밥보다 이웃집 보리밥'이라는 의미로, 남의 것은 무엇이든 좋아 보이고 많아 보이는 것을 이르는 말.

◎ 内弁慶(うちべんけい) : '아랫목 대장'이라는 의미로, 집안 식구에게는 큰소리치면서 남에게는 비굴한 사람을 이르는 말.

◎ 内股膏薬(うちまたこうやく) : '허벅지에 붙인 고약'이라는 의미로, 줏대 없이 이리 붙었다 저리 붙었다 하는 사람을 이르는 말.

◎ 美(うつく)しい花(はな)にはよい実(み)はならぬ : '아름다운 꽃에 좋은 열매는 안 맺는다'는 의미로, 외관만으로는 사물의 선악을 알 수 없음을 이르는 말.

◎ 独活(うど)の大木(たいぼく) : '땅두릅의 큰 나무'라는 의미로, 덩치만 크고 쓸모없는 사람(무용지물)을 이르는 말.

◎ 鵜(う)のまねする烏(からす) : '가마우지 흉내 내는 까마귀'라는 의미로, 자기의 재능을 돌보지 않고 남의 흉내를 내어 실패하는 사람을 이르는 말.

◎ 鵜(う)の目鷹(めたか)の目(め) : '적을 살피는 눈이 매우 예리하다'는 의미로 '빈틈없이 경계하는 모습'을 이르는 말.

◎ 馬(うま)の耳(みみ)に風(かぜ) : '말의 귀에 동풍이 불어도 말은 아랑곳하지 않는다'는 의미로, 다른 사람의 충고를 들어도 아무런 반성을 하지 않는 것을 이르는 말.

◎ 馬(うま)疲(つか)れて毛長(けなが)し : '말 지쳐서 털만 길다'는 의미로, 사람도 오랫동안 가난하게 지내면 지혜도 둔해지고 초라한 모습으로 변하는 것을 이르는 말.

◎ 馬(うま)には乗(の)って見(み)よ人(ひと)には添(そ)うて見(み)よ : '말은 타 보라, 사람과는 상종해 보라'는 의미로, 낯가림 혹은 조심만 해서는 일의 진전이 없는 것을 이르는 말.

◎ 馬(うま)も買わずに鞍(くら)買(か)う : '말도 안 사고 안장 산다'는 의미로, 사물의 앞뒤 순서가 뒤바뀌었음을 이르는 말.

◎ 馬(うま)の耳(みみ)に念仏(ねんぶつ) : '쇠귀에 경 읽기'라는 의미로, 우둔한 사람에게는 아무리 가르치고 일러 주어도 알아듣지 못하거나 효과가 없음을 이르는 말.

◎ 生(う)まれぬ先(さき)の襁褓(むつき) : '낳기도 전에 기저귀'라는 의미로, 준비가 너무 빠른 것을 이르는 말.

◎ 海(うみ)の幸山(さちやま)の幸(さち) : '산해진미(진수성찬)'이라는 의미로, 산과 바다의 산물(産物)을 다 갖추어 아주 잘 차린 진귀한 음식을 이르는 말.

◎ 海(うみ)に千年(せんねん)河(かわ)に千年(せんねん) : '바다에서 천년, 강에서 천년'이라는 의미로, 세상의 모든 일을 골고루 겪어서 노련한 사람을 이르는 말.

◎ 生(う)みの親(おや)より育(そだ)ての親(おや) : 낳기만 해준 부모보다 양육해준 부모에게 더 애정이 우러나고 은혜가 느껴지는 것을 이르는 말.

◎ 海(うみ)も見(み)えぬ舟用意(ふねようい) : '바다도 안 보이는 데 배 준비'라는 의미로, 준비가 너무 빠른 것을 이르는 말.

◎ 産(う)みの親(おや)より育(そだ)ての親(おや) : '낳은 부모보다 기른 부모'라는 의미로, 낳아준 부모보다 길러준 부모에게 더욱 정이 가는 것을 이르는 말.

◎ 売(う)り言葉(ことば)に買(か)い言葉(ことば) : '오는 말이 고와야 가는 말도 곱다'는 의미로, 상대방이 나를 대접해 주면 나도 상대방을 대접해 주게 되는 것을 이르는 말.

◎ 瓜(うり)の蔓(つる)に茄子(なすび)は生(な)らぬ : '오이 덩굴에 가지 안 열린다'는 의미로, 혈통은 속일 수 없어 평범한 부모로부터 비범한 아이는 태어나지 않음을 이르는 말.

◎ 瓜(うり)二(ふた)つ : '둘이 꼭 닮다(참외를 두 개로 쪼개면 좌우 구별이 되지 않는 것처럼)'는 의미로, 매우 닮아 있음을 이르는 말.

◎ 漆(うるし)は剥(は)げても生地(きじ)は剥(は)げぬ : '옻칠은 벗겨져도 본바탕은 벗겨지지 않는다'는 의미로, 도금은 벗겨지기 쉽지만 타고난 소질은 변하지 않음을 이르는 말.

◎ 噂(うわさ)をすれば影(かげ)がさす : '남의 말하면 그림자가 든다(호랑이도 제 말하면 온다)'는 의미로, 다른 사람의 말을 하고 있을 때 그 당사자가 나타나는 것을 이르는 말.

◎ 運(うん)を待(ま)つは死(し)を待(ま)つにひとしい : '운을 기다리는 것은 죽음을 기다리는 것과 같다'는 의미로, 최선을 다하지 않으면 운은 따르지 않고 죽음이 기다리고 있음을 이르는 말.

◎ 運(うん)を天(てん)にまかせる : '하늘의 뜻에 맡기다'라는 의미로, 스스로의 힘으로 더 이상 어쩔 수 없다 싶을 때 하늘의 뜻에 맡기는 것을 이르는 말.

◎ 運(うん)は天(てん)にあり : '운은 하늘에 있다'는 의미로, 사람 팔자는 하늘이 정한 대로 되어가는 것을 이르는 말.

◎ 雲泥(うんでい)の差(さ) : '구름과 진흙의 차'라는 의미로, 하늘과 땅 사이와 같이 차이가 많이 나는 것을 이르는 말.

◎ 運否天賦(うんぷてんぷ) : '운이 좋고 나쁨은 모두가 하늘의 뜻'이라는 의미로, 사람의 운의 길흉은 하늘이 정하는 것임을 이르는 말.

[え]

◎ 英雄(えいゆう)色(いろ)を好(この)む : '영웅은 색을 좋아한다'는 의미로, 영웅은 정력이 왕성하여 여색(女色)을 좋아하는 경향이 있음을 이르는 말.

◎ 笑顔(えがお)に当(あ)てる拳(こぶし)はない : '웃는 얼굴 때리는 주먹은 없다'는 의미로, 강한 태도로 임하는 상대에게는 온순한 태도로 대하는 것이 효과적임을 이르는 말.

◎ 易者(えきしゃ)身(み)の上(うえ)知(し)らず : '점장이가 제 신상을 모른다'는 의미로, 사람은 스스로 자신의 일을 처리하기 어려운 것을 이르는 말.

◎ 餌(えさ)の中(うち)の針(はり) : '모이 속의 바늘'이라는 의미로, 유혹에 조심해야 하는 것을 이르는 말.

◎ 枝先(えださき)に行(ゆ)かねば熟柿(じゅくし)は食(く)えぬ : '가지 끝에 닿지 않으면 홍시는 먹을 수 없다'는 의미로, 좋은 것을 얻기 위해서는 위험을 무릅쓰지 않으면 안 되는 것을 이르는 말.

◎ 枝(えだ)の多(おお)い木(き)が風(かぜ)の止(や)む日(ひ)がない : '가지 많은 나무 바람 잘 날 없다'는 의미로, 자식이 많으면 걱정도 많고 하루도 마음 편할 날이 없음을 이르는 말.

◎ 枝(えだ)は枯(か)れても根(ね)は残(のこ)る : '가지는 말라도 뿌리는 남는다'는 의미로, 화근을 없애는 것은 어려운 일임을 이르는 말.

◎ 枝葉(えだは)のしげりには実少(みすく)なし : '가지와 잎이 우거진 나무에는 열매가 적다'는 의미로, 사람도 말 많은 수다쟁이는 성의가 적음을 이르는 말.

◎ 枝(えだ)を伐(き)って根(ね)を枯(か)らす : '가지를 잘라 뿌리를 만든다'는 의미로, 처음에는 쉬운 말단부터 손을 대어 차츰 그 근본에까지 이르게 함을 이르는 말.

◎ 得手(えて)に帆(ほ)を上(あ)げる : '순풍에 돛을 단다'는 의미로, 좋은 기회를 이용하여 자기의 가장 능한 재주를 발휘하는 것을 이르는 말.

◎ 絵(え)に描(か)いた餅(もち) : '그림의 떡'이라는 의미로, 실현될 수 없는 계획이나 이상을 이르는 말.

◎ 柄(え)のない所(ところ)に柄(え)をすげる : '자루 없는 곳에다 자루를 끼운다'는 의미로, 당치 않은 이유를 내세워 억지 쓰는 것을 이르는 말.

◎ 蝦(えび)踊(おど)れども川(かわ)を出(い)でず : '새우는 뛰어도 강을 떠나지 않는다'는 의미로, 일에는 제각기 하늘에서 주어진 운명이 정해져 있음을 이르는 말.

◎ 海老(えび)で鯛(たい)を釣(つ)る : '새우로 도미를 낚는다'는 의미로, 작은 노력으로 큰 이익을 얻는 것을 이르는 말.

◎ 笑(え)みの中(なか)の刀(かたな) : '웃음 속의 칼'이라는 의미로, 겉으로는 친절한 체하지만 속으로는 도리어 해롭게 하는 것을 이르는 말.

◎ 選(えら)んで粕(かす)を掴(つか)む : '고르다가 찌끼를 얻는다'는 의미로, 너무 고르면 오히려 제일 나쁜 것을 갖게 되는 것을 이르는 말.

◎ 縁(えん)あれば千里(せんり) : '인연이 있으면 천리라도 만나기 쉽다'는 의미로, 인연이란 묘한 것이어서 천리 떨어진 사람과 부부가 되는 경우가 있고 가까운데 있어도 인연이 없으면 얼굴도 못 보는 경우가 있음을 이르는 말.

◎ 遠水は近火(えんすいきんか)を救(すく)わず : '먼 데 있는 물은 가까이의 불을 끄지 못한다'는 의미로, 먼 데 있는 일가보다 이웃에 사는 남이 만일의 경우에 의지가 되는 것을 이르는 말.

◎ 縁(えん)の下(した)の力持(ちから)持(も)ち : '사람들의 눈에 드러나지 않는 음지에서 수고하는 사람'이라는 의미로, 음지에서 일함 혹은 그런 사람을 이르는 말.

[お]

◎ 老(お)いては子(こ)に従(したが)え : '늙어서는 자식을 따라라'라는 의미로, 노후에는 무엇이든 자식에게 맡기고 하자는 대로 따라가는 것이 좋음을 이르는 말.

◎ 負(お)うた子(こ)に教(おし)えられて浅瀬(あさせ)を渡(わた)る : '업은 아이가 가르치는 대로 얕은 여울을 건넌다'는 의미로, 자기만 못한 사람의 가르침을 받는 것을 이르는 말.

◎ 負(お)うた子(こ)より抱(だ)いた子 : '업은 아이보다 안은 아이'라는 의미로, 자기와 가까운 것을 먼저 또는 소중히 하는 것이 인간의 상정임을 이르는 말.

◎ 大風(おおかぜ)に灰(はい)をまく : '강풍에 재를 뿌린다'는 의미로, 거액의 금전을 낭비하는 것을 이르는 말.

◎ 大風(おおかぜ)のあしたはよい天気(てんき) : '강풍이 분 그 이튿날은 쾌청한 날'이라는 의미로, 강풍이 지나간 뒤는 좋은 날씨임을 이르는 말.

◎ 大(おお)きな大根(だいこん)は辛(から)くない : '큰 무는 맵지 않다'는 의미로, 키가 큰 사람 중에는 얼빠진 사람이 많음을 이르는 말.

◎ 大勢(おおぜい)の口(くち)にはかなわぬ : '여럿의 입에는 당할 수 없다'는 의미로, 다수 의견이나 여론에는 당할 수 없음을 이르는 말.

◎ 大船(おおぶね)も小(ちい)さな漏穴(ろうけつ)から沈(しず)む : '큰 배도 작은 구멍으로 인해 가라앉는다'는 의미로, 조그마한 일을 무시한데서 큰 손해를 초래했음을 이르는 말.

◎ おかに上(あ)がったかっぱ : '언덕에 올라온 갓파(헤엄 잘 치는 일본인 상상의 동물)'라는 의미로, 자신이 익숙한 환경에서 벗어나면 힘을 못 쓰게 되는 경우(갓파는 육지로 올라오면 힘이 약해짐)를 이르는 말.

◎　尾(お)から行(い)くも谷(たに)から行(い)くも同(おな)じこと : '산등성이로 가나 산골짜기로 가나 마찬가지다'라는 의미로, 방법은 달라도 목적은 같음을 이르는 말.

◎ 起(お)きて半畳(はんじょう)、寝(ね)て一畳(いちじょう) : '일어나면 다다미 반 장, 누우면 한 장'이라는 의미로, 혼자서 차지하는 자리는 얼마 안 되는 것이니 제각기 분에 만족하여 사는 것이 좋음을 이르는 말.

◎ 奥歯(おくば)に剣(つるぎ) : '어금니에 칼'이라는 의미로, 상대방에게 적의를 가지고 있으나 겉으로는 나타내지 않음을 이르는 말.

◎ 驕(おご)る平家(へいけ)は久(ひさ)しからず : '교만한 자는 오래가지 않는다'는 의미로, 영화를 누리고 거만을 떨면 오래가지 않아 망하게 되는 것을 이르는 말.

◎ 小田原評定(おだわらひょうじょう) : 질질 끌며 결론이 나지 않는 회의나 상담을 이르는 말.

◎ 夫(おっと)あれば親(おや)忘(わす)る : '남편이 생기면 어버이를 잊는다'는 의미로, 여자가 출가하게 되면 친정 부모보다 남편이나 아이들을 더 받들어 섬기는 것을 이르는 말.

◎　男(おとこ)は度胸(どきょう)、女(おんな)は愛嬌(あいきょう)：'남자는 배짱, 여자는 애교'라는 의미로, 남자에게 배짱이 있어야 하는 것처럼 여자에게는 애교가 있어야 함을 이르는 말.

◎　男(おとこ)やもめに蛆(うじ)がわき、女(おんな)やもめに花(はな)が咲(さ)く：'홀아비에게는 구더기가 들끓고, 과부에게는 꽃이 핀다'는 의미로, 홀아비는 돈을 모으지 못하고 주변이 더럽지만 과부는 알뜰해서 집안에서 꽃이 피는 것을 이르는 말.

◎ お茶(ちゃ)の子(こ)さいさい：'누워서 떡먹기'라는 의미로, 식은 죽 먹기처럼 아주 쉬운 것을 이르는 말.

◎ 同(おな)じ穴(あな)の狢(むじな)：'같은 굴 속의 너구리'라는 의미로, 한 패거리 혹은 한 통속을 이르는 말.

◎ 同(おな)じ釜(かま)の飯(めし)を食(く)う：'한 솥밥을 먹다'라는 의미로, 함께 생활하며 고락(苦樂)을 같이하는 매우 친한 사이를 이르는 말.

◎ 斧(おの)をとぎて針(はり)となす：'도끼를 갈아서 바늘을 만든다'는 의미로, 끊임없이 노력하면 어떤 일이라도 이룰 수 있음을 이르는 말.

◎ 鬼(おに)が出(で)るか蛇(じゃ)が出(で)るか : '도깨비가 나올지 뱀이 나올지 한 치 앞을 내다볼 수 없는 상태'라는 의미로, 다음에 안 좋은 일이 일어날지 전혀 예측할 수 없음을 이르는 말.

◎ 鬼(おに)が笑(わら)う : '귀신이 웃는다'는 의미로, 현실성이 없는 것을 예측하여 말하는 것을 비웃음을 이르는 말.

◎ 鬼(おに)に金棒(かなぼう) : '도깨비에 쇠몽둥이'라는 의미로, 범인에게 날개를 달아주는 것처럼 아주 강력해지는 것을 이르는 말.

◎ 鬼(おに)の居(い)ぬ間(ま)に洗濯(せんたく) : '귀신이 없는 새에 빨래질'이라는 의미로, 무서운 사람이 없는 동안에 제멋대로 노는 것을 이르는 말.

◎ 鬼(おに)の空念仏(そらねんぶつ) : '귀신의 거짓 염불'이라는 의미로, 마음속에는 냉혹한 무엇을 가지고 있으면서 입으로는 염불을 외는 것을 이르는 말.

◎ 鬼(おに)の女房(にょうぼう)に鬼神(きじん)がなる : '도깨비의 아내에게는 귀신이 된다'는 의미로, 도깨비와 같은 남편에게는 그에게 어울리는 귀신과 같은 여인이 시집가는 것을 이르는

말.

◎ 鬼(おに)の首(くび)を取(と)ったよう : '마치 귀신이라도 잡은 듯 의기양양해진다'는 의미로, 큰일이라도 해낸 듯이 의기양양해지는 것을 이르는 말.

◎ 鬼(おに)の目(め)にも涙(なみだ) : '귀신의 눈에도 눈물이 난다'는 의미로, 무지막지한 사람일지라도 때로는 감동하여 눈물을 흘리는 것을 이르는 말.

◎ 鬼(おに)も十八(じゅうはち)番茶(ばんちゃ)も出花(でばな) : '질이 낮은 엽차도 막 달인 것은 향기도 좋고 맛도 좋다'는 의미로, 못 생긴 여자도 시집갈 나이가 되면 예뻐 보이는 것을 이르는 말.

◎ 溺(おぼ)れる者(もの)は藁(わら)をも掴(つか)む : '물에 빠진 사람은 지푸라기라도 움켜 잡는다'는 의미로, 위기의 상황에서는 작은 것에도 의지하게 되는 것을 이르는 말.

◎ 思(おも)うに別(わか)れて思(おも)わぬに添(そ)う : '생각하는데 헤어지고 생각지 않는데 짝지어진다'는 의미로, 의중에 있는 사람과는 맺어지지 않고 의중에 없는 사람과 결혼하는 것을 이르는 말. 즉, 남녀 간의 연분은 생각대로 되지 않음.

◎ 親(おや)が憎(にく)けりゃ子(こ)も憎(にく)い : '부모가 미우면 자식도 밉다'는 의미로, 그 사람이 미우면 그에게 딸린 것까지도 모두 밉게 보이는 것을 이르는 말.

◎ 親子(おやこ)の中(なか)でも金銭(きんせん)は他人(たにん) : '어버이와 자식 사이에도 금전은 남'이라는 의미로, 부모와 자식 사이에 있어서도 금전 관계는 남처럼 대하는 것을 이르는 말.

◎ 親(おや)に似(に)ぬ子(こ)は鬼子(おにご) : '어버이를 닮지 않은 자식은 남의 자식'이라는 말로, 자식은 반드시 어버이를 닮음을 이르는 말.

◎ 親(おや)の心子(こころこ)知(し)らず : '부모의 마음을 자식은 모른다'는 의미로, 자식을 매우 사랑하는 부모의 마음을 자식들은 알지 못함을 이르는 말.

◎ 親(おや)の思(おも)うほど子(こ)は思(おも)わぬ : '부모가 생각하는 것만큼 자식은 생각하지 않는다'는 의미로, 부모는 항상 자식을 걱정하는데 자식은 그만큼 부모를 생각하지 않음을 이르는 말.

◎ 親(おや)の光(ひかり)は七光(ななひかり) : '부모의 여광은 오래오래 비친다'는 의미로, 자식이 부모의 여덕을 입는 것을 이르

는 말.

◎ 親(おや)は無(な)くても子(こ)は育(そだ)つ : '어버이는 없어도 자식은 자란다'는 의미로, 세상 일을 너무 걱정할 것 없음을 이르는 말.

◎ 親(おや)を見(み)たけりゃ子(こ)を見(み)ろ : '어버이를 보고 싶으면 자식을 보라'는 의미로, 자식이 하는 말이나 하는 일을 보면 어버이의 사람됨을 엿볼 수 있음을 이르는 말.

◎ 及(およ)ばざるはそしる : '못 미치는 자는 욕한다'는 의미로, 능력이 남만 못한 자는 상대방을 질투하고 욕을 하는 것을 이르는 말.

◎ 愚(おろ)か者(もの)に福(ふく)あり : '어리석은 사람에게 복이 있다'는 의미로, 어리석은 사람은 남의 미움을 받을 일도 없고 도리어 일생을 무사히 지낼 수 있음을 이르는 말.

◎ 尾(お)を振(ふ)る犬(いぬ)は叩(たた)かれず : '꼬리를 흔드는 개는 매 맞지 않는다'는 의미로, 잘 따르는 사람에게는 누구나 냉혹한 짓을 할 수 없음을 이르는 말.

◎　女三人(おんなさんにん)あれば身代(しんだい)が潰(つぶ)れる : '여자 셋이면 파산하게 된다'는 의미로, 딸이 셋이면 시집보내는 준비로 가산이 바닥나는 것을 이르는 말.

◎　女(おんな)三人(さんにん)寄(よ)れば姦(かしま)しい : '여자 셋이 모이면 시끄럽다'는 의미로, 여자는 수다스러움을 이르는 말.

◎ 恩(おん)を仇(あだ)で返(かえ)す : '은혜를 원수로 갚는다'는 의미로, 남의 은혜에 보답해야 할 자리에 도리어 해를 끼치는 것을 이르는 말.

◎ おんぶに抱(だ)っこ : '안아주면 업어달라고 한다'는 의미로, 하나에서 열까지 남의 도움에 의지하려고 하는 것을 이르는 말.

[か]

◎ 飼(かい)犬(いぬ)に手(て)を噛(か)まれる : '믿는 도끼에 발등 찍히다'는 의미로, 평소 아끼던 사람에게 해를 입는 것을 이르는 말.

◎ 貝殼(かいがら)で海(うみ)を量(はか)る : '조개껍질로 바다를 잰다'는 의미로, 좁은 견문으로 큰 문제를 논의하는 것을 이르는 말.

◎ 隗(かい)より始(はじ)めよ : '원대한 계획도 주변에 있는 쉬운 것부터 시작하라' '먼저 말을 꺼낸 본인부터 실행을 하라'는 두 가지 의미가 있음.

◎ 買(か)うは貰(もら)うに勝(まさ)る : '사는 것은 얻는 것보다 낫다'는 의미로, 남의 은택으로 물건을 얻는 것보다 자기가 사는 것이 나음을 이르는 말.

◎ 蛙(かえる)の子(こ)は蛙(かえる) : '개구리 새끼는 역시 개구리'라는 의미로, 자식은 그 부모를 닮은 것(그 아비에 그 자식)을 이르는 말.

◎ 蛙(かえる)の面(つら)に水小便(みずしょうべん) : '개구리 낯짝에 물 붓기'라는 의미로, 어떠한 자극을 주어도 그 자극이 먹히지 않는 것(효과 없음)을 이르는 말.

◎ 顔(かお)に泥(どろ)を塗(ぬ)る : '얼굴을 진흙으로 바르다'라는 의미로, 체면이 몹시 깎이어 창피를 당함을 이르는 말.

◎ 踵(かかと)で頭痛(ずつう)を病(や)む : '발뒤꿈치에서 두통을 앓는다'는 의미로, 당치 않은 걱정을 하는 빗나간 근심을 이르는 말.

◎ 鏡(かがみ)は女(おんな)の魂(たましい) : '거울은 여자의 영혼'이라는 의미로, 거울은 여자가 온 정성을 들이는 것이므로 여자의 마음과 같음을 이르는 말.

◎ 鍵(かぎ)の穴(あな)から天(てん)を覗(のぞ)く : '열쇠 구멍으로 하늘 보기'라는 의미로, 좁은 지식이나 경험으로 큰 문제를 살피는 것을 이르는 말.

◎ 餓鬼(がき)の目(め)に水見(みずみ)えず : '아귀의 눈에 물이 보이지 않는다'는 의미로, 아귀는 기갈이 심해 옆에 있는 물도 보이지 않는다는 것으로 초조하게 구하려 들면 평소 흔했던 것도 눈에 뜨이지 않는 것을 이르는 말.

◎ 学問(がくもん)に近道(ちかみち)なし : '학문에 지금 길이 없다'는 의미로, 학문은 반드시 순서를 따라 공부해야 하는 것을 이르는 말.

◎ 駆(か)ける馬(うま)にも鞭(むち) : '달리는 말에도 채찍질'이라는 의미로, 지금 하고 있는 정도로도 족한 일을 더욱 잘 하도

록 재촉하는 것을 이르는 말.

◎ 陰(かげ)では殿(との)の事(こと)も言(い)う : '뒤에서는 영주님의 험담도 한다'는 의미로, 본인이 없는데서 험담하는 것을 이르는 말.

◎ 陰(かげ)に居(い)て枝(えだ)を折(お)る : '그늘 아래 있으면서 가지를 꺾는다'는 의미로, 나무 그늘에서 더위를 피하던 사람이 그 나뭇가지를 꺾는다는 것은 은혜를 원수로 갚는 것임을 이르는 말.

◎ 駕籠(かご)舁(か)き駕籠(かご)に乗(の)らず : '가마꾼 가마를 타지 않는다'는 의미로, 항상 사람을 가마로 나르는 가마꾼은 가마를 타는 일이 없는 것과 같이 직업이 되면 자기 일에 소홀하게 되는 것을 이르는 말.

◎ 駕籠(かご)で水(みず)を汲(く)む : '광주리로 물을 푼다'는 의미로, 아무리 노력해도 쓸데없음을 이르는 말.

◎ 火事(かじ)あとの釘(くぎ)拾(ひろ)い : '불난 뒤 못 줍기'라는 의미로, 큰 손해를 당한 뒤 조금 절약한들 쓸데없음을 이르는 말.

◎ 火事(かじ)あとの火(ひ)の用心(ようじん) : '불난 뒤의 불조심'이라는 의미로, 때가 늦어서 쓸데없음을 이르는 말.
賢(かしこ)い人(ひと)には友(とも)がない : '영리한 사람에게는 친구가 없다'는 의미로, 너무 영리한 사람은 벗을 만들 수 없는 것을 이르는 말.

◎ 賢(かしこ)い子(こ)は早(はや)く死(し)ぬ : '영리한 아이 요절한다'는 의미로, 사람도 촉망받던 똑똑한 사람이 먼저 죽는 것을 이르는 말.

◎ 貸(か)した物(もの)は忘(わす)れぬが借(か)りた物(もの)は忘(わす)れる : '빌려준 것은 잊지 않으나 빈 것은 잊어버린다'는 의미로, 사람은 누구든지 자기 사정만 생각하고 남의 일은 잊어버리는 것을 이르는 말.

◎ 稼(かせ)ぐに追(お)いつく貧乏(びんぼう)なし : '부지런히 일하면 따라잡는 가난 없다'는 의미로, 부지런히 일하면 가난을 면할 수 있는 것을 이르는 말.

◎ 風(かぜ)に向(む)かって唾(つばき)す : '바람을 거슬러 침 뱉기'라는 의미로, 남을 해치려다가 도리어 제게 해가 돌아오는 것을 이르는 말.

◎ 風(かぜ)に柳(やなぎ) : '바람에 버드나무'라는 의미로, 바람 부는 대로 움직이는 버드나무처럼 상대방에게 거슬리지 않고 적당히 다루고 몸을 보전하는 것을 이르는 말.

◎ 風邪(かぜ)は百病(ひゃくびょう)の本(もと) : '감기는 백 병의 근원'이라는 의미로, 감기는 누구나 가볍게 생각하기 쉬우나 여러 가지 병은 이것이 근원이 될 경우가 많이 있음을 이르는 말.

◎ 風(かぜ)は吹(ふ)けど山(やま)は動(どう)ぜず : '바람은 불어도 산은 움직이지 않는다'는 의미로, 주위 사정이나 평판 등에 아랑곳하지 않고 초지를 관철하는 것을 이르는 말.

◎ 風邪(かぜ)待(ま)つ露(つゆ) : '바람 기다리는 이슬'이라는 의미로, 바람이 불면 없어지는 이슬과 같은 덧없는 인생을 이르는 말.

◎ 堅(かた)い木(き)は折(お)れる : '굳은 나무는 부러진다'는 의미로, 굳은 것은 부러지기 쉬우나 부드러운 것은 잘 견딜 수 있음을 이르는 말.

◎ 堅(かた)い物(もの)は箸(はし)ばかり : '굳은 것은 젓가락뿐'이라는 의미로, 자식을 매우 애지중지하여 사치스럽게 기르는 것을 이르는 말.

◎ 仇(かたき)の金(かね)でもあれば使(つか)う : '원수의 돈이라도 있으면 쓴다'는 의미로, 곤란할 때는 후일에 재난을 초래하는 돈이라도 쓰게 되는 것을 이르는 말.

◎ 片手(かたて)で錐(きり)は揉(も)まれぬ : '한 손으로 송곳은 비비지 못한다'는 의미로, 일은 혼자서는 잘 되는 것이 아님을 이르는 말.

◎ 火中(かちゅう)の栗(くり)を拾(ひろ)う : '불 속의 밤을 줍는다'는 의미로, 남의 이익을 위해서 위험을 무릅쓰는 것을 이르는 말.

◎ 河童(かっぱ)の川(かわ)流(なが)れ : '갓파(헤엄 잘 치는 일본인 상상의 동물)도 물에 빠져 죽는 수가 있다'는 의미로, 일에 능숙한 사람일지라도 실수를 범할 때가 있음을 이르는 말.

◎ 渇(かっ)して井(い)を穿(うが)つ : '목이 말라 우물을 판다'는 의미로, 당장 도움이 되지 않는 것을 이르는 말.

◎ 勝(か)てば官軍(かんぐん)、負(ま)ければ賊軍(ぞくぐん) : '잘 되면 충신, 못되면 역적이라'라는 의미로, 최종적으로 이긴 사람 혹은 결과가 좋은 경우가 정의로 인정받는 것임을 이르는 말.

◎ 金槌(かなづち)の川流(かわなが)れ : '쇠망치가 강물에 떠내려 간다'는 의미로, 쇠망치가 물에 뜰 수 없음과 같이 평생 출세할 가망이 없는 것을 이르는 말.

◎ 蟹(かに)の手(て)をむしられたよう : '게발을 떼낸 듯'이라는 의미로, 의지할 곳을 잃고 망연자실하는 모양을 이르는 말.

◎ 金(かね)で面(つら)を張(は)る : '지폐 뭉치로 얼굴을 친다'는 의미로, 돈의 힘으로 상대방을 굴복시켜 자기 체면을 세우는 것을 이르는 말.

◎ 金(かね)の切(き)れ目(め)が縁(えん)の切(き)れ目(め) : '돈이 없어지면 정(情)도 떨어진다'는 의미로, 돈에 얽힌 관계는 돈이 떨어지면 인연도 끝이 나는 것을 이르는 말.

◎ 金(かね)は危(あぶ)ない所(ところ)にある : '돈은 위태로운 곳에 있다'는 의미로, 위험을 무릅쓰지 않으면 큰돈을 얻을 수 없는 것을 이르는 말.

◎ 金(かね)は天下(てんか)の回(まわ)り物(もの) : '돈은 돌고 도는 것'이라는 의미로, 돈은 한 곳에 머물러 있지 않고 세상을 돌아다니는 것을 이르는 말.

◎ 金(かね)持(も)ち喧嘩(けんか)せず : '부자는 몸을 조심한다'는 의미로, 유리한 처지에 있으면 모험보다는 안전을 추구하는 것을 이르는 말.

◎ 壁(かべ)に耳(みみ) : '벽에도 귀'라는 의미로, 비밀이 새어 나가기 쉬운 것을 이르는 말.

◎ 壁(かべ)に耳(みみ)あり障子(しょうじ)に目(め)あり : '낮말은 새가 듣고 밤말은 쥐가 듣는다'는 의미로, 세상에 비밀은 없으므로 말을 매우 조심해서 해야 하는 것을 이르는 말.

◎ 果報(かほう)は寝(ね)て待(ま)て : '행운은 누워서 기다려라'는 의미로, 행운은 자연스레 찾아오는 것이므로 조급해하지 말고 때를 기다리는 것이 좋은 것을 이르는 말.

◎ 亀(かめ)の甲(こう)より年(とし)の攻(こう) : '경험이 무엇보다 중요하다'는 의미로, 연장자의 오래된 경험을 존중하는 것을 이르는 말.

◎ 亀(かめ)の年(とし)を鶴(つる)が羨(うらや)む : '거북의 수명을 학이 부러워한다'는 의미로, 학은 천년, 거북은 만년이라는 말이 있는데 거북이 오래 사는 것을 학이 부러워한다는 말로 욕심에는 한정이 없음을 이르는 말.

◎ 噛(か)む馬(うま)は終(しま)いまで噛(か)む : '무는 말은 끝까지 간다'는 의미로, 나쁜 버릇이 여간해서는 없어지지 않음을 이르는 말.

◎ 鴨(かも)が葱(ねぎ)を背負(しよ)って来(く)る : '오리가 파를 짊어지고 온다'는 의미로, 바라지도 않던 행운이 밀어닥치는 것을 이르는 말.

◎ 痒(かゆ)い所(ところ)に手(て)が届(とど)く : '가려운 곳에 손이 미치다'는 의미로, 세심하고 배려가 깊은 것을 이르는 말.

◎ 烏(からす)は自分(じぶん)の子(こ)が一番(いちばん)美(うつく)しいと思(おも)っている : '까마귀는 제 새끼가 제일 예쁘다고 한다'는 의미로, 추한 자식이라도 부모의 욕심으로는 제일 잘나 보이는 것을 이르는 말.

◎ 借(か)りて来(き)た猫(ねこ) : '빌어온 고양이'라는 의미로, 얌전하게 말없이 조용하게 있는 것을 이르는 말.

◎ 枯(か)れ木(き)も山(やま)の賑(にぎ)わい : '고목이라도 산의 정취를 나게 하는데 도움을 준다'는 의미로, 다소 시시한 것이라도 없는 것보다 나은 것을 이르는 말.

◎ 可愛(かわい)い子(こ)には、旅(たび)をさせよ : ‘사랑하는 자식에게는 여행을 시켜라’는 의미로, 사랑하는 자식일수록 세상의 어려움을 경험하게 해야 하는 것을 이르는 말.

◎ 川(かわ)に水(みず)を運(はこ)ぶ : ‘강에 물을 나른다’는 의미로, 아무리 해도 헛수고가 되는 것을 이르는 말.

◎ 川(かわ)の石星(いしほし)となる : ‘자갈이 별이 된다’는 의미로, 절대로 있을 수 없는 것을 이르는 말.

◎ 皮(かわ)引(ひ)けば身(み)が痛(いた)い : ‘살갗을 잡아당기면 몸이 아프다’는 의미로, 밀접한 관계가 있는 것은 즉시 이해의 영향을 받는 것을 이르는 말.

◎ 川(かわ)向(む)こうの喧嘩(けんか) : ‘강 건너 싸움’이라는 의미로, 자기와는 아무런 관계가 없는 것을 이르는 말.

◎ 川(かわ)に水(みず)を運(はこ)ぶ : ‘강에 물을 나른다’는 의미로, 아무리 해도 헛수고가 되는 것을 이르는 말.

◎ 川(かわ)の石星(いしほし)となる : ‘자갈이 별이 된다’는 의미로, 절대로 있을 수 없는 일을 이르는 말.

◎ 皮(かわ)引(ひ)けば身(み)が痛(いた)い : ‘살갗을 잡아당기면 몸이 아프다’는 의미로, 밀접한 관계가 있는 것은 즉시 이해의 영향을 받는 것을 이르는 말.

◎ 堪忍袋(かんにんぶくろ)の緒(お)が切(き)れる : ‘더 이상 참을 수 없다’는 의미로, 인내의 한계심을 넘어서는 것을 이르는 말.

◎ 雁(がん)も鳩(はと)も食(く)わねば知(し)れぬ : ‘기러기도 비둘기도 먹지 않고는 모른다’는 의미로, 경험이 없는 사람은 사물의 참다운 값어치를 모르는 것을 이르는 말.

[き]

◎ 木(き)から落(お)ちた猿(さる) : ‘나무에서 떨어진 원숭이’라는 의미로, 의지할 곳을 잃어서 어찌할 수 없는 것을 이르는 말.

◎ 聞(き)くは一時(いちじ)の恥、聞(はじき)かぬは一生(いっしょう)の恥(はじ) : ‘묻는 것은 당장의 수치, 묻지 않는 것은 일생의 수치’라는 의미로, 남에게 묻는 것을 부끄러워하지 않아야 함을 이르는 말.

◎ 雉(きじ)も鳴(な)かずば撃(う)たれまい : '꿩도 울지 않으면 총에 맞지 않겠지'라는 의미로, 쓸데없는 말을 하지 않으면 재화를 입지 않는 것을 이르는 말.

◎ 雉子(きじ)の隠(かく)れ : '꿩의 숨는 꼴'이라는 의미로, 일부만 숨기고서 전체를 숨겼다고 생각하고 있는 것을 이르는 말.

◎ 北(きた)に近(ちか)ければ南(みなみ)に遠(とお)い : '북에 가까우면 남으로 멀다'는 의미로, 누구든 다 알고 있어 당연한 것을 이르는 말.

◎ 気違(きちが)いに刃物(はもの) : '미친놈에게 칼'이라는 의미로, 위험하기 짝이 없음을 이르는 말.

◎ 切(き)っても血(ち)も出(で)ぬ : '베어도 피도 아니 난다'는 의미로, 무정하고 인색한 사람을 이르는 말.

◎ 狐(きつね)がコンコン鳴(な)くと人(ひと)が死(し)ぬ : '여우가 캥캥 울면 사람이 죽는다'는 의미로, 옛부터 전하여 오는 것을 이르는 말.

◎ 聞(き)いて極楽(ごくらく)見(み)て地獄(じごく) : '들으면 극락, 보면 지옥'이라는 의미로, 듣는 것과 실제 보는 것과는 큰

차이가 있는 것을 이르는 말.

◎ 木(き)によりて魚(うお)を求(もと)める : '나무에서 물고기를 잡으려고 한다'는 의미로, 가능하지 않은 일을 굳이 하려고 하는 것을 이르는 말.

◎ 木(き)に餅(もち)がなる : '나무에 떡이 열린다'는 의미로, 뜻밖의 행운이 닥쳐오는 것을 이르는 말.

◎ 木(き)にも付(つ)かず草(くさ)にも付(つ)かず : '나무에서 못 붙고 풀에도 못 붙는다'는 의미로, 이도 저도 아닌 엉거주춤한 태도를 이르는 말.

◎ 昨日(きのう)は人(ひと)の見(み)、今日(きょう)は我(わ)が身(み) : '어제 다른 사람에게 일어났던 일이 오늘 자신에게 닥치지 말라는 법 없다'는 의미로, 사람의 운명은 예측할 수 없음을 이르는 말.

◎ 昨日(きのう)は嫁(よめ)、今日(きょう)は姑(しゅうとめ) : '어제는 며느리, 오늘은 시어머니'라는 의미로, 시간이 지나가는 것이 매우 빠름을 이르는 말.

◎ 九死(きゅうし)に一生(いっしょう)を得(え)る : '구사일생(九死一生)', 여러 번 죽을 고비를 간신히 넘긴 것을 이르는 말.

◎ 九牛(きゅうぎゅう)の一毛(いちもう) : '구우일모', 많은 수 가운데 극히 적은 일부분에 지나지 않음을 이르는 말.

◎ 窮(きゅう)すれば通(つう)ず : '궁하면 통한다'는 의미로, 매우 궁박한 처지가 되면 도리어 헤어날 길이 생기는 것을 이르는 말.

◎ 窮鼠(きゅうそ)猫(ねこ)を噛(か)む : '쥐고 궁지에 몰리면 고양이를 문다'는 의미로, 약자일지라도 위기의 순간에는 강자를 공격하게 되는 것을 이르는 말.

◎ 兄弟(きょうだい)は両(りょう)の手(て) : '형제는 양손'이라는 의미로, 형제는 좌우의 손과 같이 서로 돕지 않으면 안 되는 것을 이르는 말.

◎ 兄弟(きょうだい)は他人(たにん)の始(はじ)まり : '형제는 남이 되는 시초'라는 의미로, 형제라도 믿을 수 없는 것을 이르는 말.

◎ 今日(きょう)の後(のち)に今日(きょう)なし : '오늘 뒤에 오늘 없다'는 의미로, 오늘은 날이 지나면 두 번 다시 오지 않으므로 현재의 시간을 낭비해서는 안 되는 것을 이르는 말.

◎ 器用貧乏(きようびんぼう) : '재주 많은 가난'이라는 의미로, 손재주가 있어도 그것이 도리어 화가 되어 오히려 대성하지 못해 늘 가난하게 지내는 것을 이르는 말.

◎ 漁父(ぎょうふ)の利(り) : '어부지리', 양자(兩者)가 다투는 통에 제삼자가 이익을 얻는 것을 이르는 말.

◎ 錐(きり)で山(やま)を掘(ほ)る : '송곳으로 산을 판다'는 의미로, 일을 함에 있어 매우 우원하거나 참을성이 많은 것을 이르는 말.

◎ 綺麗(きれい)な花(はな)は山(やま)に咲(さ)く : '아름다운 꽃은 산에 핀다'는 의미로, 정말 좋은 물건은 사람의 눈에 띄지 않는 곳에 있음을 이르는 말.

◎ 錦上花(きんじょうはな)を添(そ)う : '금상첨화', 비단 위에 다시 꽃을 더한다는 것으로 좋은데 더 좋은 것을 보태는 것을 이르는 말.

[く]

◎ 食(く)うだけなら犬(いぬ)でも食(く)う : '먹기만 하기라면 개라도 먹는다'는 의미로, 먹고사는 것만이 인생의 전부라면 개도 하는 짓으로 인간의 가치가 조금도 없음을 이르는 말.

◎ 食(く)うほど食(く)えば牛(うし)くさい : '실컷 먹고 소 냄새 난다고 한다'는 의미로, 많이 먹고 배부른 뒤 음식 맛이 좋지 않다고 도리어 흉을 보는 것을 이르는 말.

◎ 臭(くさ)いものに蓋(ふた) : '구린 것에 뚜껑(눈 가리고 아웅하다)'이라는 의미로, 지저분한 사실을 감추고자 임시방편으로 그 사실을 은폐하는 것을 이르는 말.

◎ 腐(くさ)っても鯛(たい) : '썩어도 도미'라는 의미로, 좋은 것은 오래되고 낡아도 그 가치가 남아 있는 것을 이르는 말.

◎ 薬(くすり)も過(す)ぎれば毒(どく)となる : '약도 지나치면 독이 된다'는 의미로, 아무리 좋은 약도 과용하면 도리어 몸에 해가 되므로 차라리 쓰지 않음과 같지 못함을 이르는 말.

◎ 糞(くそ)も味噌(みそ)も一緒(いっしょ) : '큰 차이가 없다'는 의미로, 좋은 것과 나쁜 것을 구분하지 않고 똑같이 취급하는 것을 이르는 말.

◎ 下(くだ)り坂(ざか)の車(くるま) : '내리막길의 수레'라는 의미로, 일이 순조롭게 진행되는 것을 이르는 말.

◎ 口(くち)あれば食(く)って通(とお)る : '입이 있으면 먹고 지낸다'는 의미로, 사람은 이 세상에 있는 한 먹고살게 되는 것임을 이르는 말.

◎ 朽木(くちき)は柱(はしら)にならぬ : '썩은 나무는 기둥으로 쓸 수 없다'는 의미로, 줏대가 없는 사람이나 게으름뱅이는 쓸모가 없는 것을 이르는 말.

◎ 口(くち叩(たた)きの手(て)足(た)らず : '말은 잘 하나 손은 못 따른다'는 의미로, 말은 잘 하나 손은 못 따르는 것을 이르는 말.

◎ 口(くち)と腹(はら) : '입과 배'라는 의미로, 말하는 것과 생각하는 것이 다른 것을 이르는 말.

◎ 口(くち)の剣場(つるぎば) : '입의 칼날'이라는 의미로, 악의에 찬 말을 하는 것을 이르는 말.

◎ 嘴(くちばし)が黄色(きいろ)い : '부리가 노랗다'는 의미로, 젊어서 아직 경험이 부족한 사람을 비웃는 것을 이르는 말.

◎ 口(くち)は禍(わざわい)の門(もん) : '입이 화근이다'라는 의미로, 실수로 한 말이 후에는 재난을 초래할 수 있음(항상 말을 조심해야 함)을 이르는 말.

◎ 口(くち)も八丁(はっちょう)手(て)も八丁(はっちょう) : '말도 잘하고 일도 잘하는 등 다방면에 능숙하다'는 의미로, 언변도 좋도 내뱉은 말을 실행하는 것도 잘 하는 것을 이르는 말.

◎ 蜘蛛(くも)の子(こ)を散(ち)らすよう : '거미 새끼가 흩어지듯'이라는 의미로, 많은 사람들이 뿔뿔이 흩어져 사방으로 달아나는 모양을 이르는 말.

◎ 雲(くも)にかける橋(はし) : '구름에 놓는 다리'라는 의미로, 실현 불가능한 희망이나 소망을 이르는 말.

◎ 蜘蛛(くも)の巣(す)で石(いし)を吊(つ)る : '거미줄로 돌을 매단다'는 의미로, 도저히 될 수 없는 일을 이르는 말.

◎ 首(くび)縊(くく)りの足(あし)を引(ひ)く : '목매단 사람의 다리를 당긴다'는 의미로, 피도 눈물도 없는 참혹한 일을 하는 것을 이르는 말.

◎ くよくよすれば寿命(じゅみょう)が縮(ちぢ)まる : '늘 걱정만 하면 수명이 준다'는 의미로, 사소한 일에 구애되어 끊임없이 꺼리고 기분이 우울하면 수명을 단축시키게 되는 것을 이르는 말.

◎ 暗(くら)がりから牛(うし) : '어둠 속에서 소'라는 의미로, 사물의 구별이 분명하지 않음을 이르는 말.

◎ 暗(くら)がりの渋面(じゅうめん) : '어두운 곳의 찌푸린 얼굴'이라는 의미로, 아무리 해도 보람이 없는 것을 이르는 말.

◎ 水母(くらげ)の骨(ほね) : '해파리의 뼈'라는 의미로, 있을 수 없는 일이나 매우 희소한 일을 이르는 말.

◎ 暗闇(くらやみ)の鉄砲(てっぽう) : '어둠 속의 총질'이라는 의미로, 앞 뒤 생각 없이 제멋대로 짐작하고 행동하는 것을 이르는 말.

◎ 暗(くらが)りの恥(はじ)を明(あかる)みへ出(だ)す : '감춰진 창피를 세상에 드러낸다'는 의미로, 숨기려면 숨길 수 있는 보기

흉한 것을 일부러 세상에 알리는 것을 이르는 말.

◎ 苦(くる)しい時(とき)の神(かみ)頼(だの)み : '급할 때 하느님 찾기'라는 의미로, 평소에는 돌보지도 않다가 급하게 되면 의지하려 드는 것을 이르는 말.

◎ 食(く)わず嫌(ぎら)い : '먹지도 않고 싫다고 한다'는 의미로, 먹은 일도 없으면서 사물의 진실을 잘 이해하지 않고 무턱대고 싫어하는 것을 이르는 말.

◎ 君子(くんし)危(あや)うきに近寄(ちかよ)らず : '군자는 위험한 곳에 가까이 가지 않는다'는 의미로, 교양과 덕망을 갖춘 사람은 항상 몸과 마음을 다스리므로 처음부터 위험한 곳은 가지 않음을 이르는 말.

[け]

◎ 鶏口(けいこう)となるも牛後(ぎゅうご)となるなかれ : '닭의 머리가 될지언정 소의 꼬리가 되지 말라'는 의미로, 작은 단체나 직장 간부가 되는 것이 대회사나 대조직의 밑바닥에 깔려 있는 것보다 나음을 이르는 말.

◎ 芸術(げいじゅつ)は長(なが)く人生(じんせい)は短(みじか)し : '예술은 길고 인생은 짧다'는 의미로, 예술 작품은 작가의 사후에도 길이 남지만 예술가의 생명은 너무 짧음을 이르는 말.

◎ 兄弟(けいてい)は手足(しゅそく)たり : '형제는 수족이다'는 의미로, 형제는 내 몸의 수족과 같아서 한 번 잃으면 다시 얻을 수 없는 것을 이르는 말.

◎ 芸(げい)は身(み)を助(たす)ける : '재주는 자신을 돕는다'는 의미로, 몸에 지닌 재주가 있으면 곤란할 때 도움이 되는 것을 이르는 말.

◎ 下戸(げこ)の建(た)てた蔵(くら)はない : '술을 못하는 사람이 지은 곳간은 없다'는 의미로, 술은 적당히 마시고 즐기는 것이 좋음을 이르는 말.

◎ 煙(けむり)あれば火(ひ)あり : '연기 있으면 불이 있다'는 의미로, 사실이 없는데 소문이 날 까닭이 없음을 이르는 말.

◎ 家来(けらい)とならねば家来(けらい)は使(つか)えぬ : '부하가 되지 않으면 부하를 부릴 수 없다'는 의미로, 부려지는 사람의 입장이 되어 사람을 부려야만 비로소 부하를 잘 이끌 수 있음을 이르는 말.

◎ 喧嘩(けんか)過(す)ぎての棒(ぼう)千切(ちぎ)り : '싸움 끝난 뒤에 몽둥이'라는 의미로, 일이 끝난 뒤에 무엇을 해도 아무 효과가 없음을 이르는 말.

◎ 喧嘩(けんか)と火事(かじ)は大(おお)きい程(ほど)よい : '싸움과 불은 클수록 좋다'는 의미로, 싸움이나 화재 현장에서 떠들썩한 구경꾼들의 심리를 이르는 말.

◎ 喧嘩両成敗(けんかりょうせいばい) : '싸운 자는 쌍방 모두 처벌된다'는 의미로, 싸움을 했을 경우 그 시비를 불문하고 쌍방을 처벌하는 것을 이르는 말.

◎ 剣(けん)を使(つか)う者(もの)は剣(けん)で死(し)ぬ : '칼을 쓰는 사람은 칼로 죽는다'는 의미로, 남에게 해를 끼치면 자기도 해를 입게 되는 것을 이르는 말.

[こ]

◎ 恋(こい)は盲目(もうもく) : '사랑에 눈이 멀다'는 의미로, 사랑에 빠지면 분별심을 잃고 눈이 어두워지는 것을 이르는 말.

◎ 恋(こい)は思案(しあん)の外(ほか) : '사랑은 알 수 없는 것이다'는 의미로, 사랑은 이성이나 상식으로는 판단할 수 없음을 이르는 말.

◎ 光陰矢(こういんや)の如(ごと)し : '날아가는 화살처럼 세월의 흐름이 빠르다'는 의미로, 무의미하게 시간을 보내면 안 되는 것을 이르는 말.

◎ 後悔先(こうかいさき)に立(た)たず : '후회막급'이라는 의미로, 나중에 후회해 보았자 되돌릴 수 없음을 이르는 말.

◎ 孝行(こうこう)のしたい時分(じぶん)に親(おや)はなし : '효도하고 싶을 때는 어버이가 없다'는 의미로, 어버이가 살아 있을 때는 불효하다가 어버이가 죽은 다음에야 효도를 하려고 생각하여 후회하는 일이 많음을 이르는 말.

◎ 好事魔(こうじま)多(おお)し : '좋은 일을 하자면 흔히 방해가 따르는 법이다'라는 의미로, 좋은 일에는 뜻하지 않게 방해되는 일이 많음을 이르는 말.

◎ 黄泉(こうせん)の路上老少(ろじょうろうしょう)無(な)し : '황천길에는 노소 없다'는 의미로, 저승으로 가는 길에는 연령적으로 노소가 있는 것이 아님을 이르는 말.

◎ 郷(ごう)に入(はい)っては郷(ごう)に従(したが)え : ‘그 고장에 가면 그 고장의 풍속과 습관을 따라야 한다’는 의미로, 로마에 가서는 로마법을 따를 것을 이르는 말.

◎ 弘法(こうぼう)にも筆(ふで)の誤(あやま)り : ‘서예에 뛰어난 홍법대사라도 글을 쓸 때는 실수할 때가 있다’는 의미로, 아무리 오랜 경험을 갖고 있거나 재주가 뛰어나도 때로는 실수할 때가 있음을 이르는 말.

◎ 木陰(こかげ)に臥(ふ)す者(もの)は枝(えだ)を手折(たお)らず : ‘그늘에 눕는 사람은 나무 가지를 꺾지 않는다’는 의미로, 은혜를 베풀어준 사람에 대해서는 손해를 입지 않는 것이 인정임을 이르는 말.

◎ 故郷(こきょう)へ錦(にしき)を飾(かざ)る : ‘입신출세하여 화려하게 고향에 돌아오다’라는 의미로, 성공하여 고향에 돌아오는 것(금의환향)을 이르는 말.

◎ 虎穴(こけつ)に入(い)らずんば虎子(こし)を得(え)ず : ‘호랑이 굴에 가야 호랑이 새끼를 잡는다’는 의미로, 위험을 감수하지 않고는 큰 성공을 거둘 수 없음을 이르는 말.

◎ 虎口(ここう)を逃(のが)れて龍穴(りゅうけつ)に入(い)る : '호구를 벗어나 용혈에 들어간다'는 의미로, 재난이 잇따라오는 것을 이르는 말.

◎ 小言(こごと)は言(い)うべし酒(さけ)は買(か)うべし : '잔소리는 해야 마땅하고 술은 사야 마땅하다'는 의미로, 나쁜 일은 용서 없이 꾸짖고 대신 잘한 일에는 칭찬해 주는 것이 옳음을 이르는 말.

◎ 乞食(こじき)が馬(うま)を貰(もら)う : '거지가 말 얻는 것'이라는 의미로, 제 신분에 넘는 것을 얻어 도리어 괴로운 일이 생긴 것을 이르는 말.

◎ 五十歩百歩(こじっぽひゃっぽ) : '오 십 보 백 보'라는 의미로, 둘 사이에 약간의 차이가 있지만 본질적으로는 서로 같은 것을 이르는 말.

◎ 子(こ)ゆえの闇(やみ) : '부모의 눈먼 자식사랑'이라는 의미로, 자식을 너무나 사랑하는 마음에 사려분별을 잃기 쉬운 것을 이르는 말.

◎ 転(ころ)ばぬ先(さき)の杖(つえ) : '넘어지기 전에 지팡이를 짚으면 된다'는 의미로, 사전에 충분히 주의를 기울이지 않으면

곤란한 일을 피할 수 있는 것을 이르는 말.

◎　碁(ご)で負(ま)けたら将棋(しょうぎ)で勝(か)て : '바둑에서 지거든 장기로 이겨라'라는 의미로, 한쪽에서 졌다고 하여 그것으로 우물쭈물하지 말고 다른 것으로 이겨서 만회를 해야 하는 것을 이르는 말.

◎ 子供(こども)の喧嘩(けんか)に親(おや)が出る : '아이 싸움이 어른 싸움된다'는 의미로, 처음에는 아이들끼리 싸우다가 나중에는 부모들까지 나와 쓸데없는 말참견을 하고 떠들며 싸움이 되어 일이 크게 벌어지는 것을 이르는 말.

◎ 米糠(こぬか三升(さんごう)あったら婿(むこ)行(い)くな : '쌀겨 세 홉만 있거든 양자는 가지 말라'는 의미로, 양자로 가는 것은 고생스러움을 이르는 말.

◎ 子(こ)は鎹(かすがい) : '자식은 꺾쇠'라는 의미로, 자식은 꺽쇠 모양으로 부부간의 정의를 잇는 역할을 하는 것을 이르는 말.

◎ 小村(こむら)の犬(いぬ)は噛(か)む : '작은 마을의 개는 문다'는 의미로, 약소한 자가 세상 물정을 모르고 함부로 남 앞에 잘 나서는 것을 이르는 말.

◎ 転(ころ)がる石(いし)には苔(こけ)が生(は)えぬ : '구르는 돌에는 이끼가 안 낀다'는 의미로, 게으르지 않고 애써 일 잘하는 사람은 늘 생생하고 건강함을 이르는 말.

◎ 転(ころ)ばぬ先(さき)の杖(つえ) : '쓰러지기 전의 지팡이'라는 의미로, 무슨 일에나 세밀한 주의를 가지고 실패하지 않게 행하는 것을 이르는 말.

◎ 転(ころ)んでもただでは起(お)きぬ : '넘어져도 그냥은 일어나지 않는다'는 의미로, 욕심이 많고 빈틈없음을 이르는 말.

◎ 碁(ご)を打(う)つより田(た)を打(う)て : '바둑을 두기보다 논을 지어라'라는 의미로, 바둑으로 노는 시간이 있으면 논을 갈고 생업에 힘쓰는 것이 유익함을 이르는 말.

◎ 子(こ)を持(も)って知(し)る親(おや)の恩(おん) : '아들을 갖고 나서 아는 어버이의 은혜'라는 의미로, 어버이가 되고서야 비로소 부모의 은혜를 알 수 있음을 이르는 말.

[さ]

◎ 才(さい)余(あま)りありて識(しき)足(た)らず : '재주는 남음이 있으나 견식이 모자란다'는 의미로, 재주만 믿다가 실수하는 것을 이르는 말.

◎ 歳月(さいげつ)人(ひと)を待(ま)たず : '세월은 사람을 기다리지 않는다'는 의미로, 세월은 사람과는 관계없이 시시각각으로 지나가니 호기를 놓치지 말아야 함을 이르는 말.

◎ 災難(さいなん)の先触(さきぶ)れはない : '재난의 예고는 없다'는 의미로, 재난은 언제 어디서 올지 모르니 평소 대책을 세워두는 것이 좋음을 이르는 말.

◎ 竿竹(さおだけ)で星(ほし)を打(う)つ : '장대로 별을 친다'는 의미로, 될 가망이 없는 짓을 하고 있는 어리석음을 이르는 말.

◎ 逆(さか)に吊(つる)して振(ふ)っても鼻血(はなぢ)しか出(で)ない : '거꾸로 매달아 흔들어도 코피밖에 안 나온다'는 의미로, 아무것도 가진 것이 없음을 이르는 말.

◎ 酒(さけ)入(い)れば舌(した)出(い)ず : '술이 들어가면 혀가 나온다'는 의미로, 술을 마시면 말이 많아짐을 이르는 말.

◎ 酒(さけ)買(か)って尻(しり)切(き)られる : '술 사 주고 뺨 맞는다'는 의미로, 남에게 술을 사 준 것이 도리어 원한이 되어 폭행을 당하게 되는 것을 이르는 말.

◎ 酒(さけ)は百薬(ひゃくやく)の長(ちょう) : '술은 백약의 으뜸'이라는 의미로, 술을 적당히 마시면 몸에 이로움을 이르는 말.

◎ 酒(さけ)酔(よ)いが本性(ほんしょう)を現(あらわ)す : '술주정꾼이 본성을 드러낸다'는 의미로, 술을 마시면 마음속에 있는 것을 모두 말하게 되는 것을 이르는 말.

◎ 雑魚(ざこ)の魚交(ととまじ)り : '자지레한 물고기가 큰 고기와 어울린다'는 의미로, 하찮은 사람이 훌륭한 사람 속에 끼어 같이 행세하는 것을 이르는 말.

◎ 囁(ささや)き千里(せんり) : '밀담이 천리 간다'는 의미로, 비밀로 한 말은 새어 나가기 쉽고 멀리까지 알리게 되는 것을 이르는 말.

◎ 皿(さら)嘗(な)めた猫(ねこ)が科(とが)を負(お)う : '접시 핥은 고양이가 벌을 받는다'는 의미로, 흔히 크게 나쁜 짓을 한 자는 잡히지 않고 그보다 덜한 자가 잡히어 곤경을 치르는 것을 이르는 말.

◎ 猿(さる)が髭(ひげ)揉(も)む : '원숭이 수염을 비빈다'는 의미로, 원숭이가 뽐내고 수염을 비비는 것은 우스꽝스러운 것처럼 쓸데없는 사람이 겉만 꾸미고 뽐내는 것을 이르는 말.

◎ 猿(さる)に木登(きのぼ)り : '원숭이한테 나무에 오르는 것을 가르친다'는 의미로, 잘 아는 사람에게 가르치는 어리석음을 이르는 말.

◎ 猿(さる)の尻(しり)笑(わら)い : '원숭이의 엉덩이를 비웃는다'는 의미로, 자기 자신을 돌보지 않고 남을 비웃는 것을 이르는 말.

◎ 猿(さる)も木(き)から落(お)ちる : '원숭이도 나무에서 떨어진다'는 의미로, 어느 분야에 뛰어난 사람도 때로는 실패할 수가 있음을 이르는 말.

◎ 去(さ)る者(もの)は追(お)わず : '떠나는 사람은 굳이 붙들지 않는다'는 의미로, 스스로 떠나는 자를 굳이 말리지 말 것을 이

르는 말.

◎ 去(さ)る者(もの)は日々(ひび)に疎(ひび)し : 떠나버린 사람은 날이 갈수록 소원해진다'는 의미로, 친한 사람이라도 멀리 떨어지게 되면 차츰 정이 없어지는 것을 이르는 말.

◎ 触(さわ)らぬ蜂(はち)は刺(さ)さぬ : '건드리지 않는 벌은 쏘지 않는다'는 의미로, 어떤 일이든지 관계하지 않으면 해를 입을 일이 없음을 이르는 말.

◎ 触(さわ)らぬ神(かみ)に祟(たた)りなし : '신도 건드리지 않으면 재앙이 없다'라는 의미로, 쓸데없는 일에 참견하지 않음을 이르는 말.

◎ 三歳(さんさい)の翁(おきな)百歳(ひゃくさい)の童子(どうじ) : '세 살 늙은이 백 살 아이'라는 의미로, 어린이라도 지혜 분별 있는 자가 있고 늙어도 정신연령이 낮은 사람이 있음을 이르는 말.

◎ 三寸(さんずん)の舌(した)に五尺(ごしゃく)の身(み)を亡(ほろぼ)す : '세 치 혀에 다섯 척의 몸을 망친다'는 의미로, 실언과 참언으로 말미암아 몸을 망치는 일이 많은데 이를 경고하는 말.

◎　三人(さんにん)子持(こも)ちは笑(わら)うて暮(く)らす : '세 아이를 가진 사람은 웃으면 산다'는 의미로, 아들의 수는 셋이 가장 좋고 행복하게 살 수 있음을 이르는 말.

◎　三人(さんにん)寄(よ)れば文殊(もんじゅ)の知恵(ちえ) : '세 사람이 모이면 문수의 지혜'라는 의미로, 평범한 사람이라도 셋이 모이면 문수보살 같은 지혜가 나오는 것을 이르는 말.

◎　三遍(さんべん)回(まわ)って煙草(たばこ)にしよう : '세 번 돌고 나서 담배를 피우자'는 의미로, 조심하는 것이 무엇보다 중요함을 이르는 말.

[し]

◎ 塩辛(しおから)を食(く)おうとて水(みず)を飲(の)む : '젓갈을 먹으려고 물을 마신다'는 의미로, 목적과 방법의 순서를 그르치고 도리어 쓸데없는 짓을 하는 것을 이르는 말.

◎　鹿(しか)を逐(お)う者(もの)は山(やま)を見(み)ず : '사슴을 쫓는 자는 산을 보지 않는다'는 의미로, 한 가지 일에 열중한 자는 다른 일은 돌보지 않는 것을 이르는 말.

◎ 地獄(じごく)で仏(ほとけ)に会(あ)ったよう : '지옥에서 부처를 만나다'라는 의미로, 매우 위급한 상황에서 뜻하지 않은 도움을 받는 것을 이르는 말.

◎ 地獄(じごく)の沙汰(さた)も金次第(かねしだい) : '돈만 있으면 귀신도 부릴 수 있다'는 의미로, 어떠한 상황에 처하더라도 돈만 있으면 해결할 수 있음을 이르는 말.

◎ 仕事(しごと)は多勢(おおぜい) : '일은 많은 사람일수록'이라는 의미로, 일은 여러 사람이 같이 힘을 합하면 쉽게 잘 되는 것을 이르는 말.

◎ 仕事(しごと)を追(お)うて仕事(しごと)に追(お)われるな : '일은 쫓아야지 일에 쫓기지 말라'는 의미로, 일은 닥치는 대로 해치워야지 미루어서는 안 되는 것을 이르는 말.

◎ 死(し)しての長者(ちょうじゃ)より生(い)きての貧人(ひんじん) : '죽어서 백만장자가 되기보다 살아서 가난한 사람이 되는 것이 낫다'는 의미로, 사람은 사는 것이 중요한 문제로 부귀영화도 죽음과는 바꿀 수 없음을 이르는 말.

◎ 獅子(しし)に鰭(ひれ) : '조용히 흐르는 강은 깊다'는 의미로, 덕이 높고 생각이 깊은 사람은 잘난 체하지 않음을 이르는 말.

◎ 親(した)しき仲(なか)にも礼儀(れいぎ)あり : ‘친한 사이에도 예의가 있다’는 의미로, 친하다고 예의를 잊어버리면 불화를 초래하게 되는 것을 이르는 말.

◎ 舌(した)の剣(つるぎ)は命(いのち)を絶(た)つ : ‘혀의 칼은 목숨을 끊는다’는 의미로, 말은 조심하지 않으면 제 목숨을 없앨 수 있음을 이르는 말.

◎ 質(しち)に取(と)られた達磨(だるま)のよう : ‘저당 잡힌 오뚝이처럼’이라는 의미로, 한구석에 잠자코 있는 사람을 조롱하는 것을 이르는 말.

◎ 死中(しちゅう)に活(かつ)を求(もと)める : ‘죽음 속에서 삶을 찾는다’는 의미로, 죽을 지경에 빠졌다가 다시 살 길을 찾는 것을 이르는 말.

◎ 死(し)なば卒中(そっちゅう) : ‘죽으려면 뇌졸중’이라는 의미로, 어차피 죽으려면 고생 없는 뇌졸중이 좋은 것을 이르는 말.

◎ 死(し)にし子顔(こかお)よかりき : ‘죽은 자식 얼굴 예뻤다’는 의미로, 이미 잃어버린 것은 아무리 좋다고 한들 소용이 없음을 이르는 말.

◎ 獅子(しし)身中(しんちゅう)の虫(むし) : '사자의 체내에서 기생하고 있는 벌레가 사자의 고기를 파먹어 결국 사자를 넘어뜨린다'는 의미로, 은혜를 원수로 갚는 것을 이르는 말.

◎ 死人(しにん)に口(くち)無(な)し : '죽은 사람에게 죄를 덮어씌운다' '죽은 사람은 증인으로 세울 수 없음'을 이르는 말.

◎ 蛇(じゃ)が出(で)そうで蚊(か)も出(で)ぬ : '뱀이 나올 듯한데 모기도 안 나온다'는 의미로, 무엇인가 큰일이 일어날 것 같으면서도 아무 일도 일어나지 않는 것을 이르는 말.

◎ 釈迦(しゃか)に説法(せっぽう) : '부처님 앞에서 설법'이라는 의미로, 그 분야에 정통한 사람에게 가르치려고 하는 것은 어리석은 행동임을 이르는 말.

◎ 杓子(しゃくし)で腹(はら)を切(き)る : '국자로 배를 가른다'는 의미로, 형식적으로 흉내만 내는 것을 이르는 말.

◎ 杓子(しゃくし)定規(じょうぎ) : '한 가지 기준을 무엇에나 적용시키려고 하는 융통성 없는 방법이나 태도'를 이르는 말.

◎ 蛇(じゃ)の道(みち)は蛇(へび) : '뱀의 길은 뱀이 안다'는 의미로, 같은 부류의 생각이나 행동은 같은 부류가 잘 아는 것을

이르는 말.

◎ 　蛇姑(しゅうとめ)が憎(にく)けりゃ夫(おっと)まで憎(にく)い : '시어머니가 미우면 남편까지 밉다'는 의미로, 시어머니가 며느리를 괄시하는데 대한 며느리의 증오심이 남편에게까지 미치는 것을 이르는 말.

◎ 蛇姑(しゅうとめ)の涙汁(なみだじる) : '시어머니의 눈물'이라는 의미로, 시어머니는 며느리에게 대하는 동정의 눈물이 적다는 말로 몹시 적은 것을 이르는 말.

◎ 蛇小寒(しょうかん)の氷(こおり)大寒(だいかん)に解(と)く : '소한의 얼음 대한에 녹는다'는 의미로, 사물이 반드시 순서대로 되지 않는 것을 이르는 말.

◎ 蛇出家(しゅっけ)の念仏(ねんぶつ)嫌(ぎら)い : '중이 염불을 싫어한다'는 의미로, 가장 소중히 하고 중요시해야 할 것을 싫어함을 이르는 말.

◎ 蛇朱(しゅ)に交(まじ)われば赤(あか)くなる : '먹을 가까이하면 검은빛이 된다'는 의미로, 사귀는 사람에 따라 좋게도 나쁘게도 되는 것을 이르는 말.

◎　蛇主(しゅ)腹(はら)良(よ)ければ下司(げす)腹(はら)知(し)らず : '주인 배부르면 종 배 아랑곳없다'는 의미로, 주인은 자기 생활이 넉넉하면 종의 형편 등은 생각해 주지 않음을 이르는 말.

◎　蛇正直(しょうじき)の頭(こうべ)に神宿(かみやど)る : '정직한 머리에 신이 머문다'는 의미로, 정직한 사람은 반드시 하늘이 도와주는 것을 이르는 말.

◎ 蛇冗談(じょうだん)から泣(な)きが出(で)る : '농담에서 울음이 난다'는 의미로, 농담으로 한 말이 정말이 되어 마침내 뜻하지 않은 사태가 생겼을 때를 이르는 말.

◎ 蛇掌中(しょうちゅう)の珠(たま) : '손 안의 구슬'이라는 의미로, 손바닥 안에 있는 귀중한 물건으로 곧 가장 사랑하는 귀한 자식을 이르는 말.

◎ 蛇女郎(じょろう)の誠(まこと)と卵(たまご)の四角(しかく) : '창녀의 진심과 달걀의 사각'이라는 의미로, 있을 수 없는 것을 이르는 말.

◎　蛇知(し)らずば半分値(はんぶんね) : '모르거든　반값'이라는 의미로, 가치를 모르는 것이면 부르는 값의 반값을 치면 대강 맞음을 이르는 말.

◎ 蛇知(し)らぬは人(ひと)の心(こころ) : '모를 것은 사람의 마음'이라는 의미로, 사람의 마음속은 알 수 없음을 이르는 말.

◎ 蛇知(し)らぬが仏(ほとけ) : '모르는 것이 부처'라는 의미로, 아무것도 모르는 것이 속이 편한 것을 이르는 말.

◎ 蛇白羽(しらは)の矢(や)が立(た)つ : '많은 사람 중에 특별히 발탁됨' '많은 것 중 희생의 제물로 선택됨'을 이르는 말.

◎ 蛇尻馬(しりうま)に乗(の)る : '우리가 치면 만물이 응하듯이 다른 사람의 의견을 경솔하게 따른다'는 의미로, 지조 없이 남이 하는 일이나 행동을 덩달아 따라 하는 것을 이르는 말.

◎ 蛇尻(しり)も結(むす)ばぬ糸(いと) : '매듭도 안 맺는 실'이라는 의미로, 행동에 맺힌 데가 없음을 이르는 말.

◎ 蛇人事(じんじ)を尽(つ)くして天命(てんめい)を待(ま)つ : '인간으로서 할 수 있는 데까지 최선을 다하고 그 결과는 하늘의 뜻에 맡긴다'는 의미로, 자신의 일에 최선을 다하고 담담히 그 결과를 기다리는 것을 이르는 말.

◎ 蛇信心(しんじん)も欲(よく)から : '신앙심도 욕심으로부터'라는 의미로, 신앙심도 그 근본은 신불의 은혜를 원하는 현실적인

욕망에서 생기는 것임을 이르는 말.

◎ 蛇死(し)んだ子(こ)の年(とし)を数(かぞ)える : '죽은 자식의 나이 세기'라는 의미로, 이미 그릇된 일을 자꾸 생각해 보아야 소용이 없는 것을 이르는 말.

◎ 蛇人生(じんせい)朝露(あさつゆ)の如(ごと)し : '인생은 아침 이슬과 같다'는 의미로, 사람의 일생은 실낱같은 것임을 이르는 말.

◎ 蛇死(し)んだ子(こ)の年勘定(としかんじょう) : '죽은 자식 나이 세기'라는 의미로, 돌이킬 수 없는 과거에 집념을 갖지 말 것을 이르는 말.

◎ 蛇死(し)んで千杯(せんぱい)より、生前(せいぜん)の一杯(せいぜん) : '죽어 천 잔 술보다 생전의 한 잔 술'이라는 의미로, 죽은 후에 제사 지내는 천 잔의 술보다 생전의 한 잔 술이 더 좋음을 이르는 말.

◎ 蛇しんどが利(り) : '고생이 벌이'라는 의미로, 고생만 하고 애쓴 보람이 없음을 이르는 말.

[す]

◎ 蛇粋(すい)が川(かわ)へはまる : '노련한 자가 강에 빠진다'는 의미로, 노련한 자가 오히려 실패하는 적이 있음을 이르는 말.

◎ 蛇水中(すいちゅう)に火(ひ)を求(もと)む : '물속에서 불을 구한다'는 의미로, 도저히 불가능한 일을 하려는 어리석음을 이르는 말.

◎ 蛇過(す)ぎたるは猶(なお)及(およ)ばざるが如(ごと)し : '과(過)는 불급(不及)이라'는 의미로, 지나친 것은 미치지 못함과 같음을 이르는 말.

◎ 蛇好(す)きこそ物(もの)の上手(じょうず)なれ : '좋아서 하는 일이 빨리 숙달된다'는 의미로, 취미가 있어야 숙달이 잘 되는 법임을 이르는 말.

◎ 蛇雀(すずめ)の涙(なみだ) : '참새의 눈물'이라는 의미로, 아주 하찮은 일이나 극히 적은 분량을 이르는 말.

◎ 蛇雀(すずめ)一寸(いっすん)の糞(くそ)ひらず : '참새는 한 치의 똥을 안 눈다'는 의미로, 물건에는 제각기 크기의 규모가 있

음을 이르는 말.

◎ 蛇雀(すずめ)の脛(すね)から血(ち)を絞(しぼ)るよう : '참새 정강이에서 피를 짜내는 듯'이라는 의미로, 약한 사람에게서 금품을 우려내는 것을 이르는 말.

◎ 蛇雀(すずめ)百(ひゃく)まで踊(おどり)忘(わす)れず : '참새는 백 살까지 춤추는 것을 안 잊는다'는 의미로, 어릴 때 버릇이 나이를 먹어도 변하지 않음을 이르는 말.

◎ 蛇捨(す)て犬(いぬ)に握(にぎ)り飯(めし) : '버려진 개에게 주먹밥'이라는 의미로, 애쓴 보람이 없고 헛수고로 끝나는 것을 이르는 말.

◎ 蛇捨(す)てる神(かみ)あれば拾(ひろ)う神(かみ)あり : '버리는 신이 있으면 줍는 신이 있다'는 의미로, 자기를 내버려 두는 사람이 있는 반면 돌봐 주는 사람도 있으니 역경에 빠져도 비관할 필요 없음을 이르는 말.

◎ 蛇砂(すな)の底(そこ)から玉(たま)が出(で)る : '모래 속에서 구슬이 나온다'는 의미로, 흔해 빠진 것이 많이 있는 가운데서 때로는 귀중한 것이 섞여 나오는 것을 이르는 말.

◎ 蛇酢(す)の蒟蒻(こんにゃく)の : '초니 곤약이니'라는 의미로, 이러쿵저러쿵하고 이유를 붙이는 모양을 이르는 말.

◎ 蛇すまじきものは宮仕(みやづか)え : '못해 먹을 짓은 궁살이'라는 의미로, 할 게 못 되는 것은 고용살이라고 월급쟁이가 직업상의 괴로움을 자탄하는 말.

◎ 蛇住(す)めば都(みやこ) : '살아 정들면 고향'이라는 의미로, 어디든지 오래 살아 정이 들면 그곳이 좋은 곳으로 여겨지는 것을 이르는 말.

◎ 蛇相撲(すもう)に負(ま)けて妻(つま)の面張(つらは)る : '씨름에 패하고 아내의 얼굴 친다'는 의미로, 노여움을 다른 애매한 곳에 옮겨 화풀이하는 것을 이르는 말.

◎ 蛇寸鉄人(すんてつひと)を刺(さ)す : '한 치의 쇠가 사람을 찌른다'는 의미로, 짧고 간결한 말이나 글귀를 가지고 상대방을 꼼짝도 못 하게 하는 것을 이르는 말.

[せ]

◎ 蛇生(せい)ある者(もの)は必ず死(し)あり : '생명 있는 것은 죽음이 있다'는 의미로, 살아 있는 자는 반드시 망하고야 마는 것을 이르는 말.

◎ 正鵠(せいこく)を失(うしな)わず : '정곡을 잃지 않는다'는 의미로, 사물의 핵심을 파악하는 것을 이르는 말.

◎ 清水(せいすい)に魚(うお)棲(す)まず : '청수에 고기 안 논다'는 의미로, 물이 너무 맑으면 고기도 모이지 않는다는 것으로 인간도 너무 청렴하면 사람이 따르지 않음을 이르는 말.

◎ 清濁(せいだく)併(あわ)せ飲(の)む : '맑음과 흐림을 모두 받아들인다'는 의미로, 좋고 나쁜 것을 가리지 않음을 이르는 말.

◎ 急(せ)いては事(こと)を仕損(しそん)ずる : '서두르면 일을 망친다'는 의미로, 일을 함에 있어서 너무 성급히 하면 성공할 수 없음을 이르는 말.

◎ 盛年(せいねん)重(かさ)ねて来(きた)らず : '젊은 시절은 거듭 오지 않는다'는 의미로, 공부하기 좋은 때는 다시 오지 않으므로

시간을 아껴야 하는 것임을 이르는 말.

◎ 世間(せけん)の口(くち)に戸(と)は立(た)てられぬ : '남의 입에 문을 달 수는 없다'는 의미로, 자기에게 불리한 말을 한다고 남의 입을 봉할 수 없음을 이르는 말.

◎ 世間(せけん)は広(ひろ)いようで狭(せま)い : '세상은 넓은 것 같으면서도 좁다'는 의미로, 뜻하지 않는 곳에서 우연히 옛 친구를 만나게 되는 것을 이르는 말.

◎ 切(せつ)ない時(とき)は茨(いばら)も掴(つか)む : '애절할 때는 가시덤불이라도 잡는다'는 의미로, 사람은 위급할 때를 당하면 가시덤불이라도 붙들려는 심정이 되는 것을 이르는 말.

◎ 背中(せなか)の子(こ)を三年(さんねん)探(さが)す : '등에 업은 아이 삼 년 찾는다'는 의미로, 가까운 데 있는 것을 모르고 다른 데 가서 그것을 찾고 다니는 것을 이르는 말.

◎ 銭(ぜに)ある者(もの)は生(い)き銭(ぜに)なき者(もの)は死(し)す : '돈 있는 사람은 살고 돈 없는 사람은 죽는다'는 의미로, 돈만 있으면 무슨 일이라도 다 할 수 있음을 이르는 말.

◎ 銭(ぜに)あれば木物(きぶつ)も面(つら)を返(かえ)す : '돈만 있으면 돌부처도 돌아본다'는 의미로, 돈을 보면 돌부처라도 얼굴을 돌리게 되는 것을 이르는 말.

◎ 金轡(かなぐつわ)を嵌(は)める : '돈으로 재갈 물린다'는 의미로, 뇌물을 보내 입씻김을 하는 것을 이르는 말.

◎ 銭(ぜに)なき男(おとこ)は帆(ほ)のなき舟(ふね)の如(ごと)し : '돈 없는 사나이는 돛 없는 배와 같다'는 의미로, 사나이는 돈 없이는 활동할 수 없고 어찌할 수 없음을 이르는 말.

◎ 銭(ぜに)持(も)たずの団子(だんご)選(よ)り : '돈 없는 놈이 경단 고르기'라는 의미로, 돈이 없으면 살 수 없고 소용없는 노력을 하여도 할 수 없는 것을 이르는 말.

◎ 背(せ)に腹(はら)はかえられぬ : '등을 배로 바꿀 수는 없다'는 의미로, 중요하지 않은 것을 중요한 것과 바꿀 수 없음을 이르는 말.

◎ 船頭(せんどう)多(おお)くして船山(ふねやま)に登(のぼ)る: '사공이 많으면 배가 산으로 간다'는 의미로, 각자 자기주장만 내세우면 일이 엉뚱한 방향으로 흘러가는 것을 이르는 말.

◎ 善(ぜん)は急(いそ)げ : ‘좋은 일은 서슴지 말고 즉시 행함’을 이르는 말.

◎ 千里(せんり)の道(みち)も一歩(いっぽ)から : ‘천리 길도 한 걸음부터’라는 의미로, 무슨 일이든 시작이 중요함을 이르는 말.

◎ 千丈(せんじょう)の堤(つつみ)も蟻(あり)の一穴(いっけつ)から : ‘천 길 방축도 개미구멍 하나로’라는 의미로, 작은 잘못이 큰 실패를 일으킬 수 없음을 이르는 말.

◎ 先生(せんせい)と呼(よ)んで灰吹(はいふ)き捨(す)てさせる : ‘선생이라 부르면서 재떨이 비우게 한다’는 의미로, 선생님이라 존경하는 체하면서 남이 싫어하는 일을 시키는 등 사람을 부려먹는 것을 이르는 말.

◎ 栴檀(せんだん)は双葉(ふたば)より芳(かんば)し : ‘백단향은 떡잎 때부터 향기롭다’는 의미로, 뛰어난 사람은 어렸을 적부터 뛰어난 데 있음을 이르는 말.

◎ 船頭(せんどう)多(おお)くして船山(ふねやま)に上(のぼ)る : ‘뱃사공이 많으면 배가 산으로 올라간다’는 의미로, 간섭하고 참견하는 사람이 많으면 오히려 일을 그르치는 것을 이르는 말.

◎ 千日(せんにち)の旱魃(かんばつ)に一日(いちにち)の洪水(こうずい) : '천 일의 가뭄에 하루의 홍수'라는 의미로, 천 일의 가뭄과 하루의 홍수의 피해는 마찬가지라는 말로 홍수의 두려움을 이르는 말.

◎ 善(ぜん)は急(いそ)げ : '좋은 일은 서둘러라'라는 의미로, 좋은 일은 생각하면 곧 실행에 옮기는 것이 좋음을 이르는 말.

◎ 善(ぜん)も一生(いっしょう)悪(あく)も一生(いっしょう) : '선도 한평생 악도 한평생'이라는 의미로, 착한 일을 하면서 살거나 악한 일을 하면서 살거나 다 같은 한평생이나 같은 값이면 자기 마음 내키는 대로 사는 것이 좋음을 이르는 말.

◎ 前門(ぜんもん)の虎(とら)、後門(こうもん)の狼(おおかみ) : '앞문에 범을 몰아내고 뒷문의 늑대를 맞이한다'는 의미로, 한 가지 어려움이 지나면 또 다른 어려움이 닥치는 것을 이르는 말.

◎ 千里(せんり)の野(の)に虎(とら)を放(はな)つ : '천리 들판에 호랑이를 풀어놓는다'는 의미로, 화근을 길러서 스스로 걱정거리를 사는 것을 이르는 말.

◎ 千里(せんり)も一里(いちり) : '천리 길도 십리'라는 의미로, 그리운 사람이 있는 곳에 갈 때는 먼 길도 별로 멀다고 느껴지지

않음을 이르는 말.

[そ]

◎ 喪家(そうか)の狗(いぬ) : '초상집 개'라는 의미로, 먹을 것이 없어 이곳저곳 헤매면서 다니는 것을 이르는 말.

◎ 創業(そうぎょう)は易(やす)く守成(しゅせい)は難(かた)し : '업을 일으키기는 쉽고 그것을 지키는 것은 어렵다'는 의미로, 새로운 사업을 일으키는 일에 비하여 그 사업이 쇠퇴하지 않도록 유지하는 일이 더 어려운 것을 이르는 말.

◎ そうは問屋(とんや)が卸(おろ)さぬ : '그렇게는 도매상이 팔아주지 않는다'는 의미로, 자기 뜻대로 잘 되지 않음을 이르는 말.

◎ 総領(そうりょう)の甚六(じんろく) : '맏아이는 멍청이'라는 의미로, 세상 물정에 어두운 사람이나 맏아들을 경멸하는 것을 이르는 말.

◎ 葬式(そうれい)すんで医者話(いしゃばなし) : '장례 끝난 뒤에 의사 논의'라는 의미로, 이미 때가 늦어 소용없게 되었음을 이르는 말.

◎ 即時(そくじ)一杯(いっぱい)の酒(さけ) : '즉시 한 잔 술'이라는 의미로, 죽은 후에 제사 지내는 천 잔의 술보다 생전의 한 잔 술이 더 좋음을 이르는 말.

◎ 俎上(そじょう)の魚(うお) : '도마 위에 오른 고기'라는 의미로, 어찌할 수도 없는 난감한 처지나 운명을 이르는 말.

◎ そっと申(もう)せばぎゃっと申(もう)す : '슬쩍 이야기를 걸면 꽥하고 대답한다'는 의미로, 작은 소리로 이야기를 걸면 어처구니없는 큰 소리로 대답하는 것을 이르는 말.

◎ 袖(そで)から手(て)を出(だ)すのも嫌(いや) : '소매에서 손을 내는 것도 싫다'는 의미로, 매우 인색한 사람을 이르는 말.

◎ 袖(そで)すり合(あ)うも他生(たしょう)の縁(えん) : '소매를 서로 스치는 것도 전생의 인연'이라는 의미로, 어떤 일이든지 모두 깊은 인연이 있어서 생기는 것임을 이르는 말.

◎ 袖(そで)の下(した)に回(まわ)る子(こ)は打(う)たれぬ : '소매 밑을 도는 아이는 맞지 않는다'는 의미로, 도망치려고 하는 아이는 따라가서도 때리지만 매달리는 아이는 귀여워서 꾸짖을 수 없음을 이르는 말.

◎ 袖(そで)の長(なが)いは舞(ま)いが上手(じょうず)に見(み)える : '소매가 길면 춤이 능숙하게 보인다'는 의미로, 무엇이든지 소질과 조건이 풍족한 사람은 순조롭게 성공함을 이르는 말.

◎ 備(そな)えあれば憂(うれし)い無(な)し : '사전 준비가 있으면 걱정이 없다'는 의미로, 미리 이런저런 대비를 해 놓으면 걱정할 일이 없음을 이르는 말.

◎ その一(いち)を知(し)りて、その二(に)を知(し)らず : '하나를 알고 둘을 모른다'는 의미로, 사물의 도리의 일부분만을 이해하고 그 이상의 일이 있는 것을 이해하지 못함을 이르는 말.

◎ その国(くに)に入(い)ればその俗(ぞく)に従(したが)う : '그 나라에 가면 그 풍속을 따른다'는 의미로, 어디를 가나 그 지방의 풍속을 좇아야 함을 이르는 말.

◎ その日(ひ)その日(ひ)の風次第(かぜしだい) : '그날 그날의 바람 부는 대로'라는 의미로, 목적이나 의지 없이 되어 가는 형편에 맡겨 두는 생활 태도를 이르는 말.

◎ そばにある炒(い)り豆(まめ) : '옆에 있는 볶은 콩'이라는 의미로, 모르는 사이에 손이 나오게 되는 것을 이르는 말.

◎ 空(そら)吹(ふ)く風(かぜ)と聞(き)き流(なが)す : '하늘에 부는 바람이라 흘려듣는다'는 의미로, 남의 말을 들어도 자기는 아무런 관계가 없다는 듯이 모른 체 하는 것임을 이르는 말.

◎ 算盤(そろばん)で錠(じょう)が開(あ)く : '주판으로 자물쇠가 열린다'는 의미로, 숫자를 들어서 이야기하면 모든 일이 해결됨을 이르는 말.

◎ 添(そ)わぬ内(うち)が花(はな) : '함께 살지 않는 동안이 꽃'이라는 의미로, 부부가 되면 서로 결점이 눈에 띄고 제멋대로 굴게 되어 연애 중과 같은 즐거움도 없어지게 되는 것임을 이르는 말.

◎ 損(そん)して得(とく)取(と)れ : '손해보고 이익을 얻는다'는 의미로, 한때는 손해를 보더라도 장래의 큰 이익을 꾀하는 것을 이르는 말.

◎ 損(そん)して恥(はじ)かく : '손해보고 창피당한다'는 의미로, 손해를 보는 것만도 분한데 그 위에 창피까지 당하는 등 지독히 혼이 났음을 이르는 말.

[た]

◎ 田歩(たある)くも畦歩(あぜある)くも同(おな)じ : '논을 걸으나 논두렁을 걸으나 마찬가지'라는 의미로, 수단과 방법은 다르지만 목적은 같음을 이르는 말.

◎ 大海(たいかい)の一滴(いってき) : '대해의 한 방울'이라는 의미로, 광대한 곳에 극히 작은 것이 있음을 이르는 말.

◎ 対岸(たいがん)の火事(かじ) : '강 건너 불구경'이라는 의미로, 남의 일처럼 여기는 것을 이르는 말.

◎ 大漁(たいぎょ)は小池(しょうち)に棲(す)まず : '큰 물고기는 작은 못에 살지 않는다'는 의미로, 큰 인물은 대수롭지 않은 위치에서는 열을 내어 일하지 않음을 이르는 말.

◎ 大黒柱(だいこくばしら)を蟻(あり)がせせる : '상기둥을 개미가 갉는다'는 의미로, 무력한 사람이 힘에 겨운 큰 일을 하는 것을 이르는 말.

◎ 大山(たいざん)鳴動(めいどう)して鼠(ねずみ)一匹(いっぴき) : '큰 산이 울려서 쥐새끼 한 마리 나온다'는 의미로, 미리 큰

소리를 쳤으나 그 결과는 아주 보잘 것 없음을 이르는 말.

◎ 大事(だいじ)の前(まえ)の小事(しょうじ) : '큰 일을 앞에 두고는 아무리 작은 사소한 일이라도 소홀히 해서는 안 됨'을 이르는 말.

◎ 高嶺(たかね)の花(はな) : '높은 산의 꽃(그림의 떡)'이라는 의미로, 멀리서 바라만 볼뿐 손에 넣을 수 없음을 이르는 말.

◎ 高(たか)みの見物(けんぶつ) : '강 건너 불구경'이라는 의미로, 제삼자의 입장에서 수수방관하는 것을 이르는 말.

◎ 大事(だいじ)の前(まえ)の小事(しょうじ) : '큰 일 앞의 작은 일'이라는 의미로, 큰 일을 할 때는 작은 일은 돌보지 않음을 이르는 말.

◎ 鯛(たい)の尾(お)より鰯(いわし)の頭(あたま) : '도미 꼬리보다 정어리 대가리'라는 의미로, 작더라도 남의 우두머리가 될지언정 큰 사람의 종자가 되지 말라는 것을 이르는 말.

◎ 大木(たいぼく)の下(した)に小木(しょうぼく)育(そだ)つ : '큰 나무 아래에 작은 나무 자란다'는 의미로, 큰 세력을 가진 사람 주위에는 그 덕을 받는 사람들이 있음을 이르는 말.

◎ 大木(たいぼく)は風(かぜ)に折(お)られる : '큰 나무는 바람에 쓰러진다'는 의미로, 지위 높은 사람은 남에게 미움을 받고 공격을 받기 쉬움을 이르는 말.

◎ 大木(たいぼく)は倒(たお)れても地(ち)に付(つ)かず : '큰 나무는 쓰러져도 땅에 닿지 않는다'는 의미로, 세력 있는 사람이 실패를 하더라도 주위 사람의 도움으로 치명적 타격을 받지 않음을 이르는 말.

◎ 鯛(たい)も比目魚(ひらめ)も食(く)うたものが知(し)る : '도미도 넙치도 먹어본 사람이 안다'는 의미로, 경험이 없는 사람은 물건의 자세한 차이를 알 수 없음을 이르는 말.

◎ 大欲(たいよく)は無欲(むよく)に似(に)たり : '큰 욕심은 욕심이 없는 것과 같다'는 의미로, 욕심이 너무 많으면 그 욕심 때문에 손해를 초래하므로 결국 욕심이 없는 것과 같음을 이르는 말.

◎ 多勢(たぜい)に無勢(ぶぜい) : '적은 수효로 많은 수효를 대적하지 못한다'는 의미로, 승산이 없음을 이르는 말.

◎ 鷹(たか)の無(な)い国(くに)では雀(すずめ)が鷹(たか)をする : '매 없는 나라에서는 참새가 매 노릇한다'는 의미로, 윗사람이 없으면 아랫사람이 그 일을 대신할 수 있음을 이르는 말.

◎ 鷹(たか)は飢(う)えても穂(ほ)を摘(つ)まず : '매는 주려도 이삭을 쪼지 않는다'는 의미로, 정의로운 사람은 아무리 곤궁해도 부정한 재물은 받지 않음을 이르는 말.

◎ 宝(たから)の持(も)ち腐(ぐさ)れ : '보물을 갖고서 썩힘'이라는 의미로, 재능이나 수완이 있으면서 사용하지 않는 것을 이르는 말.

◎ 多言(たげん)は身(み)を害(がい)す : '말 많은 것은 몸을 그르친다'는 의미로, 말이 많으면 해가 되므로 말을 삼가라고 경계하는 것을 이르는 말.

◎ 闘(たたか)う雀人(すずめひと)を恐(おそ)れず : '싸우는 참새는 사람을 겁내지 않는다'는 의미로, 참새와 같이 겁 많고 약한 날짐승도 싸우느라 열을 올릴 때는 위험도 잊고 대담해져서 사람이 가도 도망하지 않음을 이르는 말.

◎ 叩(たた)かれた夜(よる)は寝(ね)やすい : '매를 맞은 밤은 편하게 잘 수 있다'는 의미로, 남에게 해를 입은 사람은 마음이 편하여 잠이 잘 오는 것을 이르는 말.

◎ 立(た)ち寄(よ)らば大樹(たいじゅ)の陰(かげ) : '들어서려면 큰 나무의 그늘'이라는 의미로, 어차피 남의 비호를 구하려면 탄

탄한 사람에게 기대야 함을 이르는 말.

◎ 叩(たた)けば埃(ほこり)が出(で)る : '털어서 먼지 안 나는 사람 없다'는 의미로, 겉은 멀쩡해 보이지만 캐고 들어가면 약점이 나오게 마련임을 이르는 말.

◎ 多々(たた)益々(ますます)弁((べん)ず : '많으면 많을수록 더욱 좋다'는 의미로, 감당할 능력이 있으면 많을수록 좋음을 이르는 말.

◎ ただより高(たか)いものはない : '공짜보다 비싼 것은 없음'을 이르는 말.

◎ 立(た)つ鳥跡(とりあと)を濁(にご)さず : '떠나가는 새는 머물러 있던 곳을 더럽히지 않는다'는 의미로, 물러나는 자는 뒷정리를 깔끔히 하고 떠나야 하는 것을 이르는 말.

◎ 立(た)て板(いた)に水(みず) : '막힘없이 말을 술술 잘하는 것'을 이르는 말.

◎ 棚(たな)から牡丹餅(ぼたもち) : '선반에서 떨어진 떡'이라는 의미로, 뜻밖의 횡재나 뜻밖의 행운을 만나는 것을 이르는 말.

◎ 棚(たな)から落(お)ちた達磨(だるま) : '선반에서 떨어진 오뚝이'라는 의미로, 기세등등하던 사람이 기운을 못 쓰게 되는 것을 이르는 말.

◎ 棚(たな)の牡丹餅(ぼたもち)も取(と)らねば食(く)えぬ : '선반의 팥떡도 집지 않으면 먹을 수 없다'는 의미로, 아무리 쉬운 일이라도 움직여 힘을 들이지 않으면 이익을 얻을 수 없음을 이르는 말.

◎ 他人(たにん)の念仏(ねんぶつ)で極楽(ごくらく)参(まい)り : '남의 염불로 극락 간다'는 의미로, 제 일을 하는데 남의 물건을 쓰고 자기 체면을 세우는 것을 이르는 말.

◎ 他人(たにん)の飯(めし)には骨(ほね)がある : '남의 밥에는 뼈가 있다'는 의미로, 아무리 맛이 좋아도 남의 밥 속에는 매정한 것이 숨어 있는 것을 이르는 말.

◎ 頼(たの)む木(き)の下(した)に雨(あめ)漏(も)る : '믿는 나무 밑에 비가 샌다'는 의미로, 꼭 믿었던 것이 허사가 되어 어찌할 바를 모르는 것을 이르는 말.

◎ 旅(たび)は道連(みちづ)れ世(よ)は情(なさ)け : '여행에는 길동무 세상살이에는 인정'이라는 의미로, 여행할 때는 길동무가

있으면 안심이 되고 세상을 살아가는 데는 인정이 필요함을 이르는 말.

◎ 卵(たまご)に目鼻(めはな) : '달걀에 눈 코'라는 의미로, 새하얀 얼굴이 갸름하고 귀여운 용모를 이르는 말.

◎ 卵(たまご)を見(み)て時夜(じや)を求(もと)む : '달걀을 보고 때알림을 구한다'는 의미로, 너무 빠른 결과를 기대하는 것을 이르는 말.

◎ 卵(たまご)を割(わ)らずには卵(たまご)焼(や)きができぬ : '달걀을 깨지 않고서는 달걀부침을 만들 수 없다'는 의미로, 필요한 일을 하지 않으면 기대하는 결과를 얻을 수 없으며 그런 대로의 대가를 치르는 것도 할 수 없는 일을 이르는 말.

◎ 騙(だま)すに敵(てき)なし : '속임에는 적수 없다'는 의미로, 남의 속임수 아무리 조심해도 막을 수단이 없음을 이르는 말.

◎ 玉磨(たまみが)かざれば光(ひかり)なし : '구슬은 닦지 않으면 광이 안 난다'는 의미로, 좋은 소질과 재능이 있더라도 노력하지 않으면 훌륭하게 되지 않음을 이르는 말.

◎ 黙(だま)り牛(うし)が人(ひと)を突(つ)く : '말없는 소가 사람을 받는다'는 의미로, 잠자코 있는 사람은 뒤에서 무엇을 하고 있는지 모르니 주의해야 함을 이르는 말.

◎ 玉(たま)に瑕(きず) : '옥에 티'라는 의미로, 거의 완전한데 간혹 한 두 개 정도의 작은 결점이 있음을 이르는 말.

◎ 短気(たんき)は損気(そんき) : '성급하면 결국 자기만 손해를 보게 된다'는 의미로, 어떠한 경우에도 성급하게 굴지 말라는 교훈을 이르는 말.

◎ 短気(たんき)は未練(みれん)の元(もと) : '성급한 성품은 미련의 근본'이라는 의미로, 성급히 일을 하면 뒤에 반드시 후회할 일이 생기는 것을 이르는 말.

◎ 短(たん)を捨(す)て長(ちょう)を取(と)る : '단점을 버리고 장점을 취한다'는 의미로, 결점이나 단점을 버리고 장점을 취하는 것을 이르는 말.

[ち]

◎ 小(ちい)さくとも針(はり)は呑(の)まれぬ : '작아도 바늘은 삼킬 수 없다'는 의미로, 작고 사소한 것이라도 무시할 수 없음을 이르는 말.

◎ 知恵(ちえ)と力(ちから)は重荷(おもに)にならぬ : '지혜와 힘은 무거운 짐이 되지 않는다'는 의미로, 지혜와 힘은 많으면 많을수록 더욱 좋고 아무리 많이 있어도 짐이 되지 않고 편리한 것임을 이르는 말.

◎ 知恵(ちえ)は小出(こだ)しにせよ : '지혜는 조금씩 내놓아라'라는 의미로, 지혜는 대번에 다 쏟아 놓으면 곤란한 경우가 생기므로 필요한 만큼만 조금씩 내는 것이 좋음을 이르는 말.

◎ 近(ちか)い所(ところ)の手焙(てあぶ)り : '가까운 곳에 있는 손 쬐는 화로'라는 의미로, 눈앞의 작은 이익을 추구하는 것을 이르는 말.

◎ 地(ち)が傾(かたむ)いて舞(まい)が舞(ま)われぬ : '땅이 기울어져 춤추지 못한다'는 의미로, 자기 기술이 부족한 줄 모르고 도구만 탓하는 것을 이르는 말.

◎ 近道(ちかみち)は遠道(とおみち) : '지름길은 먼 길'이라는 의미로, 급한 때는 위험한 지름길을 가는 것보다 먼 길이라도 안전한 길을 가는 것이 빠름을 이르는 말.

◎ 力(ちから)は貧(ひん)に勝(か)つ : '힘은 가난을 이긴다'는 의미로, 부지런한 노력은 가난을 쫓아버릴 수 없음을 이르는 말.

◎ 血(ち)は水(みず)よりも濃(こ)い : '피는 물보다 진하다'는 의미로, 혈통은 속일 수 없음을 이르는 말.

◎ 血(ち)も涙(なみだ)もない : '피도 눈물도 없다'는 의미로, 인간미가 조금도 없이 냉혹함을 이르는 말.

◎ 茶(ちゃ)も酔(よ)うたふり : '차 마시고 취한 체한다'는 의미로, 알면서도 모르는 체 하는 것을 이르는 말.

◎ 血(ち)で血(ち)を洗(あら)う : '피로서 피를 갚다'는 의미로, 악을 악으로 갚는 것을 이르는 말.

◎ 茶腹(ちゃばら)も一時(いっとき) : '차 마신 배도 한때'라는 의미로, 차를 마셔도 잠깐 동안의 공복은 참을 수 있듯이 아무리 하찮은 것이라도 잠시 도움이 되는 것을 이르는 말.

◎ 忠言(ちゅうげん)耳(みみ)に逆(さか)らう : '충언은 귀에 거슬린다'는 의미로, 충고해주는 말은 귀에 거슬리나 행하면 이롭다 함이니 제게 이로운 말일수록 듣기 싫어함을 이르는 말.

◎ 朝三暮四(ちょうさんぼし) : '조삼모사', 그럴듯한 말로 남을 속이는 것을 이르는 말.

◎ 長者(ちょうじゃ)に子無(こな)し : '부자에게 아들 없다'는 의미로, 가난한 집에는 자식이 많으나 부잣집에는 가독을 상속할 아들이 없다는 예가 적지 않음을 이르는 말.

◎ 長所(ちょうしょ)は短所(たんしょ) : '장점은 단점'이라는 의미로, 장점에만 의지하면 도리어 실패하기 쉬우므로 어느 모로 보면 장점은 동시에 단점이기도 한 것을 이르는 말.

◎ 蝶(ちょう)よ花(はな)よ : '나비야 꽃이야'라는 의미로, 자기 자식(특히 딸)을 금이야 옥이야 하고 기르는 것을 이르는 말.

◎ 直木(ちょくぼく)先(ま)ず伐(き)らる : '곧은 나무가 먼저 베인다'는 의미로, 사람도 재능 있는 사람은 도리어 화를 입게 되는 것을 이르는 말.

◎ 塵(ちり)も積(つ)もれば山(やま)となる : '티끌도 쌓이면 산이 된다'는 의미로, 아무리 작은 것이라도 모이면 큰 것이 될 수 있음을 이르는 말.

◎ 珍客(ちんきゃく)も長座(ちょうざ)に過(す)ぎれば厭(いと)われる : '빈객도 오래 있으면 싫어진다'는 의미로, 남의 집을 방문하여 오래 있는 것은 좋지 않음을 이르는 말.

[つ]

◎ 朔日毎(ついたちごと)に餅(もち)は食(く)えぬ : '초하루마다 떡 먹을 수는 없다'는 의미로, 세상에는 좋은 일이나 경사스러운 일이 날마다 있는 것이 아님을 이르는 말.

◎ 杖(つえ)の下(した)に回(まわ)る犬(いぬ)は打(う)てぬ : '지팡이 밑에 맴도는 개는 때릴 수 없다'는 의미로, 따르는 사람에게 욕을 하거나 박대할 수 없음을 이르는 말.

◎ 使(つか)うものは使(つか)われる : '부리는 사람은 부림을 당한다'는 의미로, 남을 부리는 것은 몹시 어려운 일임을 이르는 말.

◎ 使(つか)っている鍬(くわ)は光(ひか)る : '쓰고 있는 괭이는 빛난다'는 의미로, 사람도 쉬지 않고 부지런히 일할 때가 제일 활기 있고 아름답게 보이는 것임을 이르는 말.

◎ 月(つき)が暈(かさ)をかぶると雨(あめ) : '달무리 지면 비가 온다'는 의미로, 날씨에 관한 속설임을 이르는 말.

◎ 月(つき)とすっぽん : '하늘과 땅 사이 만큼의 큰 차이'라는 의미로, 두 물건의 차이가 비교가 안 될 정도로 큰 것을 이르는 말.

◎ 月(つき)に叢雲(むらくも)、花(はな)に風(かぜ) : '달구경하는데 구름이 몰려와 달을 감추고, 꽃구경 가는데 바람이 불어 벚꽃을 떨어뜨린다'는 의미로, 좋은 일에는 항상 방해가 따르기 마련임을 이르는 말.

◎ 月夜(つきよ)に釜(かま)をぬかれる : '달밤에 밥솥을 도둑맞는다'는 의미로, 지나치게 방심하는 것을 이르는 말.

◎ 月夜半分闇夜半分(つきよはんぶんやみよはんぶん) : '달밤 반이고 깜깜한 밤 반이다'라는 의미로, 좋은 일이나 나쁜 일만 계속되지 않음을 이르는 말.

◎ 月夜(つきよ)に提灯(ちょうちん) : '달밤의 등불'이라는 의미로, 소용없는 일을 이르는 말.

◎ 付(つ)け焼(や)き刃(ば)はなまり易(やす)い : '붙인 칼날은 무뎌지기 쉽다'는 의미로, 임시변통으로 하는 것은 금방 그 본색이 드러나는 것을 이르는 말.

◎ 槌(つち)で大地(だいち)を叩(たた)く : '망치로 땅을 친다'는 의미로, 절대로 실수하는 일이 없음을 이르는 말.

◎ 土仏(つちぼとけ)の水(みず)遊(あそ)び : '흙으로 만든 부처의 물장난'이라는 의미로, 위험한 지경에 놓여 있는 것을 모르고 스스로 자멸을 초래하는 것을 이르는 말.

◎ 槌(つち)より柄(え)が太(ふと)い : '망치의 쇠보다 자루가 더 굵다'는 의미로, 본체보다 부속된 것이 더 커서 균형이 맞지 않음을 이르는 말.

◎ 角(つの)は直(なお)って牛(うし)が死(し)んだ : '뿔은 바르게 되었지만 소가 죽었다'는 의미로, 조그만 일을 하다가 큰 일에 낭패를 보는 것을 이르는 말.

◎ 角(つの)を矯(た)めて牛(うし)を殺(ころ)す : '뿔을 고치려다 소를 죽인다'는 의미로, 결점을 고치려고 하다가 그 수단이 지나쳐서 전체를 못쓰게 만드는 것을 이르는 말.

◎ 爪(つめ)に火(ひ)をともす : '손톱에 불을 켠다'는 의미로, 초 대신 손톱에 불을 켤 정도로 매우 인색한 것을 이르는 말.

◎ 爪(つめ)の垢(あか)を煎(せん)じて飲(の)む : '손톱의 때를 달여 마신다'는 의미로, 우수한 사람의 감화를 받아 닮도록 하는 것을 이르는 말.

◎ 爪(つめ)も立(た)たぬ : '발톱도 못 선다'는 의미로, 극히 협소한 땅을 이르는 말.

◎ 面(つら)の皮(かわ)の千枚張(せんまいばり) : '낯가죽을 천 장 쌓아 올린 철면피'라는 의미로, 창피하거나 무례한 줄을 모르는 뻔뻔스러움을 이르는 말.

◎ 釣(つ)り合(あ)わぬは不縁(ふえん)の基(もと) : '어울리지 않는 것은 불연의 원인'이라는 의미로, 양가의 신분이 어울리지 않는 결혼은 이혼 혹은 불화 등의 원인이 될 수 있음을 이르는 말.

◎ 釣(つ)り落(おと)した魚(さかな)は大(おお)きい : '놓친 고기가 더 크다'는 의미로, 손에 거의 넣게 되었다가 놓치게 된 것은 더욱 아까운 것으로 얻은 것보다 훨씬 크고 좋게 여겨지는 것을 이르는 말.

◎ 弦(つる)なき弓(ゆみ)に羽抜(はぬ)け鳥(どり) : '활시위 없는 활과 털 빠진 새'라는 의미로, 어찌할 수 없고 쓸모가 없는 것을 이르는 말.

◎ 鶴(つる)は千年(せんねん)、亀(かめ)は万年(まんねん) : '학은 천년, 거북은 만년'이라는 의미로, 장수를 축하하는 것을 이르는 말.

◎ 弦(つる)を放(はな)れた矢(や) : '활시위를 떠난 화살'이라는 의미로, 다시는 되돌아올 수 없음을 이르는 말.

◎ 鶴(つる)の一声(ひとこえ) : '학의 한마디 울음 소리'라는 의미로, 모든 사람의 논쟁이나 의견을 억누르는 권력자의 한마디를 이르는 말.

◎ 聾(つんぼ)の立(た)ち聞(ぎ)き : '귀머거리의 엿들음'이라는 의미로, 귀머거리가 멈춰 서서 들어도 이치를 깨닫지 못한다는 뜻에서 말귀를 못 알아듣거나 헛된 일을 이르는 말.

[て]

◎ 手足(てあし)が棒(ぼう)になる : '손발이 막대기처럼 뻣뻣해진다'는 의미로, 손발의 피로가 매우 심한 것을 이르는 말.

◎ 亭主三杯(ていしゅさんばい)、客一杯(きゃくいっぱい) : '주인 석 잔 손님 한 잔'이라는 의미로, 주인이 손님을 대접할 때 손님보다 술을 많이 마시는 것을 이르는 말.

◎ 亭主(ていしゅ)と箸(はし)は強(つよ)いがよい : '남편과 젓가락은 튼튼한 것이 좋다'는 의미로, 남편의 약한 것은 참을 수 없음을 이르는 말.

◎ 貞女(ていじょ)は両夫(りょうふ)に見(まみ)えず : '정숙한 여자는 두 남편을 섬기지 않는다'는 의미로, 정숙한 여자는 남편이 돌아가면 아내로서의 절조를 지키고 재혼하지 않음을 이르는 말.

◎ 泥中(でいちゅう)の蓮(はす) : '진흙 속에 핀 연꽃'이라는 의미로, 더러운 환경 속에서도 악에 물들지 않고 순결을 잃지 않는 것을 이르는 말.

◎ 梃子(てこ)でも動(うご)かぬ : '지레를 써도 움직이지 않는다'는 의미로, 어떠한 수단을 써도 움직이지 않음(까딱없음)을 이르는 말.

◎ 手塩(てしお)に掛(か)ける : '손수 돌보아서 기른다'는 의미로, 사랑하고 아끼며 양육하는 것을 이르는 말.

◎ 手品(てじな)するにも種(たね)が要(い)る : '요술 부릴 적에도 수가 필요하다'는 의미로, 무엇을 하려면 궁리와 노력이 필요함을 이르는 말.

◎ 鉄(てつ)は熱(あつ)いうちに打(う)て : '쇠는 뜨거울 때 쳐라'라는 의미로, 무슨 일이든 열이 식기 전에 해치워야 하는 것을 이르는 말.

◎ 手(て)の裏(うら)を反(かえ)すよう : '손바닥을 뒤집듯'이라는 의미로, 손쉽게 변하는 것을 이르는 말.

◎ 手(て)の舞(ま)い足(あし)の踏(ふ)む所(ところ)を知(し)らず : '손이 어떻게 춤추고 있는지 발이 어디를 디디고 있는지 모른다'는 의미로, 매우 기뻐서 어쩔 줄 모르는 것을 이르는 말.

◎ 出船(でぶね)に船頭(せんどう)待(ま)たず : '배가 떠날 때에는 사공을 기다리지 않는다'는 의미로, 일단 시작하면 잠시 동안이라도 기다릴 것이 없음을 이르는 말.

◎ 手(て)も足(あし)も付(つ)けられない : '손도 발도 댈 수 없다'는 의미로, 너무나 일이 복잡하게 얽혀서 어디서부터 손을 대야 좋을지 모르는 것을 이르는 말.

◎ 手(て)も足(あし)もない : '손도 발도 없다'는 의미로, 전혀 돈이 없는 빈털터리를 이르는 말.

◎ 出物(でもの)腫物(はれもの)所(ところ)嫌(きら)わず : '방귀나 부스럼은 장소를 가리지 않는다'는 의미로, 방귀나 종기는 일정한 장소 없이 어디서든지 나오는 것을 이르는 말.

◎ 敵(てき)は本能寺(ほんのうじ)にあり : '어떠한 행동을 일으킬 때 그 행동의 진짜 목적은 다른데 있다'는 의미로, 사람들의 눈을 속여 다른 목적을 노리는 것을 이르는 말.

◎ 鉄(てつ)は熱(あつ)いうちに打(う)て : '쇠는 달았을 때 두들겨라'라는 의미로, 좋은 시기를 놓치지 말고 실행하는 것을 이르는 말.

◎ 寺(てら)から出(で)れば坊主(ぼうず) : '절에서 나오면 중'이라는 의미로, 대충 그렇게 여겨져도 할 수 없음을 이르는 말.

◎ 寺(てら)に勝(か)った太鼓(たいこ) : '절에 어울리지 않는 북'이라는 의미로, 가난한 집에 우연히 어울리지 않는 좋은 물건이 있음을 이르는 말.

◎ 寺(てら)の隣(となり)に鬼(おに)が棲(す)む : '절 곁에 귀신이 산다'는 의미로, 사람은 가지각색임을 이르는 말.

◎ 出(で)る杭(くい)は打(う)たれる : '튀어나온 말뚝이 얻어맞는다'는 의미로, 재능이 뛰어나게 우수하면 자칫 다른 사람에게 미움을 받는 것을 이르는 말.

◎ 手(て)を広(ひろ)げて待(ま)っている : '손을 벌리고 기다린다'는 의미로, 남을 기다리는 자세를 취하는 것을 이르는 말.

◎ 天(てん)から降(ふ)った災難(さいなん) : '하늘에서 떨어진 재난'이라는 의미로, 뜻밖에 사나운 운수가 닥쳤음을 이르는 말.

◎ 天(てん)に二日(にじつ)無(な)し : '하늘에 두 해가 없다'는 의미로, 한 나라에는 두 사람의 임금이 있을 수 없음을 이르는 말.

◎ 天(てん)に向(む)かって唾(つば)を吐(は)く : ‘하늘을 향해 침을 뱉다’라는 의미로, 남을 해치려고 하다가 도리어 자기가 해를 입게 된다는 것을 이르는 말.

◎ 天高(てんたか)く馬肥(うまこ)ゆる秋(あき) : ‘하늘은 높고 말이 살찐다’는 의미로, 오곡백과가 무르익는 가을이 매우 좋은 계절임을 이르는 말.

◎ 天(てん)は自(みずか)ら助(たす)くる者(もの)を助(たす)く : ‘하늘은 스스로 돕는 자를 도움’을 이르는 말.

[と]

◎ 東西(とうざい)南北(なんぼく)の人(ひと) : ‘동서남북의 사람’이라는 의미로, 일정한 주소가 없이 각지를 유랑하는 사람을 이르는 말.

◎ 灯心(とうしん)で鐘(かね)を撞(つ)く : ‘심지로 종을 친다’는 의미로, 하려고 해도 도저히 불가능한 것을 이르는 말.

◎ 同舟(どうしゅう)相救(あいすく)う : ‘같은 배를 타면 서로 돕는다’는 의미로, 평소 사이가 나쁜 사람들이라도 위급한 경우에

는 서로 돕게 되는 것을 이르는 말.

◎ 灯台下暗(とうだいもとくら)し : '등잔 밑이 어둡다'는 의미로, 자신의 신변 혹은 가까운 주변 일은 의외로 알기 어려움을 이르는 말.

◎ 同病(どうびょう)相憐(あいあわ)れむ : '같은 병으로 고생하는 사람은 서로를 아끼고 돌본다'는 의미로, 어려운 처지에 있는 사람끼리 서로 가엾게 여기는 것을 이르는 말.

◎ 豆腐(とうふ)に鎹(かすがい) : '두부에 꺾쇠를 박아도 아무런 효과가 없다'는 의미로, 어떠한 일에 대한 효과가 없는 것을 이르는 말.

◎ 豆腐(とうふ)で歯(は)をいためる : '두부로 이를 다친다'는 의미로, 방심하다 뜻밖에 큰 실책을 하였음을 이르는 말.

◎ 道理(どうり)に向(む)かう刃(やいば)なし : '도리에 당해낼 칼날은 없다'는 의미로, 아무리 무법한 사람이라도 도리에는 이길 수 없음을 이르는 말.

◎ 遠(とお)くの親類(しんるい)より近(ちか)くの他人(たにん) : '먼 친척보다 가까운 남'이라는 의미로, 멀리 있는 친척보다 가까

이 있는 이웃이 오히려 도움이 됨을 이르는 말.

◎ 時(とき)の花(はな)を挿頭(かざし)にせよ : '제철에 피는 꽃을 머리에 꽂아라'라는 의미로, 그때그때의 유행이나 권세를 따르는 것이 순리이고 거역하는 것은 손해임을 이르는 말.

◎ 時(とき)は金(かね)なり : '시간은 돈이다'라는 의미로, 시간은 돈과 같이 소중한 것이므로 헛되이 보내서는 안 됨을 이르는 말.

◎ 毒(どく)にも薬(くすり)にもならぬ : '해(害)도 이(利)도 되지 않는다'는 의미로, 이롭지도 해롭지도 않음(아무 쓸모없음)을 이르는 말.

◎ 毒(どく)を以(もっ)て毒(どく)を制(せい)す : '독은 독으로써 누르다'는 의미로, 악인을 누르는 데는 악인을 쓰는 것을 이르는 말.

◎ 毒(どく)を食(く)わば皿(さら)まで : '독약을 마실 바에는 접시까지 핥는다'는 의미로, 어차피 여기까지 왔다면 끝까지 밀어붙이는 것을 이르는 말.

◎ 所(ところ)変(か)われば品(しな)変(か)わる : '고장이 바뀌면 물도 달라진다'는 의미로, 고장이 달라지면 풍속, 관습, 언어 등도 달라지는 것을 이르는 말.

◎ 年(とし)こそ薬(くすり)なれ : '나이야말로 약이다'는 의미로, 인간은 나이가 들수록 침착해서 쓸모가 있음을 이르는 말.

◎ 年(とし)には勝(か)てぬ : '나이와 세월은 이길 수 없다'는 의미로, 나이는 속일 수 없음을 이르는 말.

◎ 年(とし)とれば金(かね)より子(こ) : '나이를 먹으면 돈보다 자식'이라는 의미로, 나이가 많아지고 노년기에 들어서면 돈보다 자식을 의지하게 되는 것을 이르는 말.

◎ 年(とし)は寄(よ)れども心(こころ)は寄(よ)らぬ : '나이는 먹었으나 마음은 여전하다'는 의미로, 늙어서 몸은 약해졌으나 마음만은 쇠해지지 않음을 이르는 말.

◎ 屠所(としょ)の羊(ひつじ) : '도살장의 양'이라는 의미로, 도살장에 끌려가는 양, 곧 죽음이 눈앞에 닥쳐옴을 이르는 말.

◎ 年寄(としよ)りの命(いのち)と春(はる)の雪(ゆき) : '늙은이의 목숨과 봄눈'이라는 의미로, 멀지 않아 사라지는 덧없는 앞날을

이르는 말.

◎ 年寄(としよ)れば欲深(よくふか)し : '늙으면 욕심이 많다'는 의미로, 늙은이가 되면 뻔뻔스럽고 욕심쟁이가 됨을 이르는 말.

◎ 年寄(としよ)りの冷(ひ)や水(みず) : '노인의 무모하거나 위험한 행동이나 행위를 비웃음'을 이르는 말.

◎ 隣(となり)の花(はな)は赤(あか)い : '남의 떡이 맛있어 보인다'는 의미로, 내 것보다 항상 남의 것이 더 좋아 보임을 이르는 말.

◎ 隣(となり)の糂汰味噌(じんだみそ) : '옆집의 진다미소(쌀겨된장)'이라는 의미로, 남의 것은 뭐든 다 좋아 보이는 것을 이르는 말.

◎ 隣(となり)の芝生(しばふ)は青(あお)い : '옆집 잔디는 푸르다'라는 의미로, 우리 집 잔디보다 옆집 잔디가 더 푸르고 멋지게 보이는 것을 이르는 말.

◎ 隣(となり)で倉(くら)が建(た)てばこちらで腹(はら)が立(た)つ : '이웃에 곳간이 지어지면 이쪽에서 화가 난다'는 의미로, 남의 부귀를 질투하는 사람의 마음은 특히 이웃 사람에 대해서는

더 심한 것을 이르는 말.

◎ 隣(となり)の花(はな)は赤(あか)い : '이웃집의 꽃은 붉다'는 의미로, 남이 가진 것은 더 좋아 보여서 그것마저 가지고 싶은 욕심이 생기는 것을 이르는 말.

◎ 隣(となり)の飯(めし)はうまい : '이웃집 밥은 맛이 있다'는 의미로, 남의 물건은 내 것보다 좋아 보임을 이르는 말.

◎ 鳶(とび)が鷹(たか)を生(う)む : '소리개가 매를 낳다'는 의미로, 평범한 부모에게서 뛰어난 자식이 생김을 이르는 말.

◎ 鳶(とび)に油揚(あうらあ)げをさらわれる : '솔개에게 유부를 빼앗긴다'는 의미로, 뜻밖의 손실로 인해 실망하고 어리둥절해하는 것을 이르는 말.

◎ 飛(と)ぶ鳥(とり)の献立(こんだて) : '나는 새의 식단'이라는 의미로, 너무 빨리 서두르는 것을 이르는 말.

◎ 虎(とら)の尾(お)を踏(ふ)む : '호랑이 꼬리를 밟는다'는 의미로, 극히 위험한 짓을 하는 것을 이르는 말.

◎ 虎(とら)は子(こ)を思(おも)うて千里(せんり)を帰(かえ)る : '범은 새끼를 생각하고 천리 길을 돌아온다'는 의미로, 범도 제 새끼를 귀여워하는 것을 이르는 말.

◎ 泥棒(どろぼう)を捕(と)らえて縄(なわ)を綯(な)う : '도둑을 보고 새끼를 꼰다'는 의미로, 평소 준비하고 있지 않다가 다급하게 된 마당에야 서두르는 것을 이르는 말.

◎ 飛(と)ぶ鳥(とり)を落(お)とす : '나는 새도 떨어뜨린다'는 의미로, 나는 새로 떨어뜨릴 정도로 그 위세나 권세가 대단함을 이르는 말.

◎ 虎(とら)の威(い)を借(か)る狐(きつね) : '여유가 호랑이의 위세를 빌어 다른 짐승을 놀라게 한다'는 의미로, 남의 권세를 빌어 위세를 부림을 이르는 말.

◎ 団栗(どんぐり)の背比(せくら)べ : '도토리 키재기'라는 의미로, 눈에 띄는 것 없이 비슷비슷하여 모두 대단치 않음을 이르는 말.

◎ 飛(と)んで火(ひ)に入(い)る夏(なつ)の虫(むし) : '날아서 불에 뛰어드는 여름의 벌레'라는 의미로, 스스로 재앙에 뛰어들어 일신을 망치는 것을 이르는 말.

[な]

◎ 無(な)い袖(そで)は振(ふ)れない : '없는 소매는 흔들 수 없다'는 의미로, 실제로 없는 것은 어찌할 수 없음을 이르는 말.

◎ 無(な)いもの食(く)おうが人(ひと)の癖(くせ) : '없는 것을 먹으려는 것이 사람의 버릇'이라는 의미로, 없는 것이나 적은 것을 먹으려고 하는 것이 인정임을 이르는 말.

◎ 泣(な)いて馬謖(ばしょく)を斬(き)る : '울면서 마속을 벤다'는 의미로, 커다란 목적을 위해서는 아끼는 사람을 가차 없이 버리는 것을 이르는 말.

◎ 長居(ながい)すると火水(ひみず)に会(あ)う : '밑질이면 불과 물을 만난다'는 의미로, 남의 집에 오래 있으면 좋지 않은 일이 생기는 것을 이르는 말.

◎ 長芋(ながいも)で足(あし)を突(つ)く : '참마로 발 찌른다'는 의미로, 방심하다가 뜻밖에 실패함을 이르는 말.

◎ 長(なが)い物(もの)には巻(ま)かれろ : '긴 것에는 말리어라'라는 의미로, 권력자에게는 대항하지 말고 조용히 따르는 것이

상책임을 이르는 말.

◎ 泣(な)かぬ子(こ)を泣(な)かす : '울지 않는 아이를 울린다'는 의미로, 쓸데없는 간섭을 하여 사건을 일으키는 것을 이르는 말.

◎ 流川(ながれかわ)を棒(ぼう)で打(う)つ : '흐르는 강물을 몽둥이로 친다'는 의미로, 아무리 하여도 한 흔적도 없고 효과도 없는 경우를 이르는 말.

◎ 流(なが)れる水(みず)は腐(くさ)らず : '흐르는 물은 썩지 않는다'는 의미로, 항상 활동하고 있으면 정체의 염려가 없음을 이르는 말.

◎ 泣(な)く子(こ)に唐辛子(とうがらし) : '우는 아이에게 고추'라는 의미로, 효과가 당장 나타나는 것을 이르는 말.

◎ 泣(な)く子(こ)は育(そだ)つ : '우는 아이는 자란다'는 의미로, 잘 우는 아이는 몸도 건강하여 잘 자라는 것을 이르는 말.

◎ 泣(な)くほど留(と)めても帰(かえ)れば喜(よろこ)ぶ : '울며 만류하다가 돌아가면 기뻐한다'는 의미로, 겉으로 만류하면서 속으로는 가기를 원하는 것을 이르는 말.

◎ 泣(な)き面(つら)に蜂(はち) : '우는 얼굴에 벌침'이라는 의미로, 불운과 불행이 겹치며 일어나는 것(설상가상)을 이르는 말.

◎ 情(なさ)けは人(ひと)の為(ため)ならず : '인정은 남을 위한 것만이 아니다'라는 의미로, 타인에게 친절을 베풀면 반드시 보답으로 돌아오는 것을 이르는 말.

◎ 夏(なつ)歌(うた)う者(もの)は冬(ふゆ)泣(な)く : '여름에 노래 부르는 사람은 겨울에 운다'는 의미로, 일할 수 있을 때 놀면 뒤에는 곤란을 당하게 되는 것을 이르는 말.

◎ 夏(なつ)の小袖(こそで) : '여름의 솜옷'이라는 의미로, 때가 지나 소용없는 것임을 이르는 말.

◎ 夏(なつ)の火(ひ)は嫁(よめ)に焚(た)かせろ : '여름철의 불은 며느리에게 때게 하라'라는 의미로, 싫은 것은 며느리에게 시키고 좋은 것은 딸에게 시키는 것을 이르는 말.

◎ 夏(なつ)の虫(むし)雪(ゆき)を知(し)らず : '여름의 벌레 눈을 모른다'는 의미로, 견문이 좋은 사람을 비웃는 말.

◎ 夏(なつ)は鰹(かつお)に冬鮪(ふゆまぐろ) : '여름은 가다랑어 겨울은 다랑어'라는 의미로, 가다랑어는 여름, 다랑어는 겨울이

되면 맛이 있음을 이르는 말.

◎ 七(なな)転(ころ)び八起(やお)き : ‘일곱 번 넘어져서 여덟 번 일어난다’는 의미로, 몇 번 실패해도 굴복하지 않고 일어서서 끝까지 분투하는 것을 이르는 말.

◎ 名(な)の無(な)い星(ほし)は宵(よい)から出(で)る : ‘이름 없는 별은 초저녁부터 나타난다’는 의미로, 처음부터 나오는 것에는 좋은 물건이 없음을 이르는 말.

◎ なまくらの大荷物(おおにもつ) : ‘게으름뱅이 큰 짐 진다’는 의미로, 게으름뱅이가 힘에 겨운 일을 계획하는 것을 이르는 말.

◎ 生兵法(なまびょうほう)は知(し)らぬに劣(おと)る : ‘어설픈 병법은 모르는 것만 못하다’는 의미로, 어중간한 지식을 가지고 있는 사람은 그것으로 도리어 실패하는 경우가 있음을 이르는 말.

◎ なめくじにも角(つの)がある : ‘괄태충에도 뿔이 있다’는 의미로, 아무리 작고 미약한 것이라도 그 나름대로의 위엄을 과시하는 것을 가지고 있음을 이르는 말.

◎ 生(な)る木(き)は花(はな)から違(ちが)う : ‘열리는 나무는 꽃부터 다르다’는 의미로, 훌륭한 사람은 소년 시대부터 보통 사람

과는 다른 점이 있음을 이르는 말.

◎ 何(なん)の風(かぜ)が吹(ふ)いて御出(おい)でなされた : '무슨 바람이 불어서 찾아왔나'라는 의미로, 뜻밖에 나타난 것을 놀라워함을 이르는 말.

◎ 名(な)を取(と)るより実(じつ)を取(と)れ : '외관보다는 내용을 중시함'을 이르는 말.

[に]

◎ 似合(にあ)う夫婦(ふうふ)の鍋(なべ)の蓋(ふた) : '어울리는 부부의 냄비 뚜껑'이라는 의미로, 성질이나 취미가 비슷한 사람끼리 부부가 되는 것을 이르는 말.

◎ 煮(に)え湯(ゆ)を飲(の)まされる : '끓는 물을 마시게 한다'는 의미로, 믿는 사람에게 배반당하여 호되게 당하는 것을 이르는 말.

◎ 二階(にかい)から目薬(めぐすり) : '이층에서 안약 넣기'라는 의미로, 마음대로 되지 않거나 효과가 적은 것을 이르는 말.

◎ 苦(にが)いも甘(あま)いも知(し)りぬく : '쓴 것 단 것 속속들

이 잘 안다'는 의미로, 세상 물정에 밝은 노련한 사람을 이르는 말.

◎ 逃(に)がしたものに小(ちい)さいものなし : '놓친 것 중에 작은 것 없다'는 의미로, 놓친 것은 무엇이든지 좋게만 보이는 것을 이르는 말.

◎ 逃(に)がした魚(さかな)は大(おお)きい : '놓친 물고기는 커 보인다'는 의미로, 놓친 것은 무엇이나 크고 좋아 보이게 마련임을 이르는 말.

◎ 二月(にがつ)は逃(に)げて走(はし)る : '이월은 도망치듯 달려간다'는 의미로, 이월은 일수도 적으니 매우 빨리 지나가는 느낌이 있는 것을 이르는 말.

◎ 握(にぎ)れば拳(こぶし)開(ひら)けば掌(てのひら) : '쥐면 주먹 펴면 손바닥'이라는 의미로, 마음가짐에 따라 같은 물건이 그 성격을 달리하게 되는 것을 이르는 말.

◎ 憎(にく)い鷹(たか)には餌(え)を飼(か)え : '미운 매에게는 모이를 주어라'라는 의미로, 대항할 사람에게는 이익을 주고 길들이는 것이 상책임을 이르는 말.

◎ 憎(にく)まれっ子世(こよ)にはばかる : '미움받는 사람이 세상

에서 활개 친다'는 의미로, 남의 증오를 받는 그런 사람이 오히려 세상에서 성공해서 세력을 떨치거나 거만한 체하는 것을 이르는 말.

◎ 西風(にしかぜ)と夫婦(ふうふ)喧嘩(けんか)は夕限(ゆうかぎ)り : '서풍과 부부싸움은 저녁까지'라는 의미로, 부부 싸움은 저녁이 되면 저절로 화해되는 것임을 이르는 말.

◎ 錦(にしき)で木端(こっぱ)を包(つつ)む : '비단으로 지저깨비를 싼다'는 의미로, 겉보기보다 속이 보잘것없음을 이르는 말.

◎ 西(にし)と言(い)うたら東(ひがし)を悟(さと)れ : '서라고 하면 동이라고 깨달아라'라는 의미로, 사람의 말에는 겉과 속이 있으니 곧이듣지 말고 본심을 알아차릴 필요가 있음을 이르는 말.

◎ 西(にし)も東(ひがし)も分(わ)からぬ : '동서도 분간 못한다'는 의미로, 아무것도 모르는 것을 이르는 말.

◎ 二束三文(にそくさんもん) : '두 다발에 서푼'이라는 의미로, 그만큼 싼 물건(싸구려)을 이르는 말.

◎ 似(に)た者(もの)夫婦(ふうふ) : '부부는 서로 성격이나 취미

등이 닮는다'는 의미로, 성격이나 취미가 비슷한 사람끼리 부부가 되는 것을 이르는 말.

◎ 似(に)た者(もの)同士(どうし) : '닮은 이들은 동지'라는 의미로, 서로 닮은 사람들끼리 모여 있는 모습을 이르는 말.

◎ 煮(に)ても焼(や)いても食(く)えぬ : '삶아도 구워도 못 먹는다'는 의미로, 제 힘으로는 어찌할 수 없음을 이르는 말.

◎ 二度(にど)あることは三度(さんど)ある : '두 번 있는 일은 세 번 일어나는 법'이라는 의미로, 두 번 같은 일이 일어나면 다시 한 번 되풀이되는 것을 이르는 말.

◎ 二度(にど)まではだます人(ひと)が悪(わる)い : '두 번까지는 속이는 사람이 나쁘다'는 의미로, 자주 속임을 받으면 그것은 속이는 사람에게만 죄가 있는 것이 아님을 이르는 말.

◎ 二兎(にと)を追(お)う者(もの)は一兎(いっと)をも得(え)ず : '동시에 두 마리 토끼를 쫓는 자는 한 마리 토끼도 잡지 못한다'는 의미로, 서로 다른 두 가지 일을 동시에 하려고 욕심을 내면 어느 쪽도 제대로 할 수 없음을 이르는 말.

◎ 女房(にょうぼう)と米(こめ)の飯(めし)には飽(あ)かぬ : '아내

와 쌀밥에는 싫증 나지 않는다'는 의미로, 아내는 쌀밥과 같은 것인데 특히 좋다고는 여겨지지 않으나 또 싫증이 나지 않음을 이르는 말.

◎ 女房(にょうぼう)と畳(たたみ)は新(あたら)しい方(ほう)がいい : '마누라와 다다미는 새로울수록 좋다'는 의미로, 신혼 초기의 마누라가 보다 사랑스럽듯이 다다미도 새로운 것이 기분 좋음을 이르는 말.

◎ 女房(にょうぼう)の悪(わる)いは六十年(ろくじゅうねん)の不作(ふさく) : '아내 나쁜 것은 육십 년의 흉작'이라는 의미로, 아내를 잘못 맞으면 일생의 불운임을 이르는 말.

◎ 女房(にょうぼう)は家(いえ)の大黒柱(だいこくばしら) : '아내는 집의 상기둥'이라는 의미로, 아내는 한 집안의 중심인물임을 이르는 말.

◎ 俄(にわ)か長者(ちょうじゃ)は俄(にわ)か乞食(こじおき) : '벼락부자는 벼락 거지'라는 의미로, 갑작스럽게 큰돈을 벌고 벼락부자가 된 사람은 또 큰 손해를 보고 다시 이전의 가난한 살림이 되는 것을 이르는 말.

◎ 鶏(にわとり)は跣足(はだし) : '닭은 맨발'이라는 의미로, 누

구나 충분히 알고 있는 것을 이르는 말.

◎ 人間一生二万日(にんげんいっしょうにまんにち) : '인간 일생 이만 일'이라는 의미로, 인간의 수명은 겨우 오십 년이라 하니 이것을 일수로 말하면 이만 일 밖에 안 되는 것을 이르는 말.

◎ 人間(にんげん)は病(やまい)の器(うつわ) : '인간의 병의 그릇'이라는 의미로, 인간은 병에 걸리기 쉬움을 이르는 말.

◎ 人間万事(にんげんばんじ)金(かね)の世(よ)の中(なか) : '인간 만사 돈의 세상'이라는 의미로, 이 세상의 모든 것은 돈의 힘으로 해결할 수 있음을 이르는 말.

◎ 人参(にんじん)で行水(ぎょうずい) : '인삼 삶은 물로 미역감기'라는 의미로, 인삼을 물을 뒤집어쓰듯 많이 마신다는 말로 온갖 약을 다 써서 치료하는 것을 이르는 말.

◎ 人参(にんじん)飲(の)んで首(くび)くくる : '인삼 마시고 목매달아 죽는다'는 의미로, 비싼 인삼을 마시고 약값 때문에 목을 매어 죽는다는 말로 앞뒤 생각하지 않고 일을 저지르면 좋은 일도 나쁜 결과를 가져오는 것을 이르는 말.

◎　人間万事(にんげんばんじ)塞翁(さいおう)が馬(うま) : ‘인간 만사 새옹지마’라는 의미로, 사람의 행복과 불행은 돌고 도는 것이라 헤아릴 수 없으니 불행하더라도 한탄하지 말고 행복하다고 너무 좋아하지도 말 것을 이르는 말.

◎ 人相見(にんそうみ)の我(わ)が身知(みし)らず : ‘관상쟁이 제 신상을 모른다’는 의미로, 사람은 흔히 제가 자기 일을 잘 못하는 것을 이르는 말.

[ぬ]

◎ 糠(ぬか)に釘(くぎ) : ‘쌀겨에 못 박기’라는 의미로, 쌀겨에 못을 박아봤자 아무런 반응이나 효과가 없음을 이르는 말.

◎ 糠(ぬか)の中(なか)にも粉米(こごめ) : ‘쌀겨 속에도 싸라기’라는 의미로, 하찮은 것 속에도 때로는 좋은 것이 섞여 있음을 이르는 말.

◎ 糠袋(ぬかぶくろ)と小娘(こむすめ)は油断(ゆだん)がならぬ : ‘겨 주머니와 소녀는 방심치 못한다’는 의미로, 목욕할 때 몸을 닦기 위한 겨를 담은 주머니와 소녀는 터지기 쉬우니 주의하여야 함을 이르는 말.

◎ 糠味噌(ぬかみそ)が腐(くさ)る : '겨 된장이 썩겠다'는 의미로, 목소리가 탁하거나 가락이 맞지 않는 노래를 헐뜯어 이르는 말.

◎ 糠(ぬか)を舐(ねぶ)りて米(こめ)に及(およ)ぶ : '겨를 핥다가 마침내 쌀에 미친다'는 의미로, 차차 피해가 미쳐 오는 것을 이르는 말.

◎ 抜(ぬ)け駈(が)けの功名(こうみょう) : '남몰래 앞질러 세운 공'이라는 의미로, 남을 따돌리고 자기 혼자만 공적이나 이익을 얻는 것을 이르는 말.

◎ 盗人(ぬすっと)猛々(たけだけ)しい : '도둑이 오히려 몽둥이를 든다'는 의미로, 도둑질 한 놈이 오히려 큰소리치는 것을 이르는 말.

◎ 盗人(ぬすびと)に追銭(おいせん) : '도둑에게 돈까지 준다'는 의미로, 물건을 도둑맞은 위에 또 돈까지 주는 격으로 손해를 본 위에 또 손해를 보는 것을 이르는 말.

◎ 盗人(ぬすびと)に鍵(かぎ)を預(あず)ける : '도둑놈에게 열쇠를 맡긴다'는 의미로, 나쁜 짓을 도와준 결과가 되었음을 이르는 말.

◎ 盗人(ぬすびと)にも三分(さんぶん)の理(り) : '도둑에게도 할 말은 있다'는 의미로, 나쁜 짓을 한 사람에게도 약간의 이유는 있음을 이르는 말.

◎ 盗人(ぬすびと)にも慈悲(じひ) : '도둑에게도 자비심'이라는 의미로, 누구라도 그 본성에는 자비심이 있음을 이르는 말.

◎ 盗人(ぬすびと)の上米(うわまい)を取(と)る : '도둑놈의 장물에서 일부를 떼먹는다'는 의미로, 성질이 나쁘고 악에 관해서는 재주가 한결 앞서는 것을 이르는 말.

◎ 盗人(ぬすびと)の隙(ひま)はあれど守(まも)り手(て)の隙(ひま)はなし : '도둑은 틈이 있어도 지키는 사람에게는 틈이 없다'는 의미로, 여러 사람으로도 도둑을 막기는 힘든 것을 이르는 말.

◎ 盗人(ぬすびと)の昼寝(ひるね) : '도둑놈의 낮잠'이라는 의미로, 도둑놈이 낮잠을 자는 것은 밤에 일을 하기 위해 몸을 쉬고 있는 것임을 이르는 말.

◎ 盗人(ぬすびと)を捕(と)らえて見(み)れば我(わ)が子(こ)なり : '도둑놈을 잡아놓고 보니 내 자식'이라는 의미로, 일이 뜻밖이어서 어떻게 처리할지를 모르는 것을 이르는 말.

◎ 濡(ぬ)れ衣(ぎぬ)を着(き)せられる : '무고한 죄를 쓰게 된다'는 의미로, 남의 죄를 뒤집어쓰는 것을 이르는 말.

◎ 濡(ぬ)れ手(て)で粟(あわ) : '젖은 손에 좁쌀'이라는 의미로, 물에 젖은 손으로 좁쌀을 만지면 많이 묻어나는 데서 힘들이지 않고 많은 이익을 얻는 것을 이르는 말.

[ね]

◎ 願(ねが)ったり叶(かな)ったり : '바라던 대로 잘 되었다'라는 의미로, 바라던 대로 일이나 희망이 이루어지는 것을 이르는 말.

◎ 根(ね)が無(な)くても花(はな)は咲(さ)く : '뿌리가 없어도 꽃은 핀다'는 의미로, 사실 무근한 소문이라도 잠시는 사람들의 화제에 오르는 것을 이르는 말.

◎ 猫(ねこ)に鰹節(かつおぶし) : '고양이에게 가츠오부시'라는 의미로, 고양이 보고 반찬가게 지키라는 격으로 안심할 수 없는 상황을 이르는 말.

◎ 猫(ねこ)に小判(こばん) : '돼지 목에 진주'라는 의미로, 격에 맞지 않음을 이르는 말.

◎ 猫(ねこ)を被(かぶ)る : '일부러 모르는 체 하다'라는 의미로, 본성을 감추고 얌전한 체하는 것을 이르는 말.

◎ 猫(ねこ)に乾鮭(からざけ) : '고양이에게 건 연어'라는 의미로, 상대자가 좋아하는 것을 그 옆에 두는 것은 위험함을 이르는 말.

◎ 寝(ね)た子(こ)を起(お)こす : '잠자는 아이를 깨워서 울게 하다'라는 의미로, 조용히 정리된 일에 쓸데없이 손을 대서 문제를 일으키는 것을 이르는 말.

◎ 猫(ねこ)が手水(ちょうず)を使(つか)うよう : '고양이 낯 씻듯'이라는 의미로, 세수를 물칠만 하듯 흉내만 내는 것을 이르는 말.

◎ 猫(ねこ)の手(て)も借(か)りたい : '고양이 손이라도 빌고 싶다'는 의미로, 매우 바쁜 것을 이르는 말.

◎ 猫(ねこ)の額(ひたい)にある物(もの)を鼠(ねずみ)が窺(うかが)う : '고양이 이마에 있는 것을 쥐가 노린다'는 의미로, 제 힘도 모르고 당찮은 희망을 품는 것을 이르는 말.

◎ 猫(ねこ)の前(まえ)の鼠(ねずみ) : '고양이 앞의 쥐'라는 의미로, 몸을 움츠리고 무서워서 꼼짝도 못 하는 것을 이르는 말.

◎ 猫(ねこ)は禿(は)げても猫(ねこ) : '고양이는 머리가 벗어져도 고양이'라는 의미로, 어떤 것이라도 엉뚱한 변화는 있을 수 없음을 이르는 말.

◎ 鼠(ねずみ)に投(な)げんとして器(うつわ)を忌(い)む : '쥐에게 던지려 하나 그릇 때문에 피한다'는 의미로, 임금 곁의 간신을 없애버리고 싶지만 임금이 다칠까 두려워 처리할 수 없음을 이르는 말.

◎ 鼠(ねずみ)捕(と)る猫(ねこ)は爪(つめ)かくす : '쥐를 잡는 고양이는 발톱을 감춘다'는 의미로, 뛰어난 재능이 있는 자는 평소에 함부로 사람들에게 자랑하지 않음을 이르는 말.

◎ 寝(ね)た子(こ)を起(お)こす : '잠자는 아이를 깨운다'는 의미로, 나쁜 결과가 올 쓸데없는 짓을 공연히 하는 것을 이르는 말.

◎ 寝(ね)た間(ま)は仏(ほとけ) : '자는 동안은 부처'라는 의미로, 사람이 잠을 자고 있는 동안은 모두 천진스러움을 이르는 말.

◎ 寝(ね)て吐(は)く唾(つば)は身(み)にかかる : '누워서 뱉는 침은 나에게 돌아온다'는 의미로, 남을 해치려다 도리어 자신이 해를 입게 되는 것을 이르는 말.

◎ 寝耳(ねみみ)に水(みず) : '잠자는 귀에 물'이라는 의미로, 뜻하지 않은 사태가 벌어지는 것을 이르는 말.

◎ 寝耳(ねみみ)に銭(ぜに)の入(はい)った心地(ここち) : '잠자는 귀에 돈이 들어온 심경'이라는 의미로, 뜻밖의 행운이 오는 것을 이르는 말.

◎ 寝(ね)るほど楽(らく)はない : '자는 것보다 편한 일은 없다'는 의미로, 이 세상에서 자는 것이 제일 편한 것을 이르는 말.

◎ 念(ねん)には念(ねん)を入(い)れよ : '조심하고 또 조심하라'라는 의미로, 무슨 일이든지 다짐하고 다짐하여 만전을 기하는 것을 이르는 말.

◎ 念(ねん)の過(す)ぐるは不念(ぶねん) : '지나친 조심은 부주의와 같다'라는 의미로, 사소한 일에 너무 지나치게 조심하면 도리어 큰일을 간과하기 쉬움을 이르는 말.

◎ 寝耳(ねみみ)に水(みず) : '잠자는 귀에 물'이라는 의미로, 맑게 개인 하늘에서 벼락이 치듯이 돌발적인 사태가 일어나는 것을 이르는 말.

[の]

◎ 能(のう)ある鷹(たか)は爪(つめ)を隠(かく)す : '재주 있는 매는 발톱을 감춘다'는 의미로, 재능 있는 자는 그것을 남 앞에 과시하지 않음을 이르는 말.

◎ 能書筆(のうしょふで)を選(えら)ばず : '달필은 붓을 가리지 않는다'는 의미로, 글씨를 잘 쓰는 사람은 붓의 좋고 나쁨을 가리지 않음을 이르는 말.

◎ 嚢中(のうちゅう)の錐(きり) : '주머니 속의 송곳'이라는 의미로, 재능은 아무리 감추어도 반드시 여러 사람의 눈에 띄는 것을 이르는 말.

◎ 能(のう)なしの口(くち)叩(たた)き : '무능한 사람의 능변'이라는 의미로, 실력 없는 사람이 큰소리만 잘 치는 것을 이르는 말.

◎ 能(のう)なしの能(のう)一(ひと)つ : ‘능력이 없는 사람의 한 가지 능력’이라는 의미로, 아무 쓸모없는 사람이라도 무엇인가 한 가지 재능이 있음을 이르는 말.

◎ 野菊(のぎく)も咲(さ)くまでは只(ただ)の草(くさ) : ‘들국화도 꽃피기까지는 그냥 풀이다’라는 의미로, 사람의 우열은 발휘하지 않으면 모르는 것을 이르는 말.

◎ 残(のこ)り物(もの)には福(ふく)がある : ‘마지막까지 남은 것에 의외의 복이 있다’는 의미로, 남에게 양보를 하면 오히려 자기에게 복이 돌아오는 것을 이르는 말.

◎ 喉(のど)から手(て)が出(で)る : ‘목구멍에서 손이 나온다’는 의미로, 무엇이나 애타게 갖고 싶어서 견디지 못하는 것을 이르는 말.

◎ 喉元(のどもと)過(す)ぎれば熱(あつ)さを忘(わす)れる : ‘목구멍만 넘어가면 뜨거움을 잊는다’는 의미로, 어려울 때 남에게 받은 은혜도 형편이 좋아지면 잊어버리는 것을 이르는 말.

◎ 延(の)べたら鶴(つる)でも : ‘외상이라면 두루미라도’라는 의미로, 외상이라면 아무리 비싼 것이라도 사는 것을 이르는 말.

◎ 上(のぼ)り坂(ざか)あれば下(くだ)り坂(ざか)あり : '오르막이 있으면 내리막이 있다'는 의미로, 인생이란 비탈길의 기복과 같이 성운의 때가 있으면 때로는 쇠운의 때가 있음을 이르는 말.

◎ 昇(のぼ)れない木(き)は仰(あお)ぎ見(み)るな : '오르지 못할 나무는 쳐다보지도 말아라'라는 의미로, 분수나 능력이 넘치는 소원은 무리한 것이니 분에 만족하는 것이 좋음을 이르는 말.

◎ 飮(の)まぬ酒(さけ)には酔(よ)わぬ : '안 마신 술에는 취하지 않는다'는 의미로, 원인이 있어야 결과가 있음을 이르는 말.

◎ 鑿(のみ)と言(い)えば槌(つち) : '끌이라 하면 망치'라는 의미로, 눈치가 매우 빠름을 이르는 말.

◎ 鑿(のみ)に鉋(かんな)の働(はたら)きなし : '끌에 대패의 기능은 없다'는 의미로, 물건에는 제각기 독특한 기능이 있음을 이르는 말.

◎ 蚤(のみ)の頭(かしら)を斧(おの)で割(わ)る : '벼룩의 머리를 도끼로 쪼갠다'는 의미로, 하는 방법이 부적당함을 이르는 말.

◎ 蚤(のみ)の夫婦(ふうふ) : '벼룩의 부부'라는 의미로, 여자가 남자보다 체격이 큰 부부를 이르는 말.

◎ 蚤(のみ)も殺(ころ)さぬ : '벼룩도 죽이지 않는다'는 의미로, 몹시 상냥하고 착한 것을 이르는 말.

◎ 乗(の)りかかった船(ふね) : '타기 시작한 배'라는 의미로, 일단 시작한 이상은 끝날 때까지 도중에 그만둘 수 없음을 이르는 말.

◎ 暖簾(のれん)に腕(うで)押(お)し : '노렌(간판)에 힘주기'라는 의미로, 아무리 힘을 써도 아무런 효과나 반응이 없는 것(부질없는 행위)을 이르는 말.

[は]

◎ 吐(は)いた唾(つば)は呑(の)めぬ : '내뱉은 침은 삼킬 수 없다'는 의미로, 말은 한 번 내뱉으면 어찌할 수 없으므로 삼가야 하는 것을 이르는 말.

◎ 馬鹿(ばか)があって利口(りこう)が引(ひ)き立(た)つ : '바보가 있어야 잘난 사람이 두드러진다'는 의미로, 바보는 영리한 사람을 더욱 돋보이게 하는 역할을 하는 것을 이르는 말.

◎ 馬鹿(ばか)と鋏(はさみ)は使(つか)いよう : '바보와 가위는 쓰기 나름'이라는 의미로, 바보라도 부리기에 따라서는 유용하게 쓸 수 있음을 이르는 말.

◎ 馬鹿(ばか)に苦労(くろう)なし : '바보에게 고생 없다'는 의미로, 바보는 정신적 고생을 그다지 느끼지 않으니 마음이 항상 편한 것을 이르는 말.

◎ 馬鹿(ばか)の孫(まご)褒(ほ)め : '바보의 손자 자랑'이라는 의미로, 제 손자를 칭찬하는 것은 어리석고 못난 짓임을 이르는 말.

◎ 掃(は)き溜(だ)めに鶴(つる) : '쓰레기 터에 학'이라는 의미로, 쓰레기장과 같이 지저분하고 볼품없는 곳에 어울리지 않는 뛰어난 것이 있음을 이르는 말.

◎ 馬脚(ばきゃく)をあらわす : '마각을 드러낸다'는 의미로, 감추고 있던 본체를 드러내는 것을 이르는 말.

◎ 始(はじ)めよければ終(お)わりよし : '처음이 좋으면 끝도 좋다'는 의미로, 먼저 할 일을 잘해야 그에 따라 다음 일도 잘 이루어지는 것을 이르는 말.

◎ 馬耳東風(ばじとうふう) : '마이동풍', 남의 말을 조금도 듣지 않는 것을 이르는 말.

◎ 箸(はし)にも棒(ぼう)にもかからない : '젓가락에도 막대에도 걸리지 않는다'는 의미로, 손을 댈 데가 없어 이럴 수도 저럴 수도 없음을 이르는 말.

◎ 初(はじ)めが大事(だいじ) : '처음이 중요하다'는 의미로, 어떤 것이라도 처음에 취한 태도나 방법에 의하여 그 결과가 결정되는 것이므로 신중해야 함을 이르는 말.

◎ 走(はし)り馬(うま)が糞(くそ)を垂(た)れたよう : '달리는 말이 똥 싸듯'이라는 의미로, 드문드문 조금씩 떨어지고 사이를 두어 계속되는 모양을 이르는 말.

◎ 蜂(はち)の巣(す)をつついたよう : '벌집을 쑤신 듯'이라는 의미로, 여러 사람이 우왕좌왕하고 소란을 떠는 모양을 이르는 말.

◎ 花(はな)一時(いっとき)人一(ひとひと)盛(さか)り : '꽃도 한때 사람도 한창때'라는 의미로, 꽃과 사람의 한창 때는 짧음을 이르는 말.

◎ 花(はな)の下(した)より鼻(はな)の下(した) : '꽃 아래보다 코 아래'라는 의미로, 아름다운 꽃을 보고 즐기는 것보다 먼저 먹는 것이 제일임을 이르는 말.

◎ 花(はな)も実(み)もある : '외관도 내용도 훌륭하다'라는 의미로, 도리에 맞고 인정도 깃들어 있음을 이르는 말.

◎ 花(はな)より団子(だんご) : '꽃보다 경단'이라는 의미로, 풍류보다는 실리가 앞서는 것을 이르는 말.

◎ 鱧(はも)も一期(いちご)、海老(えび)も一期(いちご) : '갯장어도 일생 새우도 일생'이라는 의미로, 사람은 신분의 상하나 빈부 차이는 있어도 대강 비슷한 일생을 지내는 것을 이르는 말.

◎ 早(はや)いが勝(か)ち : '빠른 자가 이긴다'는 의미로, 남보다 앞서 일을 하면 기선을 제하고 만사에 유리한 것을 이르는 말.

◎ 腹(はら)がへっては軍(いくさ)はできぬ : '배가 고파 가지고는 싸움을 못한다'는 의미로, 무엇을 하든지 배가 고파서는 충분한 활동을 할 수 없음을 이르는 말.

◎ 腹(はら)も身(み)の内(うち) : '배도 몸의 일부'라는 의미로, 배도 몸의 일부분이니까 너무 과식해서 배탈이 나지 않도록 주의

해야 하는 것을 이르는 말.

◎ 針(はり)とる者(もの)車(くるま)をとる : '바늘을 훔치는 자 수레를 훔친다'는 의미로, 사소한 나쁜 짓이라도 잘 훈계해야 하는 것을 이르는 말.

◎ 針(はり)の穴(あな)から天上(てんじょう)を覗(のぞ)く : '바늘 구멍으로 하늘 엿보기'라는 의미로, 견문이 좁은 사람을 이르는 말.

◎ 針(はり)の筵(むしろ) : '바늘방석'이라는 의미로, 시달림을 받는 괴로운 처지를 이르는 말.

◎ 針(はり)ほどの穴(あな)から棒(ぼう)ほどの風(かぜ)が来(く)る : '바늘만 한 구멍으로 몽둥이만 한 바람 들어온다'는 의미로, 작은 문구멍으로 새어 들어오는 바람이 더 찬 것을 이르는 말.

◎ 針(はり)ほどのことを棒(ぼう)ほどに言(い)う : '바늘 같은 것을 몽둥이처럼 말하다'는 의미로, 작은 일을 크게 허풍 떨어 말하는 것을 이르는 말.

◎ 針(はり)を倉(くら)に積(つ)む : '바늘을 곳간에 쌓는다'는 의미로, 노력하여 조금씩이라도 부지런히 저축하는 것을 이르는 말.

◎ 春(はる)の夜(よ)の夢(ゆめ) : '봄날의 짧은 꿈'이라는 의미로, 헛된 영화나 인생의 덧없음을 이르는 말.

◎ 早起(はやおき)は三文(さんもん)の徳(とく) : '일찍 일어나면 건강에도 좋고 그 외에 다른 좋은 일도 생긴다'는 의미로, 부지런하면 이득을 보는 것을 이르는 말.

◎ 犯罪(はんざい)の陰(かげ)に必(かなら)ず女(おんな)あり : '범죄 뒤에는 반드시 여자 있다'는 의미로, 범죄의 동기에는 여성 문제가 걸린 것이 많음을 이르는 말.

◎ 万事(ばんじ)は皆(みな)救(すく)うべし死(し)は救(すく)うべからず : '만사는 다 구할 수 있지만 죽음은 구할 수 없다'는 의미로, 죽음에 대하여 사람은 무력한 것을 이르는 말.

[ひ]

◎ 贔屓(ひいき)の引(ひ)き倒(たお)し : '역성들어 넘어뜨리기'라는 의미로, 지나친 편애가 도리어 그 사람을 불리하게 하는 것임을 이르는 말.

◎ 日(ひ)が西(にし)から出(で)る : '해가 서쪽에서 뜨다'라는 의미로, 절대로 있을 수 없는 일을 이르는 말.

◎ 低(ひく)き所(ところ)に水(みず)溜(たま)る : '낮은 곳에 물이 괸다'는 의미로, 이익이 있는 곳에는 사람이 많이 모여드는 것을 이르는 말.

◎ 比丘尼(びくに)に櫛(くし)を出(だ)せと言(い)う : '여승에게 빗을 내라 한다'는 의미로, 무리한 주문을 하는 것을 이르는 말.

◎ 日暮(ひく)れて道遠(みちとお)し : '날은 저물고 갈 길은 멀다'는 의미로, 때가 늦었거나 나이가 들었지만 뜻하는 바를 달성하기까지는 아직 멀기만 한 것을 이르는 말.

◎ 百聞(ひゃくぶん)は一見(いっけん)に如(し)かず : '백번 듣는 것보다 한번 보는 것이 낫다'는 의미로, 다른 사람에게 몇 번을 듣는 것보다 자기 눈으로 직접 보는 것이 확실함을 이르는 말.

◎ 庇(ひさし)を貸(か)して母屋(おもや)を取(と)られる : '마루 끝을 빌려주다 몸채를 빼앗긴다'는 의미로, 자기 소유물의 일부를 빌려주다가 마침내 전체를 빼앗기는 것을 이르는 말.

◎ 人屑(ひとくず)と縄屑(なわくず)は余(あま)らぬ : '인간의 찌꺼기와 짚 부스러기는 남지 않는다'는 의미로, 무능한 사람도 그대로 쓸모가 있고 남아서 거추장스럽지 않음을 이르는 말.

◎ 一筋(ひとすじ)縄(なわ)では行(ゆ)かぬ : '한 줄기 새끼로는 묶을 수 없다'는 의미로, 보통 수단과 방법으로는 안 되는 것을 이르는 말.

◎ 一(ひと)つ穴(あな)の狢(むじな) : '한 굴 속의 오소리'라는 의미로, 함께 나쁜 일을 꾀하는 한 패를 이르는 말.

◎ 人の痛(いた)いのは三年(さんねん)でも辛抱(しんぼう)する : '남의 아픔은 삼 년이라도 참는다'는 의미로, 남의 괴로움은 자기와는 아무 관계없으니 아무 걱정도 없음을 이르는 말.

◎ 人(ひと)の噂(うわさ)は倍(ばい)になる : '세상 소문은 배로 된다'는 의미로, 소문이란 전해질 때마다 과장되는 것을 이르는 말.

◎ 人(ひと)の踊(おど)る時(とき)は踊(おど)れ : '남이 춤출 때는 춤을 추라'는 의미로, 남이 하는 일에 굳이 반대 의사를 표명하지 않는 것이 좋음을 이르는 말.

◎ 人(ひと)の事(こと)より我(わ)が事(こと) : '남의 일보다 나의 일'이라는 의미로, 다른 사람을 돌보는 일보다 자기의 일을 먼저 하는 것이 선결문제가 되는 것을 이르는 말.

◎ 人(ひと)の太刀(たち)で高名(こうみょう)する : '남의 칼로 공을 세운다'는 의미로, 남의 것을 이용하여 일을 성취시키는 것을 이르는 말.

◎ 人(ひと)の物(もの)はおれが物(もの) : '남의 것은 내 것'이라는 의미로, 지독한 욕심을 이르는 말.

◎ 人(ひと)のふり見(み)て我(わ)がふり直(なお)せ : '남의 모습을 보고 자기의 모습을 고쳐라'라는 의미로, 다른 사람의 모습의 좋고 나쁨을 봄으로써 자기의 잘못된 모습을 고쳐 가는 것을 이르는 말.

◎ 人(ひと)は見(み)かけによらぬもの : '사람은 외관으로 판단할 수 없다'는 의미로, 사람은 그의 겉보기와 같지 않음을 이르는 말.

◎ 人(ひと)真似(まね)すれば過(あやま)ちする : '남의 흉내내면 잘못을 저지른다'는 의미로, 분수에 넘치는 일을 하다가는 낭패를 보는 것을 이르는 말.

◎ 人(ひと)を怨(うら)むより身(み)を怨(うら)め : '남을 원망하지 말고 자기를 탓하라'는 의미로, 남을 탓하지 말고 자기 자신을 반성해 볼 것을 이르는 말.

◎ 人(ひと)を呪(のろ)えば穴(あな)二(ふた)つ : '남을 저주하면 구멍이 둘'이라는 의미로, 남을 해치려고 하면 도리어 자신이 먼저 해를 받게 되는 것을 이르는 말.

◎ 火(ひ)に油(あぶら)を注(そそ)ぐ : '불에다 기름을 끼얹는다'는 의미로, 흔히 화가 난 사람에게 더욱 화를 돋워 주는 것을 이르는 말.

◎ 火(ひ)の無(な)い所(ところ)に煙(けむり)は立(た)たぬ : '불이 없는 곳에 연기 안 난다'는 의미로, 사실이 없는데 소문이 날 까닭이 없음을 이르는 말.

◎ 火(ひ)は火元(ひもと)から騒(さわ)ぎ出(だ)す : '불은 불난 곳에서 떠들어댄다'는 의미로, 불 낸 사람이 도리어 모르는 체하고 떠들어 대는 것을 이르는 말.

◎ ひもじい時(とき)のまずい物(もの)なし : '배고플 때는 맛없는 것이 없다'는 의미로, 배가 고프면 어떤 것이나 맛이 있음을 이르는 말.

◎ 紐(ひも)と命(いのち)は長(なが)いがよい : ‘끈과 목숨은 긴 것이 좋다’는 의미로, 끈은 짧은 것보다 긴 것이 쓸모가 있고 장수를 원하는 것은 인간의 본능인 것을 이르는 말.

◎ 百里(ひゃくり)の道(みち)も一足(ひとあし)から : ‘천리 길도 한 걸음부터’라는 의미로, 큰 사업이라도 가까운 일부터 시작하는 것을 이르는 말.

◎ 冷(ひ)や飯(めし)食(た)べても娑婆(しゃば)に居(い)たい : ‘찬밥을 먹더라도 이승에 살고 싶다’는 의미로, 아무리 천하게 살더라도 죽는 것보다 살아 있는 것이 나음을 이르는 말.

◎ 瓢箪(ひょうたん)から駒(こま)が出(で)る : ‘표주박에서 망아지 나온다’는 의미로, 뜻하지 않은 데서 엉뚱한 것이 나오는 것을 이르는 말.

◎ 昼(ひる)には目(め)あり、夜(よる)には耳(みみ)あり : ‘낮에는 눈이 있고 밤에는 귀가 있다’는 의미로, 비밀 이야기는 보장되기 어려움을 이르는 말.

◎ 火(ひ)を見(み)るよりも明(あき)らか : ‘불을 보듯 분명하다’는 의미로, 사물의 도리가 매우 명백한 것을 이르는 말.

◎ 牝鶏時(ひんけいとき)を告(つ)ぐる : '암탉이 울어서 새벽을 알린다'는 의미로, 집안에서 여자가 남자보다 기승하여 떠들고 간섭하는 것을 이르는 말.

◎ 貧(ひん)すれば鈍(どん)する : '가난해지면 어리석어진다'는 의미로, 가난하게 되면 아무리 훌륭한 사람이라도 어리석은 짓이나 나쁜 짓을 하게 되는 것을 이르는 말.

◎ 貧乏人(びんぼうにん)の子沢山(こだくさん) : '가난한 사람에게 자식이 많다'는 의미로, 가난한 사람에게 필요 이상으로 아이들이 많은 것이 보통임을 이르는 말.

◎ 貧乏(びんぼう)暇(ひま)なし : '가난뱅이 여가 없다'는 의미로, 가난한 사람은 가난에 시달려 바쁘기만 한 것을 이르는 말.

[ふ]

◎ 富貴(ふうき)にして苦(くる)しみあり貧賤(ひんせん)しこして楽(たの)しみあり : '부귀에도 괴로움이 있고 빈천에도 낙이 있다'는 의미로, 세상의 고락은 부귀 빈천과는 관계없음을 이르는 말.

◎ 風前(ふうぜん)の灯火(ともしび) : '바람 앞에 놓인 등불'이라는 의미로, 매우 위급한 것을 이르는 말.

◎ 夫婦(ふうふ)喧嘩(けんか)は犬(いぬ)も食(く)わない : '부부싸움은 개도 안 먹는다'는 의미로, 부부간의 싸움은 칼로 물을 베어도 금방 다시 하나가 되듯 쉽게 화해하는 것을 이르는 말.

◎ 覆水盆(ふくしぃぼん)に返(かえ)らず : '엎지른 물은 다시 쟁반에 돌아가지 않는다'는 의미로, 한 번 실수한 일은 다시 뜯어고칠 수 없음을 이르는 말.

◎ 袋(ふくろ)の中(なか)の鼠(ねずみ) : '자루 속에 든 쥐'라는 의미로, 도망칠 수 없는 처지를 이르는 말.

◎ 豚(ぶた)に真珠(しんじゅ) : '돼지 목에 진주'라는 의미로, 가치 있는 것이라도 상대에 따라 아무런 소용이 없음을 이르는 말.

◎ 武士(ぶし)に二言(にごん)なし : '무사에게는 두 말이 없다'는 의미로, 무사는 한 번 말한 일은 절대로 지켜야 하지 그것을 취소해서는 안 됨을 이르는 말.

◎ 武士(ぶし)は食(く)わねど高楊枝(たかようじ) : '무사는 먹지 않아도 이 쑤신다'는 의미로, 무사는 굶어도 배부른 체 하는 것

을 이르는 말.

◎ 無精者(ぶしょうもの)の隣(となり)働(ばたら)き : '게으름뱅이 이웃집에서 일한다'는 의미로, 게으름뱅이가 자기 집 일은 아무것도 하지 않고 남의 일에는 자기를 잊고 열중하는 것을 이르는 말.

◎ 伏(ふ)せる牛(うし)に芥(あくた) : '누워 있는 소에게 쓰레기'라는 의미로, 약한 사람이나 죽은 사람에게 죄를 다 덮어 씌우는 것을 이르는 말.

◎ 淵(ふち)に雨(あめ) : '못에다 비'라는 의미로, 조금쯤 늘어나도 대단한 일이 아니라는 말로 헛수고하는 것을 이르는 말.

◎ 淵(ふち)変(へん)じて瀬(せ)となる : '웅덩이가 변해서 여울이 된다'는 의미로, 세상의 변천이 극심한 것을 이르는 말.

◎ 太(ふと)る南瓜(カボチャ)に針(はり)をさす : '살쪄가는 호박에 바늘 찌르기'라는 의미로, 점점 자라나는 것을 중도에서 일부러 방해하는 것을 이르는 말.

◎ 鮒(ふな)念仏(ねんぶつ) : '붕어의 염불'이라는 의미로, 입 속에서 중얼거리는 것을 이르는 말.

◎ 降(ふ)らぬ先(さき)の傘(かさ) : '비 오기 전에 우산'이라는 의미로, 사건이 발생하기 전에 준비를 든든히 하여 실수 없게 하라는 것을 이르는 말.

◎ 古(ふる)い物(もの)には攻(こう)がある : '낡은 물건에는 공이 있다'는 의미로, 낡은 물건은 쓸모가 있음을 이르는 말.

◎ 古川(ふるかわ)に水(みず)絶(た)えず : '오래된 강에 물이 끊기지 않는다'는 의미로, 대대로 내려오는 부자는 영락한 후에도 훌륭한 것이 남아 있음을 이르는 말.

◎ 古傷(ふるきず)は痛(いた)み易(やす)い : '오래된 상처는 아프기 쉽다'는 의미로, 오래된 상처는 환절기에는 아프게 되는 것을 이르는 말.

◎ 踏(ふ)んだり蹴(け)ったり : '밟고 차고'라는 의미로, 엎친 데 덮친 격으로 곤욕을 겪는 모양을 이르는 말.

[へ]

◎ 平地(へいち)に波瀾(はらん)を起(お)こす : '평지에 파란을 일

으킨다'는 의미로, 그대로 가만 두었으면 아무 일도 없었을 것을 공연히 건드려 일을 저질러 위험을 사는 것을 이르는 말.

◎ 臍(へそ)で茶(ちゃ)を沸(わ)かす : '배꼽이 차를 끓인다'는 의미로, 몹시 우스꽝스러워 견딜 수 없음을 이르는 말.

◎ 下手(へた)があるので上手(じょうず)が知(し)れる : '서투른 사람이 있기 때문에 능숙한 사람이 알려진다'는 의미로, 세상에 모두 능숙한 사람들만이 있게 된다면 아무도 능숙하다는 말을 못 듣는 것을 이르는 말.

◎ 下手(へた)の高慢(こうまん) : '서투른 놈의 교만'이라는 의미로, 서투른 놈일수록 난 체하고 자랑하는 이야기를 하는 것을 이르는 말.

◎ 下手(へた)の道具(どうぐ)調(しら)べ : '서투른 사람 연장만 살핀다'는 의미로, 솜씨에 자신 없는 사람일수록 이것저것 도구만 고르나 좋은 것을 만들 수 없음을 이르는 말.

◎ 下手(へた)の横好(よこず)き : '서투르면서도 무턱대고 좋아한다'는 의미로, 할 줄도 모르면서 그 일에 흥미를 갖는 일을 이르는 말.

◎ 下手(へた)の考(かんが)え休(やす)むに似(に)たり : '서툰 사람은 아무리 궁리해도 좋은 아이디어가 나오지 않으므로 오히려 시간만 낭비하는 꼴이 되니 차라리 쉬는 편이 낫다'는 의미로, 본래 장기나 바둑에서 장고를 거듭하는 사람에 대해 비꼬는 말임을 이르는 말.

◎ 糸瓜(へちま)の皮(かわ)とも思(おも)わず : '수세미 껍질만큼도 여기지 않는다'는 의미로, 아무렇게도 생각지 않음을 이르는 말.

◎ へっついより女房(にょうぼう) : '부뚜막보다 먼저 아내'라는 의미로, 부뚜막을 만들기도 전에 아내부터 얻는다는 말로 생계가 서기도 전에 결혼을 먼저 하는 것을 이르는 말.

◎ 蛇(へび)が蚊(か)を呑(の)んだよう : '뱀이 모기를 삼킨 격'이라는 의미로, 모기를 먹어도 보탬은 아니 되는 것을 이르는 말.

◎ 屁を放(へひ)って尻(しり)を窄(すぼ)める : '방귀를 뀌고 볼기짝을 오므린다'는 의미로, 실수를 하고 난 뒤에 뒷수습을 하는 것을 이르는 말.

◎ 蛇(へび)に見込(みこ)まれた蛙(かえる)のよう : '뱀에게 눈독 들여진 개구리와 같다'는 의미로, 몸이 굳어져 꼼짝을 하지 못하

는 것을 이르는 말.

◎ 蛇(へび)の足(あし)より人(ひと)の足見(あしみ)よ : '뱀의 발보다 사람의 발을 보아라'이라는 의미로, 뱀의 발의 유무를 논하는 것보다 자기 발밑을 생각하는 것이 좋음을 이르는 말.

◎ 弁当(べんとう)は宵(よい)から : '도시락은 초저녁부터'라는 의미로, 준비는 일찌감치 시작하는 것이 좋음을 이르는 말.

◎ 弁当(べんとう)持(も)ち先(さき)に食(く)わず : '도시락을 나르는 사람은 먼저 먹지 않는다'는 의미로, 가진 자는 도리어 먼저 쓰지 않는다는 말로 부자는 돈을 쓰지 않음을 이르는 말.

◎ 弁慶(べんけい)の泣(な)き所(どころ) : '급소'라는 의미로, 가장 취약한 곳(약점)을 이르는 말.

[ほ]

◎ 法(ほう)あっての寺(てら)、寺(てら)あっての法(ほう) : '불법 있어서 절, 절 있어서 불법'이라는 의미로, 서로 도우며 살아가는 관계를 이르는 말.

◎ 帽子(ぼうし)と鉢巻(はちま)き : '모자와 머리띠'라는 의미로, 비슷한 것인데 그다지 차이가 없음을 이르는 말.

◎ 坊主(ぼうず)の花簪(はなかんざし) : '중의 꽃 비녀'라는 의미로, 가지고 있어도 쓸모가 없는 것을 이르는 말.

◎ 豊年(ほうねん)は飢饉(ききん)の基(もと) : '풍년은 기근의 바탕'이라는 의미로, 흔히 풍년이 든 다음 해에는 흉년이 찾아오는 수가 많음을 이르는 말.

◎ 吠(ほ)える犬(いぬ)は噛(か)みつかぬ : '짖는 개는 물지 않는다'는 의미로, 큰소리치는 사람일수록 실력이 없음을 이르는 말.

帆(ほ)かけ船(ぶね)に櫓(ろ)を押(お)す : '돛단배에 노를 젓는다'는 의미로, 더 잘 하도록 자꾸 편달하는 것을 이르는 말.

◎ 坊主(ぼうず)憎(にく)けりゃ袈裟(けさ)まで憎(にく)い : '중이 미우면 중이 입는 의복까지 밉다'는 의미로, 어떤 사람이 미워지면 그와 관련 있는 모든 것이 미워지는 것을 이르는 말.

◎ 細(ほそ)い目(め)で長(なが)く見(み)よ : '가는 눈으로 길게 보라'는 의미로, 꾹 참고 한때의 소득보다도 먼 장래를 생각하며 바라보는 마음가짐이 필요함을 이르는 말.

◎ 仏(ほとけ)作(つく)って魂(たましい)入(い)れず : '부처를 만들고 혼을 넣지 않는다'는 의미로, 일을 철저하게 하지 않고 중요한 점을 빠뜨리는 것을 이르는 말.

◎ 仏(ほとけ)の顔(かお)も三度(さんど)まで : '부처님 얼굴도 세 번'이라는 의미로, 아무리 원만하고 자비스러운 사람도 자주 난폭한 짓을 당하게 되면 결국은 화를 내는 것을 이르는 말.

◎ 仏(ほとけ)の無(な)い堂(どう) : '부처님 없는 법당'이라는 의미로, 헛수고만 하는 것을 이르는 말.

◎ 仏(ほとけ)の光(ひかり)より金(かね)の光(ひかり) : '부처님의 광명보다 돈의 위광'이라는 의미로, 부처님의 고마움도 돈의 힘에는 대적할 수 없음을 이르는 말.

◎ 仏(ほとけ)作(つく)って魂(たましい)入(い)れず : '가장 중요한 것을 빠트리다'는 의미로, 혼신의 힘을 다하여 완수하였지만 가장 중요한 것을 빠트리는 것을 이르는 말.

◎ 誉(ほ)める人(ひと)には油断(ゆだん)すな : '칭찬하는 사람에게는 마음을 놓지 마라'는 의미로, 아첨하여 가까이 접근해 오는 사람을 경계할 필요가 있음을 이르는 말.

◎ 法螺(ほら)と喇叭(らっぱ)は大(おお)きく吹(ふ)け : '소라와 나팔은 크게 불어라'라는 의미로, 만일 이야기를 과장하고 말할 것 같으면 당치도 않은 큰 허풍을 떠는 것이 좋음을 이르는 말.

◎ 惚(ほ)れて通(かよ)えば千里(せんり)も一里(いちり) : '반해서 드나들면 천리 길도 십리'라는 의미로, 애인을 만나러 갈 적에는 먼 거리도 아주 가까이 느껴져 고생이 되지 않음을 이르는 말.

◎ 襤褸(ぼろ)を着(き)てても心(こころ)は錦(にしき) : '누더기를 입어도 마음은 비단'이라는 의미로, 외관은 보잘것없지만 마음속은 아름다움을 이르는 말.

◎ 煩悩(ぼんのう)の犬(いぬ)は追(お)えども去(さ)らず : '번뇌의 개는 쫓아도 떠나지 않는다'는 의미로, 번뇌는 아무리 쫓아도 개와 같이 따라다니고 떨어지지 않음을 이르는 말.

[ま]

◎ 参(まい)らぬ仏(ほとけ)に罰(ばち)は当(あ)たらぬ : '참배하지 않은 부처한테서 벌은 받지 않는다'는 의미로, 무슨 일이든 관계하지 않으면 재앙을 받을 염려가 없음을 이르는 말.

◎ 前(まえ)で追従(ついしょう)する者(もの)は陰(かげ)でそしる : '앞에서 아부하는 자는 뒤에서 험담한다'는 의미로, 환심을 사기 위한 말을 잘 하는 사람은 경계해야 하는 것을 이르는 말.

◎ 蒔(ま)かぬ種(たね)は生(は)えぬ : '뿌리지 않은 씨앗은 싹트지 않는다'는 의미로, 원인이 없는 곳에 결과가 있을 턱이 없음을 이르는 말.

◎ 曲(ま)がらねば世(よ)が渡(わた)られぬ : '구부러지지 않으면 처세할 수 없다'는 의미로, 이 세상은 자기주장만을 관철하려고 하면 나아갈 수 없음을 이르는 말.

◎ 曲(ま)がれる枝(えだ)には曲(ま)がれる影(かげ)あり : '굽은 가지에 굽은 그림자가 생긴다'는 의미로, 나쁜 결과는 다 나쁜 원인에서 생기는 것임을 이르는 말.

◎ 曲(ま)がり木(ぎ)にも用(もち)い所(どころ)がある : '굽은 나무도 쓸모가 있다'는 의미로, 어떤 것이라도 쓸데없는 것은 없음을 이르는 말.

◎ 枕(まくら)を高(たか)くして寝(ね)る : '베개를 높게 하고 잔다'는 의미로, 편안한 생활을 할 수 있는 것을 이르는 말.

◎ 負(ま)けるが勝(か)ち : '지는 것이 이기는 것'이라는 의미로, 상대방에게 승리를 양보하는 것이 결과적으로 유리함을 이르는 말.

◎ 負(ま)けず劣(おと)らず : '우열을 가리기 어렵다'는 의미로, 어느 것이 위이고 아래인지 차별을 두고 구별할 수가 없음을 이르는 말.

◎ 馬子(まご)にも衣装(いしょう) : '옷이 날개'라는 의미로, 누구든지 외양을 잘 꾸미면 훌륭하게 보이는 것을 이르는 말.

◎ 待(ま)てば海路(かいろ)の日和(ひより)あり : '기다리면 배를 띄울 수 있는 날씨가 온다(쥐구멍에도 볕 들 날이 있다)'는 의미로, 참고 기다리다 보면 좋은 날이 오는 것을 이르는 말.

◎ 不味(まず)い物(もの)の煮(に)え太(ぶと)り : '맛이 없는 것은 삶을 수록 불룩해진다'는 의미로, 되지 못한 것은 분량만 많음을 이르는 말.

◎ 待(ま)たぬ月日(つきひ)は経(た)ち易(やす)い : '기다리지 않는 세월은 지나가기 쉽다'는 의미로, 기다리면 조바심이 나지만 기다리지 않으면 세월은 순식간에 지나가 버리는 것을 이르는 말.

◎ 待(ま)つ間(ま)が花(はな) : '기다리는 동안이 꽃'이라는 의미로, 무슨 일이든지 기다리는 동안이 즐거운 것임을 이르는 말.

◎ 的矢(まとや)の如(ごと)し : '화살과 과녁 격'이라는 의미로, 과녁과 화살같이 서로 관계가 깊고 늘 같이 있는 것을 이르는 말.

◎ 眉毛(まゆげ)に火(ひ)がつく : '눈썹에 불이 붙는다'는 의미로, 신변에 위급한 일이 닥쳤음을 이르는 말.

◎ 眉(まゆ)に唾(つば)をつける : '눈썹에 침을 바른다'는 의미로, 속지 않도록 주의하는 것을 이르는 말.

◎ 眉(まゆ)に八字(はちじ)をなす : '눈썹에 여덟 팔자를 짓는다'는 의미로, 눈썹 바깥쪽의 끝을 내려 팔자를 짓는다는 것은 슬픈 표정을 짓는 모양을 이르는 말.

◎ 真綿(まわた)で首(くび)をしめる : '풀솜으로 목을 조르다'는 의미로, 두고두고 못살게 구는 것을 이르는 말.

[み]

◎ ミイラ取(と)りがミイラになる : '미라를 파내러 간 사람이 미라가 되다'는 의미로, 사람을 찾으러 간 사람까지도 돌아오지 않다(함흥차사) 혹은 처음의 목적을 이루지 못하고 반대의 결과가 되는 것을 이르는 말.

◎ 三(み)っ子(ご)の魂(たましい)百(ひゃく)まで : '3살 아이의 영혼 100살까지'라는 의미로, 어릴 때의 성격은 나이가 들어도 변하지 않음을 이르는 말.

◎ 身(み)から出(で)た錆(さび) : '몸에서 난 녹'이라는 의미로, 자기가 저지른 일의 결과로써 그 인과응보를 자기가 받는 것을 이르는 말.

◎ 右(みぎ)の耳(みみ)から左(ひだり)の耳(みみ) : '오른쪽 귀에서 왼쪽 귀로'라는 의미로, 말을 들어도 곧 잊어버리는 것을 이르는 말.

◎ 右(みぎ)を踏(ふ)めば左(ひだり)があがる : '오른쪽을 밟으면 왼쪽이 올라간다'는 의미로, 일을 양립하기 어려운 것을 이르는 말.

◎ 水(みず)清(きよ)ければ魚(うお)棲(す)まず : '물이 맑으면 고기가 살지 않는다'는 의미로, 사람이 너무 결백하면 재물이 따르지 않음을 이르는 말.

◎ 水(みず)滴(したた)りて石(いし)を穿(うが)つ : '물방울이 떨어져 돌을 뚫는다'는 의미로, 쉬지 않고 노력하면 큰일을 이룰 수 있음을 이르는 말.

◎ 水(みず)積(つ)もりて魚(うお)集(あつ)まる : '물이 괴어야 고기가 모인다'는 의미로, 사람도 이익이 있는 데로 자연히 모이게 되는 것을 이르는 말.

◎ 水(みず)積(つ)もりて川(かわ)を成(な)す : '물이 모여 냇물을 이룬다'는 의미로, 작은 일도 차차 쌓이면 큰 성과를 거둘 수 있음을 이르는 말.

◎ 水(みず)と魚(うお) : '물과 물고기'라는 의미로, 끊을래야 끊을 수 없는 밀접한 사이를 이르는 말.

◎ 水(みず)に流(なが)す : '물로 씻어 버린다'는 의미로, 모든 과거사를 전부 없었던 것으로 하고 잊어버리는 것을 이르는 말.

◎ 水(みず)に文字(もじ)書(か)く : '물에다 글씨 쓴다'는 의미로, 믿음성이 없고 허황된 것을 이르는 말.

◎ 水(みず)の中(なか)の土仏(つちぼとけ) : '물속의 흙부처'라는 의미로, 멀지 않아 못쓰게 되는 것을 이르는 말.

◎ 水(みず)広(ひろ)ければ魚(うお)大(だい)なり : '강이 넓으면 물고기도 크다'는 의미로, 사람도 대성공하려면 그 배경이나 장소가 커야 함을 이르는 말.

◎ 水(みず)も漏(も)らさぬ : '물도 안 새게 한다'는 의미로, 물 샐 틈 없는 경계나 아주 친밀한 교우 관계를 이르는 말.

◎ 味噌汁(みそしる)で顔洗(かおあら)え : '된장국으로 세수하라'라는 의미로, 멍하고 있는 사람에게 눈을 뜨고 정신 차리라고 하는 것을 이르는 말.

◎ 味噌(みそ)も糞(くそ)も一緒(いっしょ) : '된장도 똥도 뒤범벅'이라는 의미로, 선악과 우열을 가리지 않고 한데 뒤섞인 상태를 이르는 말.

◎ 三日(みっか)天下(てんか) : '삼일천하'라는 의미로, 권세나 영화는 계속되지 않음을 이르는 말.

◎ 蓑(みの)のそばへ笠(かさ)が寄(よ)る : '도롱이 옆으로 삿갓이 다가온다'는 의미로, 언제나 같은 환경에 있는 사람끼리 어울리게 되는 것을 이르는 말.

◎ 耳(みみ)に釘(くぎ) : '귀에 못'이라는 의미로, 귀에 거슬리는 것을 이르는 말.

◎ 耳(みみ)に胼胝(たこ)が出来(でき)る : '귀에 못이 박힌다'는 의미로, 몇 번이나 같은 말을 싫증이 나도록 듣는 것을 이르는 말.

◎ 耳(みみ)は大(だい)なるべく口(くち)は小(しょう)なるべし : '귀는 커야 하고 입은 작아야 한다'는 의미로, 될 수 있는 대로 다방면의 말씀을 듣고 말하는 것은 조심해야 함을 이르는 말.

◎ 見目(みめ)より心(こころ) : '용모보다 마음씨'라는 의미로, 사람은 얼굴 생김의 아름다움보다 마음이 아름다워야 하는 것을 이르는 말.

◎ 見様見真似(みようみまね) : '본 대로 흉내 냄'이라는 의미로, 사람이 하는 것을 보고 있으면 저절로 그 하는 방법을 알게 되는 것을 이르는 말.

◎ 見(み)る物(もの)食(く)おう : '보이는 대로 먹자'는 의미로, 눈에 보이는 것은 무엇이든지 닥치는 대로 탐내는 사람을 이르는 말.

[む]

◎ 六日(むいか)の菖蒲(あやめ) : '엿샛날의 창포'라는 의미로, 단오 뒷날의 창포란 뜻으로 시기가 늦어 아무 소용이 없음을 이르는 말.

◎ 昔(むかし)から言(い)う事(こと)に噓(うそ)はない : '옛날부터 하는 말에는 거짓이 없다'는 의미로, 옛날부터 전승된 것 혹은 비유나 속담에는 진리가 있고 가치가 있음을 이르는 말.

◎ 昔(むかし)千里(せんり)も今(いま)一里(いちり) : '옛날 천리도 지금 십리'라는 의미로, 옛날에는 천리라도 갈 수 있었던 준마도 지금은 십리도 갈 수 있을까 말까 할 정도이니, 즉 재주와 슬기가 매우 뛰어난 사람도 늙으면 보통 사람만 못함을 이르는 말.

◎ 昔(むかし)取(と)った杵柄(きねづか) : '옛날 손에 익힌 절굿공이'라는 의미로, 옛날에 익힌 솜씨는 지금이라도 잊지 않고 발

휘할 수 있음을 이르는 말.

◎ 昔(むかし)は今(いま)の鏡(かがみ) : '옛날은 지금의 거울'이라는 의미로, 옛날 일은 현재의 모범이 될 수 있음을 이르는 말.

◎ 昔(むかし)は昔(むかし)今(いま)は今(いま) : '옛날은 옛날 지금은 지금'이라는 의미로, 옛날의 여러 가지 일을 현대에 적용시킬 수 없음을 이르는 말.

◎ 麦(むぎ)と姑(しゅうとめ)は踏(ふ)むがよい : '보리밭과 시어머니는 밟을수록 좋다'는 의미로, 보리밟기와 같이 시어머니에게 대해서도 때로는 억세게 대하는 것이 좋음을 이르는 말.

◎ 娘(むすめ)一人(ひとり)に婿八人(むこはちにん) : '딸 하나에 사윗감 여덟'이라는 의미로, 물건은 하나인데 희망자는 매우 많은 것을 이르는 말.

◎ 麦飯(むぎめし)で鯉(こい)を釣(つ)る : '보리밥으로 잉어를 낚는다'는 의미로, 적은 자본을 들여서 큰 이득을 얻거나 대단찮은 수고를 하여 큰 보수를 받았을 때를 이르는 말.

◎ 婿(むこ)には花(はな)をもたせ : '사위에게는 영광을 돌려라'라는 의미로, 사위에게는 무엇이든지 잘 돌봐 주어야 하는 것을

이르는 말.

◎ 婿(むこ)三代(さんだい)続(つづ)けば金持(かねも)ちになる : '데릴사위가 삼대 잇따르면 부자가 된다'는 의미로, 사위는 착실하게 일을 하므로 이것이 삼대가 계속되면 부자가 되는 것을 이르는 말.

◎ 婿(むこ)は座敷(ざしき)から貰(もら)え嫁(よめ)は庭(にわ)から貰(もら)え : '사위는 객실에서 며느리는 마당에서 맞이하라'는 의미로, 사위는 자기 집보다 격식이 높은 집에서 며느리는 낮은 집에서 맞이하는 것을 이르는 말.

◎ 婿(むこ)は火(ひ)を焚(た)く : '사위는 불을 땐다'는 의미로, 사위는 부엌의 일까지 도와주는 것임을 이르는 말.

◎ 蒸(む)し暑(あつ)いと翌日(よくじつ)は雨(あめ) : '무더우면 다음날은 비'라는 의미로, 무더우면 저기압이 가까워 비가 오는 것을 이르는 말.

◎ 娘(むすめ)が姑(しゅうとめ)になる : '딸이 시어머니가 된다'는 의미로, 세월의 흐름에 따라 처지가 달라지는 것을 이르는 말.

◎ 娘(むすめ)三人(さんにん)持(も)てば身代(しんだい)潰(つぶ)

す : '딸이 셋이면 도산한다'는 의미로, 딸을 시집보낼 때에는 많은 비용이 들어서 집안이 망할 지경에 되는 것을 이르는 말.

◎ 娘(むすめ)見(み)るより母(はは)を見(み)よ : '딸을 보는 것보다 어머니를 보아라'라는 의미로, 모친의 인품을 보면 어떠한 딸인지를 대충 알 수 있음을 이르는 말.

◎ 胸(むね)に一物(いちもつ) : '마음속에 한 가지 속셈'이라는 의미로, 입으로는 말하지 않지만 가슴속에 지니고 있는 어떠한 계략을 이르는 말.

◎ 村(むら)には村(むら)姑(しゅうとめ)が居(い)る : '동네에는 동네 시어머니가 있다'는 의미로, 이 세상은 어느 곳을 가든지 잔소리꾼이 많이 있음을 이르는 말.

◎ 無理(むり)が通(とお)れば道理(どうり)が引(ひ)っ込(こ)む : '억지가 통하면 도리가 물러선다'는 의미로, 도리에 어긋난 일이 허용된다면 도리에 맞는 일은 행할 수 없게 되는 것을 이르는 말.

[め]

◎ 名物(めいぶつ)に旨(うま)い物(もの)なし : '소문난 잔치에 먹을 것 없다'는 의미로, 평판과 실제는 일치하지 않음을 이르는 말.

◎ 目(め)から鼻(はな)へ抜(ぬ)ける : '영리하고 사물에 대한 이해나 판단 등이 빠르다'는 의미로, 아주 머리가 좋거나 민첩한 것을 이르는 말.

◎ 目糞鼻糞(めくそはなくそ)を笑(わら)う : '똥 묻은 개가 겨 묻은 개를 나무란다'는 의미로, 자기 결점은 생각하지 않고 남의 결점만을 탓하는 것을 이르는 말.

◎ 目(め)に入(い)れても痛(いた)くない : '눈에 넣어도 아프지 않다'는 의미로, 몹시 귀여움을 나타낼 때 사용하는 말.

◎ 目(め)には目(め)歯(は)には歯(は) : '눈에는 눈 이에는 이'라는 의미로, 당했던 것과 똑같은 식으로 되돌려 주는 것(복수)을 이르는 말.

◎ 目(め)の上(うえ)の瘤(こぶ) : '눈엣가시'라는 의미로, 눈에 거슬리는 사람을 이르는 말.

◎ 目(め)は口(くち)ほどに物(もの)を言(い)う : '눈도 말과 같이 마음을 전할 수 있다'는 의미로, 정으로 가득한 눈매는 말로 하는 것과 똑같은 기분을 나타내는 것을 이르는 말.

◎ 目(め)は心(こころ)の鏡(かがみ) : '눈은 마음의 거울'이라는 의미로, 눈을 보면 그 사람의 마음을 알 수 있음을 이르는 말.

◎ 名筆(めいひつ)は筆(ふで)を撰(えら)ばず : '명필은 붓을 가리지 않는다'는 의미로, 뛰어난 사람은 도구나 재료가 좋지 않아도 훌륭한 일을 하고 도구나 재료를 불평하는 것은 서투른 사람일수록 그러함을 이르는 말.

◎ 目(め)から鼻(はな)へ抜(ぬ)ける : '눈에서 코로 빠진다'는 의미로, 매우 영리하고 눈치가 빨라 행동이 민첩함을 이르는 말.

◎ 目糞(めくそ)鼻糞(はなくそ)を笑(わら)う : '눈곱이 코딱지를 비웃는다'는 의미로, 제게는 더 큰 흉이 있으면서 타인의 작은 흉을 들어 말하는 것을 이르는 말.

◎ 盲(めくら)に眼鏡(めがね) : '장님에게 안경'이라는 의미로, 유용한 것이라도 쓸모없으면 필요 없음을 이르는 말.

◎ 盲(めくら)に煮(に)え湯(ゆ)をかける : '장님에게 열탕을 끼얹는다'는 의미로, 잔인하고 참혹한 행동을 이르는 말.

◎ 盲(めくら)の垣(かき)のぞき : '장님 담장 엿보기'라는 의미로, 아무 보람도 없는 것을 이르는 말.

◎ 盲(めくら)の杖(つえ)を失(うしな)う如(ごと)し : '장님이 지팡이를 잃은 격'이라는 의미로, 유일하게 믿고 있는 것을 잃어서 앞으로 어떻게 해야 할지를 모르는 것을 이르는 말.

◎ 盲(めくら)蛇(へび)に怖(お)じず : '장님은 뱀을 무서워하지 않는다'는 의미로, 상대가 무엇인지를 모르는 자는 무서워할 줄 모르는 것을 이르는 말.

◎ 目(め)で見(み)て鼻(はな)で嗅(か)ぐ : '눈으로 보고 코로 맡는다'는 의미로, 무슨 일이든지 조심하고 튼튼히 틀림없게 하는 것을 이르는 말.

◎ 目(め)と鼻(はな)の間(あいだ) : '눈과 코와의 사이'라는 의미로, 눈과 코와의 간격처럼 극히 좁거나 가까운 것을 이르는 말.

◎ 目(め)に入(い)れても痛(いた)くない : '눈에 넣어도 아프지 않다'는 의미로, 몹시 귀여워하는 것을 이르는 말.

◎ 目(め)の上(うえ)の瘤(こぶ) : '눈 위의 혹'이라는 의미로, 자기보다 위치나 실력이 월등하여 은근히 방해가 되는 존재임을 이르는 말.

◎ 目(め)の正月(しょうがつ) : '눈의 설날'이라는 의미로, 진귀하고 예쁘고 고운 것을 보며 즐기는 일을 이르는 말.

◎ 目(め)の保養(ほよう) : '눈의 보양'이라는 의미로, 얻지는 못하고 보기만 하며 좋아하는 일을 이르는 말.

◎ 目(め)は心(こころ)の鏡(かがみ) : '눈은 마음의 거울'이라는 의미로, 마음이 깨끗하면 눈동자도 맑은 것을 이르는 말.

◎ 目(め)は口程(くちほど)に物(もの)を言(い)う : '눈도 입만큼 말한다'는 의미로, 말로 말하지 않아도 눈의 표정으로 마음을 상대방에게 알릴 수 있음을 이르는 말.

◎ 面面(めんめん)の楊貴妃(ようきひ) : '제각기 양귀비'라는 의미로, 사람은 제각기 자기 애인을 양귀비보다 나은 일색이라고 믿고 있음을 이르는 말.

◎ 面(めん)も笠(かさ)も脱(ぬ)ぐ : '탈도 삿갓도 벗는다'는 의미로, 빚을 모두 갚아 활개 치면서 세상을 살 수 있게 된 것을 이르는 말.

[も]

◎ 孟母(もうぼ)三遷(さんせん)の教(おし)え : '맹모삼천지교', 부모가 자식의 장래를 위해 집을 세 번 옮길 정도로 애를 쓰는 것을 이르는 말.

◎ 餅(もち)は餅屋(もちや) : '떡은 떡집'이라는 의미로, 무슨 일이나 사물에는 제각기 전문가가 있는 법이므로 전문가에게 맡기는 것이 상책임을 이르는 말.

◎ 餅(もち)に佐藤(さとう) : '떡에다 설탕'이라는 의미로, 너무 달콤한 말을 이르는 말.

◎ 餅(もち)の中(なか)の籾(もみ) : '떡 속의 뉘'라는 의미로, 매우 드문 것을 이르는 말.

◎ 餅屋(もちや)餅(もち)食(く)わず : '떡장수 떡을 안 먹는다'는 의미로, 항상 가지고 있으면서 자신을 위해 쓰지 않는 것을 이르

는 말.

◎ 餅(もち)より餡(あん)が高(たか)くつく : '떡보다 소가 더 비싸다'는 의미로, 본체보다 부수적인 것에 비용이 더 드는 것을 이르는 말.

◎ 持(も)った棒(ぼう)で打(う)たれる : '제가 가진 몽둥이로 맞는다'는 의미로, 스스로 화를 자초하는 것을 이르는 말.

◎ 本木(もとき)にまさる末木(うらき)なし : '나무 밑동보다 나은 가지는 없다'는 의미로, 여러 번 갈아치워도 역시 처음의 것보다 더 좋은 것은 없음을 이르는 말.

◎ 元(もと)の鞘(さや)へ収(おさ)まる : '제 칼집에 들어간다'는 의미로, 멀어졌던 부부 사이가 타협을 이루어 다시 이전의 관계를 되찾는 것을 이르는 말.

◎ 物(もの)盛(さかん)なれば則(すなわ)ち劣(おとろ)う : '물건이란 성하면 곧 쇠퇴한다'는 의미로, 한 번 번성하면 멀지 않아 쇠퇴하게 되는 것이니 언제까지나 성한 채로 있는 것은 없음을 이르는 말.

◎ 物種(ものだね)は盗(ぬす)まれず : '씨는 도둑맞지 않는다'는 의미로, 유전법칙과 혈통은 속일 수 없음을 이르는 말.

◎ 物(もの)には時節(じせつ) : '사물에는 시기'라는 의미로, 일을 함에는 제각기 적당한 시기가 있으니 그 기회를 놓치지 말고 할 필요가 있음을 이르는 말.

◎ 物(もの)は考(かんが)えよう : '모든 일은 생각할 탓'이라는 의미로, 세상만사는 생각하기에 따르는 것임을 이르는 말.

◎ 物(もの)も言(い)いようで角(かど)が立(た)つ : '말도 말투로 모가 난다'는 의미로, 같은 말이라도 말하기에 따라서는 남의 감정을 해치는 것을 이르는 말.

◎ 木綿(もめん)布子(ぬのこ)に紅絹(もみ)の裏(うら) : '무명 솜옷에 홍견의 안감'이라는 의미로, 격에 맞지 않음을 이르는 말.

◎ 桃栗三年(ももくりさんねん)柿八年(かきはちねん) : '복숭아와 밤은 싹이 나온 뒤 삼 년, 감은 팔 년이 되어야 열매가 열린다'는 의미로, 어떠한 일을 달성하기까지는 그에 상당하는 시간이 걸리므로 너무 조급해 하지 말고 인내할 것을 이르는 말.

◎ 貰(もら)い物(もの)に苦情(くじょう) : '얻은 물건에 불평'이라는 의미로, 세상에는 멋대로 하는 사람이 있고 남에게 얻은 물건이라도 이것저것 불만을 호소하고 지나치게 욕심을 부리는 것을 이르는 말.

◎ 貰(もら)う物(もの)は夏(なつ)も小袖(こそで) : '얻는 것이라면 여름에도 솜옷'이라는 의미로, 남에게 거저 얻는 것이라면 계절의 것이 아니라도 좋다는 말로 공짜라면 무엇이든 좋은 것을 이르는 말.

◎ 門前(もんぜん)雀羅(じゃくら)を張(は)る : '문 앞에 새그물을 친다'는 의미로, 찾는 이가 없어 문전에 참새 그물을 칠 정도로 쓸쓸한 것을 이르는 말.

◎ 元(もと)の木阿弥(もくあみ) : '도로아미타불'이라는 의미로, 보다 낫게 하려고 노력했던 일이 보람도 없이 처음처럼 되었음을 이르는 말.

[や]

◎ 焼餅(やきもち)焼(や)くとて手(て)を焼(や)くな : '떡을 굽더라도 손은 데지 말라'는 의미로, 떡을 굽는다는 것은 질투한다는

것으로 질투하는 것도 좋지만 지나쳐서 재화를 자초하지 않도록 조심해야 되는 것을 이르는 말.

◎ 薬籠(やくろう)中(ちゅう)の物(もの) : '약상자 속의 물건'이라는 의미로, 언제든지 필요할 때 쓸 수 있는 물건이나 사람을 이르는 말.

◎ 焼(や)け跡(あと)の釘(くぎ)拾(ひろ)い : '불탄 자리에서 못 줍기'라는 의미로, 유흥에 큰돈을 뿌린 뒤 자질구레한 지출을 절약하는 것을 이르는 말.

◎ 焼(や)け石(いし)に水(みず) : '탄 돌에 물(언발에 오줌누기)'라는 의미로, 어떠한 노력이나 지원이 부족하여 아무런 효과가 없음을 이르는 말.

◎ 焼(や)けた脛(すね)から毛(け)は生(は)えぬ : '화상 입은 정강이에서는 털이 나지 않는다'는 의미로, 뿌리가 마르면 나뭇가지와 잎은 번성하지 않음을 이르는 말.

◎ 火傷(やけど)火(ひ)に怖(お)じる : '불에 덴 사람 불을 두려워한다'는 의미로, 무엇에 한 번 몹시 놀란 사람은 그것을 잊어버릴 수 없고 지나치게 두려워하는 것을 이르는 말.

◎ 夜食(やしょく)過(す)ぎての牡丹餅(ぼたもち) : '밤참 먹은 후의 팥떡'이라는 의미로, 시기가 지나서 가치가 떨어지는 것을 이르는 말.

◎ 安(やす)かろう悪(わる)かろう : '싼 것이 나쁘다'는 의미로, 값이 싸니까 물건의 질도 나쁠 것임을 이르는 말.

◎ 安物(やすもの)買(が)いの銭(ぜに)失(うしな)い : '싸구려를 사서 돈만 버린다(싼 게 비지떡이다)'는 의미로, 값이 싼 물건은 그만큼 품질이 떨어지므로 오래가지 않아 새로 사게 되어 결국은 손해가 되는 것을 이르는 말.

◎ 痩(や)せ腕(うで)にも骨(ほね) : '여윈 팔에도 뼈'라는 의미로, 약한 사람이라도 그런대로의 고집이나 생각이 있으므로 멸시해서는 안 되는 것임을 이르는 말.

◎ 痩馬(やせうま)に重荷(おもに) : '여윈 말에 무거운 짐'이라는 의미로, 힘에 겨운 큰 일을 이르는 말.

◎ 痩馬(やせうま)の行(ゆ)く先(さき)は草(くさ)まで枯(か)れる : '야윈 말이 가는 데는 풀까지 마른다'는 의미로, 가난한 사람이 욕심 많고 조금도 여유가 없음을 이르는 말.

◎ 瘦馬(やせうま)鞭(むち)を恐(おそ)れず : '여윈 말은 채찍을 겁내지 않는다'는 의미로, 혹사당한 말은 주인의 명령을 듣지 않게 되는 것과 같이 사용인을 부릴 때는 애정으로 대해야 함을 이르는 말.
◎ 痩(や)せの大食(おおぐ)い : '말라깽이 밥 많이 먹는다'는 의미로, 몸이 여위어서 그다지 먹을 수 없을 것같이 보이는 사람이 의외로 대식가임을 이르는 말.

◎ 藪(やぶ)から棒(ぼう) : '덤불에서 몽둥이'라는 의미로, 갑자기 엉뚱한 말이나 행동을 불쑥하는 것을 이르는 말.

◎ 柳(やなぎ)の下(した)の泥鰌(どじょう) : '버드나무 밑의 미꾸라지'라는 의미로, 버드나무 밑에서 한 번 미꾸라지를 잡았다 해도 늘 거기에 있지 않음을 이르는 말.

◎ 柳(やなぎ)は緑花(みどりはな)は紅(くれない) : '버드나무는 초록빛 꽃은 주홍색'이라는 의미로, 모든 일은 제각기 특색이 있음을 이르는 말.
◎ 矢(や)はすでに放(はな)たれた : '화살은 이미 떠났다'는 의미로, 이미 시작한 것은 도중에서 중지시키기 어려움을 이르는 말.

◎ 破(やぶ)れ靴(ぐつ)を棄(す)てるよう : '해진 신발 버리듯'이라는 의미로, 애석한 마음이 조금도 없음을 이르는 말.

◎ 破(やぶ)れても小袖(こそで) : '찢어져도 솜옷'이라는 의미로, 본바탕이 좋은 것은 아무리 낡고 헐어도 그 볼품을 지니고 있음을 이르는 말.

◎ 藪(やぶ)をつついて蛇(へび)を出(だ)す : '덤불을 쑤셔서 뱀을 나오게 한다'는 의미로, 공연히 쓸데없는 짓을 하여 화를 불러일으키는 것을 이르는 말.

◎ 病(やまい)は気(き)から : '병은 마음먹기에 달려있다'는 의미로, 병은 그 사람의 마음먹기에 따라 가볍게도 무겁게도 되는 것을 이르는 말.

◎ 病(やまい)は口(くち)より入(い)り禍(わざわい)は口(くち)より出(い)ず : '병은 입으로 들어가고 화는 입에서 나온다'는 의미로, 병은 음식물에서 생기고 화는 말을 삼가지 않는 데서 생기는 것임을 이르는 말.

◎ 病(やまい)は治(なお)るが癖(くせ)は治(なお)らぬ : '병은 고칠 수 있어도 버릇은 고칠 수 없다'는 의미로, 한 번 든 나쁜 버릇은 여간해서 고치기 어려움을 이르는 말.

◎ 山高(やまたか)きが故(ゆえ)に貴(たっと)からず : '산은 높기 때문에 귀한 것이 아니다'라는 의미로, 사물은 겉보기보다 실질

이 중요한 것임을 이르는 말.

◎ 山高(やまたか)ければ谷深(たにふか)し : '산이 높으면 골이 깊다'는 의미로, 주가가 오른 뒤에는 폭락이 있음을 이르는 말.

◎ 山(やま)に舟(ふね)を乗(の)るよう : '산에서 배를 타는 격'이라는 의미로, 무리한 일 또는 이치에 닿지 않는 일을 이르는 말.

◎ 山(やま)の芋鰻(いもうなぎ)になる : '참마가 뱀장어가 된다'는 의미로, 있을 수 없는 일이 세상에는 있는 경우가 있음을 이르는 말.

◎ 山(やま)の事(こと)はきこりに問(と)え : '산에 관해서는 나무꾼에게 물어라'라는 의미로, 무엇이든지 전문가에게 상의하는 것이 상책임을 이르는 말.

◎ 山(やま)見(み)えぬに坂(さか)を言(い)う : '산 안 보이는데 고개를 말한다'는 의미로, 산이 아직 멀리 있는데 고개 넘을 걱정을 하는 것을 이르는 말.

◎ 山(やま)より大(おお)きな猪(いのしし)は出(で)ぬ : '산보다 큰 멧돼지는 안 난다'는 의미로, 아무리 크다고 해도 크기란 물건에 따라 정도가 있음을 이르는 말.

◎ 闇(やみ)の夜(よ)に灯火(とうか)を失(うしな)う : '깜깜한 밤에 등불을 잃어버린다'는 의미로, 의지할 것을 잃어서 앞으로 어찌할 바를 모르는 것을 이르는 말.

◎ 闇夜(やみよ)に烏雪(からすゆき)に鷺(さぎ) : '어두운 밤에 까마귀 누에 해오라기'라는 의미로, 주위에 있는 것과 구별할 수 없음을 이르는 말.

◎ 闇夜(やみよ)の礫(つぶて) : '깜깜한 밤에 팔매질'이라는 의미로, 아무리 돌멩이를 던져도 맞지 않거나 효력이 없는 것을 이르는 말.

◎ 闇夜(やみよ)の錦(にしき) : '어두운 밤의 비단옷'이라는 의미로, 헛수고로 끝나는 것을 이르는 말.

◎ 病(や)む身(み)より見(み)る目(め) : '앓는 몸보다 보는 눈'이라는 의미로, 병을 앓고 누워 있는 사람보다 옆에서 간호하는 사람이 더욱 괴로운 것임을 이르는 말.

[ゆ]

◎ 有終(ゆうしゅう)の美(び) : '유종의 미'라는 의미로, 마지막 결과가 훌륭히 이루어지는 것을 이르는 말.

◎ 夕立(ゆうだち)は馬(うま)の背(せ)を分(わ)ける : '소나기는 말등을 가른다'는 의미로, 소나기가 오는 구역이 매우 좁음을 이르는 말.

◎ 夕焼(ゆうや)けに鎌(かま)を研(と)げ : '저녁놀에 낫을 갈아라'라는 의미로, 저녁놀이 지면 그 이튿날은 하늘이 갤 것이므로 낫을 갈아서 물과 벼 베기 할 준비를 해 놓을 것을 이르는 말.

◎ 行(ゆ)き掛(が)けの駄賃(だちん) : '빈 말로 가는 김에 실어다 주는 짐삯'이라는 의미로, 어떠한 일을 하는 김에 다른 일을 하는 것을 이르는 말.

◎ 雪(ゆき)と墨(すみ) : '눈과 먹'이라는 의미로, 정반대(전혀 다름)의 일을 이르는 말.

◎ 雪(ゆき)と欲(よく)は積(つも)るほど道(みち)を忘(わす)れる : '눈과 욕심은 쌓일수록 길을 잊어버린다'는 의미로, 사람은

돈이 모이면 도리어 탐을 내는 것을 이르는 말.

◎　雪(ゆき)の明日(あした)は裸虫(はだかむし)の洗濯(せんたく)：'눈 온 뒷날은 가난뱅이의 빨래'라는 의미로, 눈 온 뒷날은 맑고 따뜻하게 된다고 하니, 즉 옷이 적은 가난한 사람도 빨래를 하는 것을 이르는 말.

◎ 雪(ゆき)の上(うえ)に霜(しも)：'눈 위에 서리'라는 의미로, 쓸데없는 노력을 이르는 말.

◎ 雪(ゆき)や氷(こおり)も元(もと)は水(みず)：'눈이나 얼음도 원래는 물'이라는 의미로, 본시는 같은 것이라도 환경이나 사정의 차이로 다른 것이 되는 것을 이르는 말.

◎ 行(ゆ)く馬(うま)に鞭(むち)：'닫는 말에 채찍질'이라는 의미로, 지금 하고 있는 그만한 정도로도 족한 것을 더욱 잘 하기를 재촉함을 이르는 말.

◎ 油断大敵(ゆだんたいてき)：'방심은 금물'이라는 의미로, 절대로 방심해서는 안 되는 것을 이르는 말.

◎ 油断(ゆだん)は怪我(けが)の基(もと)：'방심은 실수의 근원'이라는 의미로, 마음을 놓는데서 실수가 생기므로 항상 조심할

것을 이르는 말.

◎ 指(ゆび)汚(きたな)しとて切(き)られもせず : '손가락이 더럽다고 끊을 수 없다'는 의미로, 아무리 더러워도 자기에 속한 것이면 어쩔 수 없음을 이르는 말.

◎ 指(ゆび)を惜(お)しんで掌(てのひら)を失(うしな)う : '손가락 아끼다가 손바닥 잃는다'는 의미로, 작은 것을 아끼다가 큰 손해를 받는 것을 이르는 말.

◎ 弓(ゆみ)折(お)れ矢(や)尽(つ)きる : '활은 부러지고 화살은 떨어진다'는 의미로, 모든 힘이 다하여 어찌할 도리가 없게 되었음을 이르는 말.

◎ 弓(ゆみ)と弦(つる) : '활과 시위'라는 의미로, 지름길과 멀리 돌아가는 길의 차이를 이르는 말.

◎ 弓(ゆみ)も引(ひ)き方(かた) : '활도 당기는 방법'이라는 의미로, 활도 당기는 방법에 따라 과녁에 맞을 때도 있고 빗나갈 때도 있음을 이르는 말.

◎ 夢(ゆめ)に金(かね)を拾(ひろ)う : '꿈속에서 돈을 줍는다'는 의미로, 꿈에서 깨어나면 덧이 없거나 욕심이 많고 천한 마음을

이르는 말.

◎ 夢(ゆめ)のまた夢(ゆめ) : '꿈속의 꿈'이라는 의미로, 현실과 거리가 먼 덧없는 일을 이르는 말.

◎ 夢(ゆめ)は逆夢(さかゆめ) : '꿈은 역몽'이라는 의미로, 꿈은 실제 사실과는 반대로 되므로 나쁜 꿈을 꾸어도 상관하지 말 것을 이르는 말.

◎ 夢(ゆめ)は判(はん)じがら : '꿈은 해몽할 탓'이라는 의미로, 꿈은 해몽에 따라 길몽이 될 때도 있고 흉몽이 될 때도 있음을 이르는 말.

◎ 湯(ゆ)を沸(わ)かして水(みず)にする : '물 데워서 찬물이 되게 한다'는 의미로, 모처럼 수고한 것이 헛수고로 끝나는 것을 이르는 말.

[よ]

◎ 宵(よい)っ張(ぱ)りの朝寝坊(あさねぼう) : '늦잠 자는 잠꾸러기'라는 의미로, 밤에는 늦게까지 안 자고 아침잠이 많은 사람을 이르는 말.

◎ 酔(よ)いどれ怪我(けが)せず : '술주정꾼 다치지 않는다'는 의미로, 자기를 잊어버리고 무심한 자는 도리어 치명적인 실패를 하지 않음을 이르는 말.

◎ よい花(はな)は後(あと)から : '좋은 꽃은 나중에'라는 의미로, 처음에 나오는 것은 좋지 않음을 이르는 말.

◎ 養生(ようじょう)に身(み)が痩(や)せる : '양생으로 몸이 수척해진다'는 의미로, 섭생하려고 노력하면 도리어 몸이 수척해지는 것을 이르는 말.

◎ 用心(ようじん)に怪我(けが)なし : '조심하면 다치지 않는다'는 의미로, 잘 주의하면 실패할 것이 없음을 이르는 말.

◎ 善(よ)く泳(およ)ぐ者(もの)は溺(おぼ)れる : '헤엄 잘 치는 놈이 물에 빠진다'는 의미로, 사람은 흔히 자기가 자장 자신 있는 일에 방심하기 쉬우므로 도리어 실패도 많음을 이르는 말.

◎ 欲(よく)に頂(いただき)無(な)し : '욕심에는 꼭대기가 없다'는 의미로, 사람의 욕심에는 한정이 없음을 이르는 말.

◎ 欲(よく)の桶(おけ)には底(そこ)無(な)し : '욕심의 통에는 밑바닥이 없다'는 의미로, 사람의 욕심을 밑바닥 없는 통으로 비유

한 것을 이르는 말.

◎ 欲(よく)は身(み)を失(うしな)う : '욕심은 자기 몸을 망친다'는 의미로, 욕심은 일신의 파멸을 초래하는 원인이 되는 것을 이르는 말.

◎ 欲(よく)深(ふか)き鷹(たか)は爪(つめ)の裂(さ)くるを知(し)らず : '욕심 많은 매는 발톱이 찢어지는 것도 모른다'는 의미로, 허욕은 몸을 헤치는 것을 이르는 말.

◎ 欲深者(よくふかもの)は頭(あたま)禿(は)げ易(やす)し : '욕심쟁이는 머리가 벗어지기 쉽다'는 의미로, 공짜를 바라지 말 것을 이르는 말.

◎ 横(よこ)紙(がみ)さく如(ごと)し : '종이를 가로 찢는 것 같다'는 의미로, 사리나 관습에 벗어난 일을 억지로 하려고 하는 것을 이르는 말.

◎ 横(よこ)車(ぐるま)を押(お)す : '수레를 옆으로 민다'는 의미로, 무리인 줄 알면서 자기주장을 고집하고 도리에 어긋나는 짓이나 억지를 쓰는 것을 이르는 말.

◎ 横槍(よこやり)を入(い)れる : '옆에서 창을 찌른다'는 의미로, 관계없는 일에 간섭하는 것을 이르는 말.

◎ 葦(よし)の髄(ずい)から天井(てんじょう)のぞく : '갈대 속으로 천장을 본다'는 의미로, 좁은 견식으로 사물의 전체를 마음대로 판단하는 것을 이르는 말.

◎ 余所(よそ)の内儀(ないぎ)は美(うつく)しく見(み)える : '남의 아내는 예쁘게 보인다'는 의미로, 여러 가지 점에서 남의 것은 좋아 보이는 것을 이르는 말.

◎ 淀(よど)む水(みず)には芥溜(ごみたまる) : '괸 물에는 먼지가 끼어 물이 썩는다'는 의미로, 새로운 사람이나 공기를 바꾸어 넣지 않으면 부패하게 되는 것을 이르는 말.

◎ 世(よ)は様々(さまざま) : '세상은 가지각색'이라는 의미로, 이 세상은 여러 사건이 벌어지고 다양한 사람을 만나기 때문에 뜻하지 않은 결과가 생기는 것이 많음을 이르는 말.

◎ 世(よ)は柳(やなぎ)で暮(く)らせ : '세상은 버드나무처럼 살아라'라는 의미로, 세상 살아가는 데는 버드나무 바람처럼 받아넘기고 순순히 복종하면 아무 탈이 없음을 이르는 말.

◎ 夜道(よみち)に日(ひ)は暮(く)れぬ : '밤길에 날은 저물지 않는다'는 의미로, 밝은 동안이면 어둡기 전에 길을 재촉하는 것도 좋지만 이미 늦어서 밤이 되었다면 당황할 필요가 없음을 이르는 말.

◎ 嫁(よめ)が姑(しゅうとめ)になる : '며느리가 시어머니 된다'는 의미로, 세월은 빨리 지나가고 사람은 늙기 쉬움을 이르는 말.

◎ 嫁(よめ)と厠(かわや)は遠(とお)いほどよい : '며느리와 뒷간은 멀수록 좋다'는 의미로, 구린내 나는 뒷간과 말이 많은 친정은 먼 데 있는 것이 좋음을 이르는 말.

◎ 嫁(よめ)は来(き)たときに仕込(しこ)め : '며느리는 시집왔을 때에 가르쳐라'라는 의미로, 신부를 휘어잡으려면 새색시일 때 버릇을 잘 가르쳐야 함을 이르는 말.

◎ 嫁(よめ)は憎(にく)いが孫(まご)は可愛(かわい)い : '며느리는 미우나 손자는 귀엽다'는 의미로, 시어머니의 심정을 말한 것을 이르는 말.

◎ 嫁(よめ)を取(と)れば可愛子(かわいいご)も憎(にく)くなる : '며느리를 보게 되면 귀여운 자식도 미워진다'는 의미로, 며느리를 미워한 나머지 그의 남편인 제 아들까지 미워함을 이르는 말.

◎ 嫁(よめ)を貰(もら)えば親(おや)を貰(もら)え : '며느리를 얻으려면 어버이를 얻어라'라는 의미로, 어버이의 사람 됨됨이를 보고 그 딸을 며느리로 삼으면 틀림이 없음을 이르는 말.

◎ 寄(よ)らば大樹(たいじゅ)の陰(かげ) : '의지하려면 큰 나무의 그늘'이라는 의미로, 이왕 의지하려면 탄탄한 사람에게 기댈 것을 이르는 말.

◎ 夜(よる)、家(いえ)の中(なか)で口笛(くちぶえ)を吹(ふ)くな : '밤에 집 안에서 휘파람을 불지 말라'는 의미로, 밤에 휘파람을 불면 도둑이 온다고 하여 이르는 말.

◎ 弱(よわ)り目(め)に祟(たた)り目(め) : '눈 위에 다시 서리가 덮인다'는 의미로, 난처한 일이나 불행한 일이 거듭해서 일어나는 것을 이르는 말.

[ら]

◎ 来年(らいねん)の事(こと)を言(い)えば鬼(おに)が笑(わら)う : '내년의 일을 말하면 귀신이 웃는다'는 의미로, 미래의 일은 알 수 없으므로 장담하는 말을 하면 귀신이 웃음을 이르는 말.

◎ 楽(らく)あれば苦(く)あり : '즐거움이 다하면 슬픔이 닥쳐온다'는 의미로, 세상의 온갖 일에 너무 자만하거나 낙담하지 말 것을 이르는 말.

◎ 楽(らく)は身(み)に覚(おぼ)えず : '낙은 몸에 기억되지 않는다'는 의미로, 고통은 몸에 사무치지만 안락은 모르는 사이에 지나감을 이르는 말.

◎ 楽(らく)は苦(く)の種(たね)苦(く)は楽(らく)の種(たね) : '낙은 괴로움의 씨앗, 괴로움은 낙의 씨앗'이라는 의미로, 지금의 괴로움은 장래의 낙으로 연결되므로 지금의 괴로움을 참고 견디지 않으면 안 되는 것을 이르는 말.

◎ 落下流水(らっかりゅうすい)の情(じょう) : '낙화유수의 정'이라는 의미로, 남녀가 서로 사모하는 정이 있음을 이르는 말.

[り]

◎ 李下(りか)に冠(かんむり)を正(ただ)さず : '배나무 아래에서 갓끈을 고쳐 매지 말라'는 의미로, 남에게 의심받을 행동은 하지 말 것을 이르는 말.

◎ 理屈(りくつ)上手(じょうず)の行(おこな)い下手(べた) : '핑계 잘 대는 자 실행은 서투르다'는 의미로, 말만 늘어놓고 일은 도무지 안 하는 것을 이르는 말.

◎ 理屈(りくつ)と膏薬(こうやく)はどこへでも付(つ)く : '핑계와 고약은 어디든지 붙일 수 있다'는 의미로, 억지로 이론을 합리화시키려고 하면 얼마든지 할 수 있음을 이르는 말.

◎ 律儀者(りちぎもの)の子沢山(こだくさん) : '성실한 사람 자식이 많다'는 의미로, 성실하고 정직한 사람은 품행이 방정하고 가정이 원만하므로 자식도 많음을 이르는 말.

◎ 理(り)に勝(か)って非(ひ)に落(お)ちる : '이치로는 이기면서 실제로는 진다'는 의미로, 도리가 현실에는 통용되지 않는 경우가 있음을 이르는 말.

◎ 離別(りべつ)の後(のち)の悋気(りんき) : '이혼 뒤의 질투'라는 의미로, 이혼한 남편의 정사를 질투하는 것은 이치에 맞지 않는 일이나 인정이란 그러한 것임을 이르는 말.

◎ 竜(りゅう)の髭(ひげ)を蟻(あり)が狙(ねら)う : '용의 수염을 개미가 노린다'는 의미로, 제 힘으로 당하지 못할 것을 생각지 않고 대적해 맞서는 것을 이르는 말.

◎ 竜馬(りゅうめ)の躓(つまず)き : '용마의 차질'이라는 의미로, 뛰어난 준마라도 때로는 발을 헛디어 넘어지는 일이 있다는 것으로 어떠한 사람이라도 실패가 있음을 이르는 말.

◎ 良禽(りょうきん)は木(き)を選(えら)ぶ : '영리한 새는 나무를 고른다'는 의미로, 유능한 사람은 모시는 주인을 고르는 것을 이르는 말.

◎ 両手(りょうて)に花(はな) : '양손에 꽃'이라는 의미로, 두 가지의 좋은 것을 동시에 얻거나 또는 한 사람의 남자가 두 여자를 동반하고 있는 것을 이르는 말.

◎ 両方(りょうほう)聞(き)いて下知(げち)をなせ : '양편 말을 듣고 판결을 내려라'라는 의미로, 양편의 말을 듣고 올바른 판결을 내려야 함을 이르는 말.

◎ 良薬(りょうやく)は口(くち)に苦(にが)し : '양약은 입에 쓰다'는 의미로, 자기에게 좋은 충고는 듣기 싫지만 그것이 결과적으로 이로운 것임을 이르는 말.

◎ 悋気(りんき)は女(おんな)の七(なな)つ道具(どうぐ) : '질투는 여자의 일곱가지 도구'라는 의미로, 질투는 여자가 지니고 있는 유력한 무기임을 이르는 말.

[る]

◎ 類(るい)は友(とも)を呼(よ)ぶ : '같은 처지에 있는 사람끼리는 서로 잘 어울린다'는 의미로, 서로 비슷한 사람끼리 모이면 조화가 잘 이루어지는 것을 이르는 말.

◎ 留守(るす)見舞(みまい)は間遠(まどお)にせよ : '남편이 출타한 집의 문안은 자주 하지 말라'는 의미로, 남편이 없는 집을 자주 문안하면 남의 오해를 살 수 있음을 이르는 말.

◎ 瑠璃(るり)も玻璃(はり)も照(てら)せば光(ひか)る : '유리도 파리도 비추면 빛난다'는 의미로, 뛰어난 재능이 있어도 노력하고 자기를 닦지 않으면 훌륭하게 되지 않음을 이르는 말.

[れ]

◎ 礼儀(れいぎ)は下(した)から慈悲(じひ)は上(うえ)から : '예의는 아래에서 자비는 위에서'라는 의미로, 아랫사람은 예의를 두텁게 하여 웃사람을 섬기고 웃사람은 자비스럽게 아랫사람에게 대해야 하는 것을 이르는 말.

◎ 礼(れい)も過(す)ぎれば無礼(ぶれい)になる : '예의도 지나치면 무례가 된다'는 의미로, 필요 이상 예의를 차리면 도리어 상대방을 모욕하는 것임을 이르는 말.

◎ 連木(れんぎ)で重箱(じゅうばこ)洗(あら)う : '절굿공이로 찬합을 씻는다'는 의미로, 절굿공이로는 찬합 구석구석을 닦을 수 없으므로 극히 조잡한 것을 이르는 말.

◎ 連木(れんぎ)で門(かど)掃(は)く : '절굿공이로 문간을 쓴다'는 의미로, 갑자기 오신 손님을 매우 당황해서 맞아들이는 꼴을 이르는 말.

[ろ]

◎ 老少不定(ろうしょうふじょう) : '노소부정', 인간의 생명은 연령 노소에 관계없음을 이르는 말.

◎ 蝋燭(ろうそく)は身(み)を減(へ)らして人(ひと)を照(てら)す : '양초는 몸을 줄어 가면서 사람을 비춘다'는 의미로, 자기를 희생시키면서 남의 행복을 위해 힘을 다하는 것을 이르는 말.

◎ 六月(ろくがつ)に火桶(ひおけ)を売(う)る : '유월에 화로를 판다'는 의미로, 시절에 어울리지 않는 것을 이르는 말.

◎ 六月無礼(ろくがつぶれい) : '유월무례', 더위 심한 여름에는 복장이 흩어져도 할 수 없음을 이르는 말.

◎ 六十(ろくじゅう)の手習(てなら)い : '예순 살의 습자'라는 의미로, 나이가 든 뒤에 공부하는 것을 이르는 말.

◎ 六十年(ろくじゅうねん)は暮(くら)せど六十日(ろくじゅうにち)を暮(くら)しかぬ : '육십년은 살아도 육십일은 살기 어렵다'는 의미로, 아무리 노력해도 돈을 마련할 수 없음을 이르는 말.

◎ 論語(ろんご)読(よ)みの論語(ろんご)知(し)らず : '논어를 읽되 논어를 모른다'는 의미로, 머리로만 이해하고 실행으로 옮기지 못하는 사람을 비웃는 것을 이르는 말.

◎ 論(ろん)より証拠(しょうこ) : '의론보다 증거'라는 의미로, 입으로만 떠드는 논의보다 사실을 증명하는 증거가 더욱 확실함을 이르는 말.

[わ]

◎ 若(わか)い時(とき)の苦労(くろう)は買(か)ってでもせよ : '젊었을 적 고생은 돈 주고 사랬다'라는 의미로, 젊어서 고생은 귀중한 경험이 되므로 참고 달게 여김을 이르는 말.

◎ 我(わ)が門(かど)で吠(ほ)えぬ犬(いぬ)なし : '제 집 앞에서 짖지 않는 개 없다'는 의미로, 아무리 패기 없는 사나이라도 집 안에서는 뽐내는 것을 이르는 말.

◎ 我(わ)が子(こ)自慢(じまん)は親(おや)の常(つね) : '자식 자랑은 어버이의 상사(常事)'라는 의미로, 어버이는 아무리 평범한 자식이라도 남에게 자랑하고 싶은 것임을 이르는 말.

◎ 我(わ)が田(た)へ水(みず)を引(ひ)く : '내 논에 물대기'라는 의미로, 자기에게만 유리하도록 일하는 것을 이르는 말.

◎ 沸(わ)く泉(いずみ)にも水涸(みずが)れ : '솟아나는 샘에도 물 마를 때 있다'는 의미로, 아무리 풍부한 것이라도 없어지는 때가 있음을 이르는 말.

◎ 禍(わざわい)も三年(さんねん)たてば用(よう)に立(た)つ : '화도 삼 년이 지나면 소용된다'는 의미로, 화를 당해도 세월이 지나면 사정이 변하는 것을 이르는 말.

◎ 渡(わた)りに船(ふね) : '강을 건너려는데 마침 배가 있다'는 의미로, 어떠한 일이나 시기가 아주 적절한 상태인 것을 이르는 말.

◎ 渡(わた)る世間(せけん)に鬼(おに)はない : '살아가는 세상에 못된 귀신 없다'는 의미로, 세상은 무정한 것 같지만 친절하게 도와주는 사람도 있음을 이르는 말.

◎ 割(わ)った茶碗(ちゃわん)をついで見(み)る : '깨뜨린 찻종을 붙여 본다'는 의미로, 아무리 푸념해도 소용없지만 언제까지나 미련을 남기는 것을 이르는 말.

◎ 笑(わら)う門(かど)には複(ふく)来(き)たる : '소문만복래', 웃는 집에 복이 오는 것을 이르는 말.

◎ 割(わ)れ鍋(なべ)に綴(と)じ蓋(ぶた) : '깨진 냄비에 꿰맨 뚜껑'이라는 의미로, 깨진 냄비에도 울리는 뚜껑이 있음을 이르는 말.

◎ 割物(われもの)と小娘(こむすめ) : '깨어지기 쉬운 물건과 소녀'라는 의미로, 깨어지기 쉬운 물건과 처녀를 다루기에는 조심하여야 함을 이르는 말.

미국
속담

[A]

◎ A bad workman blames his tools. : 무능력한 일꾼이 연장 나무란다.

◎ A barking dog never bites. : 짖는 개는 절대 물지 않는다. (빈 수레가 요란하다.)

◎ A bird in the hand is worth two in the bush. : 손 안의 새 한 마리가 숲속의 두 마리보다 낫다. (사람들은 불확실보다 확실함을 좋아한다는 뜻.)

◎ A big fish must swim in deep waters. : 물고기는 큰물에서 놀아야 한다. (사람도 좁은 곳에 사는 것보다 넓은 곳에서 많은 경험을 하고 사는 게 낫다는 뜻.)

◎ A buddy from my old stomping grounds. : 오래된 고향 친구. (죽마고우)

◎ Absence makes the heart grow fonder. : 떨어져 있으면 애틋함이 깊어진다.

◎ A bargain usually costs you more in the end. : 싼 물건은 보통 결국 더 많이 소비하게 만든다. (흥정이 결국엔 더 많은 비용을 지불케 한다.)

◎ A beard well lathered, is half shaved. : 비누 거품 잘한 수염은 반쯤 깎은 것이다. (시작이 반이다.)

◎ A black plum is as sweet as a white. : 검은 자두는 흰 자두만큼이나 달다. (겉을 보고 판단하지 말라.)

◎ A bold attempt is half success. : 대담한 시도는 절반의 성공이다.

◎ A burden of one's own choice is not felf. : 스스로가 선택한 짐은 무겁게 느껴지지 않는다.

◎ Actions speak louder than words. : 행동은 말보다 더 큰 소리로 말한다.

◎ A cat in gloves catches no mice. : 장갑 낀 고양이는 쥐를 잡지 않는다. (호사스러우면 노력하지 않는다.)

◎ A crow is never the white for washing herself. : 까마귀가 자주 씻는다고 하얗게 될 리 없다.

◎ A constant guest is never welcome. : 오래 묵은 손님은 반갑지 않다.

◎ A clean glove often hides a dirty hand. : 깨끗한 장갑은 더러운 손을 감춘다.

◎ A dead man never comes to life again. : 죽은 사람은 다시는 살지 않는다.

◎ A drowning man will catch at a straw. : 물에 빠지면 지푸라기라도 움켜쥔다. (위급한 때를 당하면 무엇이나 닥치는 대로 잡고 늘어지게 된다는 뜻.)

◎ Adding insult to injury. : 상처에 모욕까지 덧입히기. (엎친 데 덮친 격)

◎ A day is like three autumns. : 하루가 3번의 가을과 같다는 뜻으로, 몹시 애태우며 기다리는 것을 이르는 말. (일일여삼추)

◎ A desperate disease must have a desperate cure. : 치명적인 병에는 반드시 비약이 있다.

◎ An eye for an eye. (and a tooth for a tooth) : 눈에는 눈. (이에는 이)

◎ A great city is a great desert. : 큰 도시는 큰 사막이다.

◎ A guilty conscience needs no accuser. : 도둑이 제 발 저린다.

◎ A good man makes a good wife. : 훌륭한 남자가 훌륭한 아내를 만든다.

◎ A good beginning makes a good ending. : 시작이 좋으면 끝도 좋다.

◎ A good book is your best friend. : 한 권의 책은 가장 좋은 친구다.

◎ A good reader is as rare as a good writer. : 좋은 독자는 좋은 작가만큼 드물다.

◎ A good wife is worth gold. : 좋은 아내는 황금의 가치가 있다.

◎ A good jack makes a good Jill. : 훌륭한 남편이 훌륭한 아내를 만든다.

◎ Age is a matter of feeling, not of years. : 연령은 햇수(년수)의 문제가 아니고 기분의 문제이다.

◎ After death, to call the doctor. : 죽고 나서, 의사를 부른다. (소 잃고 외양간 고치기)

◎ A fool can ask more questions in an hour than a wise man can answer in seven years. : 현명한 사람이 7년 걸려 대답할 수 있는 것보다 많은 질문을 바보는 1시간에 한다.

◎ A fool is like other men as long as he is silent. : 바보는 가만히 있으면 여느 사람과 같다.

◎ After the feast comes the reckoning. : 잔치 뒤에 계산서가 날아온다.

◎ After cheese comes nothing. : 치즈가 나온 후에는, 아무것도 나오질 않았다.

◎ A fair death honors the whole life. : 훌륭한 죽음은 전 생애를 명예롭게 한다.

◎ A friend in need is a friend indeed. : 어려울 때 도와주는 친구가 진정한 친구다.

◎ A home having no child is like as the earth having no sun. : 집안에 아이가 없으면 지구에 태양이 없는 것과 같다.

◎ A man apt to promise is apt to forget. : 쉽게 약속하는 사람은 쉽게 잊는다.

◎ A man is known by the company he keeps. : 사람은 그 친구로 알 수 있다.

◎ A man is twice miserable when he fears his misery before it comes. : 불행을 두려워하는 사람에게 불행은 두 배가 된다.

◎ A man with three daughters can sleep his door open. : 딸이 셋이면 문을 열어 놓고 잔다. (딸 결혼시키느라고 돈을 다 썼기 때문에 그 집에는 가봐야 훔쳐 갈 것도 없으니, 문을 잠그고 잘 필요도 없음을 이르는 말.)

◎ A man finds himself seven years older than the day after his marriage. : 결혼한 다음 날 갑자기 일곱 살이나 더 먹은 것을 알게 된다.

◎ A man has choice to begin love, but not to end it. : 사랑을 시작하는 것은 마음대로이지만 끝내는 것은 그렇게 되지 않는다.

◎ A mother's heart is always with her children. : 어머니의 마음은 항상 아이들과 함께 있다.

◎ A near neighbor is better than a far-dwelling kinsman. : 이웃이 멀리 있는 사촌보다 낫다.

◎ Any time means no time. : 언제든지는 절대 시간이 없다. (할 수 있을 때 해라.)

◎ Anyone who goes hungry for three days will steal. : 사흘 굶어 도둑질 아니할 놈 없다.

◎ An idle youth, a needy age. : 젊어서 게으르면 늙어서 궁하다.

◎ An injury forgiven is better than an injury revenged. : 상처를 입고도 용서해버리는 것이 상처 입고하는 복수보다 낫다.

◎ An ill father desires not an ill son. : 나쁜 아빠도 나쁜 자식은 원치 않는다.

◎ A living dog is better than a dead lion. : A living dog is better than a dead lion.

◎ A loaf of bread is better than song of many birds. : 금강산도 식후경이다.

◎ A little knowledge is dangerous. : 작은 지식이 위험하다. (선무당이 사람 잡는다.)

◎ A little learning is a dangerous thing. : 조금 아는 것이 더 위험하다. (선무당이 사람 잡는다.)

◎ A light heart lives long. : 태평한 자는(마음이 가벼우면) 장수한다.

◎ As one sows, so shall he reap. : 뿌린 대로 거두리라. (콩 심은 데 콩 나고 팥 심은 데 팥 난다.)

◎ A stitch in time saves nine. : 제때의 바늘 한 번이 아홉 바느질을 던다. (호미로 막을 데 가래로 막는다.)

◎ A small leak will sink a great ship. : 작은 구멍이 큰 배를 가라앉힌다.

◎ A stilt friend. : 어릴 때부터 가까이 지내며 자란 친구. (죽마고우)

◎ A stitch in times saves nine. : 제때의 바늘 한번이 9번의 바느질을 던다. (호미로 막을 데 가래로 막는다.)

◎ A soft answer turned away wrath. : 부드러운 응답이 그의 화를 풀었다.

◎ A song will outlive sermons in the memory. : 좋은 노래는 좋은 말씀보다 기억에 오래 남는다.

◎ April showers bring May flowers. : 고생 끝에 낙이 온다.

◎ A rags to riches story. : 가난뱅이에서 부자가 된 이야기.

◎ A rat in a trap. : 독 안에 든 쥐.

◎ Art is long, Life is short. : 예술은 길고 인생은 짧다.

◎ A rolling stone gathers no moss. : 구르는 돌에는 이끼가 끼지 않는다. (사는 곳·직장 등을 자주 옮기는 사람은 돈·재산·친구 등을 모으기 힘들지만 책임 같은 것에는 얽매이지 않을 수 있음.)

◎ A woman's tongue is only three inches long, but it can kill a man six feet high. : 여성의 혀는 인치밖에 안되지만, 6피트의 남성을 죽일 수도 있다.

◎ A tree is known by its fruit. : 나무는 그 열매를 보면 안다.

◎ A quiet conscience sleeps in thunder. : 평온한 양심은 번개 속에서도 잠을 잔다.

◎ As the life is, so is the end. : 삶이 존재하는 것과 같이, 그 끝도 항상 존재한다.

◎ Ask, and it shall be given you; seek, and you shall find; knock, and it shall be opened. : 요구하면 주어질 것이요, 찾으면 발견할 것이며, 두드리면 열릴 것이다.

◎ As poor as a church mouse. : 목구멍이 찢어지도록 가난하다.

◎ Asking costs nothing. : 질문에는 돈이 들지 않는다.

◎ Avarice is the only passion that never ages. : 탐욕은 결코 늙지 않는 유일한 열정이다.

◎ Avoid such men as will do you harm. : 해를 끼칠 사람들을 피하라.

◎ All is well that ends well. : 끝이 좋으면 다 좋다.

◎ All is luck or ill luck in this world. : 세상일이란 모두 행복한 일 아니면, 불행한 일이다.

◎ All that glitters is not gold. : 반짝이는 것이 모두 금은 아니다.

◎ All truths are not to be told. : 모든 진실들은 말해지는 것이 아니다.

◎ All's fair in love and war. : 사랑과 전쟁에서는 모든 것이 정당화된다.

[B]

◎ Bacchus kills more than Mars. : 술이 전쟁보다도 더 많은 사람을 죽인다.

◎ Bad news travels fast. : 나쁜 소식은 빨리 전달된다.

◎ Barking dogs seldom bite. : 짖는 개는 물지 않는다. (빈 수레가 요란하다.)

◎ Behind every great man, there is a great woman. : 위대한 남자 뒤에는 위대한 여자가 있다.

◎ Behind the clouds is the sun still shining. : 구름 뒤편도 태양은 빛나고 있다.

◎ Beauty is in the eye of the beholder. : 아름다움은 보는 사람의 눈에 달려 있다.

◎ Beauty is but skin deep. : 미모는 거죽 한 꺼풀.

◎ Beggars can't be choosers. : 거지는 선택할 권리가 없다. (얻어먹는 주제에 찬밥 더운밥 가리랴.)

◎ Best dealing with an enemy when you take him at his weakest. : 적의 약점을 잡았을 때, 적과의 최상의 거래를 할 수 있다.

◎ Be swift to hear, slow to speak. : 빨리 듣고 천천히 말하라.

◎ Better be the head of a dog than the tail a lion. : 사자의 꼬리보다는 개의 머리가 되는 것이 낫다.

◎ Better be a bird in the wood than one in the cage. : 새장에 있는 새보다, 숲 속에 있는 새가 더 낫다.

◎ Better late than never. : 안 하는 거 보단 늦더라도 하는 게 낫다.

◎ Better spare at brim than at bottom. : 가득할 때 아끼는 것이 낫다.

◎ Better wear out shoes than sheets. : 이불보다 신발을 닳게 하는 것이 낫다. (이불에서 자는 것보다 밖에 나가서 돌아다니는 것이 좋다.)

◎ Be not the first to quarrel nor the last to make it up. : 다툴 때는 먼저 나서지 말고, 화해할 때는 끄트머리가 되지 말라.

◎ Birds of a feather flock together. : 깃털이 같은 새들끼리 무리를 짓는다. (유유상종)

◎ Birth is much, but breeding is more. : 태생보다는 양육이 더 중요하다.

◎ Bitter pills may have blessed effects. : 쓴 약이 효과를 낸다.

◎ Blessings are not valued till they are gone. : 행복은 잃고 나서야 비로소 그 가치를 안다.

◎ Blood is thicker than water. : 피는 물보다 진하다.

◎ Blind chance sweeps the world along. : 스쳐간 행운은 세상을 함께 쓸어낸다.

◎ Born in a barn. : 꼬리가 길다.

◎ Books still accomplish miracles; they persuade man. : 책은 언제나 기적을 행한다. 사람을 변화시킨다.

◎ By other's faults wise men correct their own. : 현명한 자는 다른 이의 잘못을 보고 자신의 잘못을 바로잡는다.

[C]

◎ Can't get blood from a turnip. : 여린 순무로부터 피를 빨 수는 없다. (벼룩의 간을 빼먹는다.)

◎ Cast not your pearls before swine. : 돼지에게 진주를 주지 마라.

◎ Casting pearls before swine. : 돼지 앞에 진주를 던져주다. (돼지 목에 진주)

◎ Castle in the air. : 공중누각. (아무런 근거나 토대가 없는 사물이나 생각을 뜻함.)

◎ Charity begins at home. : 자선은 가정에서 시작된다.

◎ Clothes do not make the man. : 옷이 사람을 만들지 않는다.

◎ Cleave the log according to the grain. : 나무는 결을 따라 쪼개라.

◎ Cold hand, warm heart. : 차가운 손, 뜨거운 가슴.

◎ Coming events cast their shadows before. : 다가오는 사건은 그들의 그림자를 미리 던진다.

◎ Constant dripping wears away the stone. : 낙숫물이 바

위를 뚫는다.

◎ Covetousness is always filling a bottomless vessel. : 바다는 메워도 사람의 욕심은 못 채운다.

◎ Cut off your nose to spite your face. : 누워서 침 뱉기.

◎ Custom[Habit] is a second nature. : 습관은 제2의 천성이다.

[D]

◎ Danger foreseen is half avoided. : 위험을 예견했다면 반쯤 피한 것이다.

◎ Deep sorrow has no tongue. : 슬픔이 깊으면 말이 없다.

◎ Delay increases desire and sometimes extinguishes them. : 지연은 욕망을 키우기도 하며, 때론 소멸시키기도 한다.

◎ Dig the well before you are thirsty. : 목마르기 전에 우물을 파라.

◎ Discard the head and lop off the tail. : 앞뒤의 잔사설을 빼놓고 요점만을 말함. (거두절미)

◎ Don't count your chickens before they are hatched. : 부화하기도 전에 닭부터 세지 말라.

◎ Don't cry before you are hurt. : 다치기도 전에 울지 마라.

◎ Don't stick out your neck for someone to hang a rope around. : 누군가 로프를 걸 때, 목을 삐죽 내밀지 말라.

◎ Don't start anything you can't finish. : 끝낼 수 없는 것은 시작하지 말라.

◎ Don't speak ill of the dead. : 죽은 자를 험담하지 말라.

◎ Don't put all your eggs in one basket. : 계란을 한 바구니에 모두 담지 말라. (한 가지 일에 몽땅 다 걸지 말 것을 이르는 말.)

◎ Don't look a gift horse in the mouth. : 선물로 받은 말의 입을 들여다보지 말라. (남의 호의를 트집 잡지 말 것을 이르

는 말.)

◎ Don't judge a man until you've walked in his boots. : 그의 신을 신고 걸어 보기 전에는 그를 판단하지 말라. (타인의 처지가 되어보기 전에는 함부로 타인을 판단하지 말라는 뜻.)

◎ Don't bite the hand that feeds you. : 먹여 주는 사람의 손을 깨물지 말라. (은혜를 원수로 갚지 마라.)

◎ Don't judge a book by its cover. : 책을 겉표지만 보고 판단하지 말라. (겉으로 보이는 것만으로 성급하게 사람이나 물건을 판단하지 말라는 뜻.)

◎ Don't bite off more than you can chew. : 씹을 수 있는 것보다 많이 입에 물지 말라. (욕심 부리지 말라.)

◎ Do as you would be done by. : 남이 너에게 해주길 바라는 대로 남에게 행하라.

◎ Do empty, return empty. : 빈손으로 와서 빈손으로 간다. (공수래공수거)

◎ Do in Rome as the Romans do. : 로마에서는 로마의 법

을 따르라. (다른 지방에 들어가서는 그 지방의 풍속을 따른다는 뜻.) (입향순속)

◎ Do not judge a man by the whiteness of his turban. : 터번 색으로 그 사람을 판단하지 말라.

◎ Dreams go by contraries. : 꿈은 사실의 역. (나쁜 꿈이나 황당한 꿈을 꾼 주위사람을 위로할 때 사용하는 말.)

◎ Draw not your bow until your arrow is fixed. : 화살을 바로 먹인 뒤에 활시위를 당겨라. (화살을 활에 딱 맞게 끼우고 나서 활 시위를 당기고 쏴야 제대로 날아간다는 뜻.)

[E]

◎ Eagles don't catch flies. : 독수리는 파리를 잡지 않는다.

◎ Easier said than done. : 말하는 것이 행동하는 것보다 쉽다.

◎ Eating little and speaking little can never do harm. : 적게 먹고 적게 말하면 해가 없다.

◎ Easy come, easy go. : 쉽게 온건 쉽게 간다. (쉽게 얻으면 쉽게 없어진다.)

◎ Early to bed and early to rise, makes a man healthy, wealthy and wise. : 일찍 일어나고 일찍 자는 것은 사람을 건강하게 하고, 부자로 만들고, 현명하게 한다.

◎ Eating little and speaking little can never do harm. : 적게 먹고 적게 말하면 해가 없다.

◎ Every dog has his day. : 쥐구멍에도 볕 들 날이 있다.

◎ Empty vessels make the greatest sound. : 빈 수레가 요란하다.

◎ Every cloud has a silver lining. : 쥐구멍에도 볕 들 날이 있다.

◎ Every flow has its ebb. : 밀물이 있으면 썰물이 있다.

◎ Everybody's business is nobody's business. : 공동 책임을 지는 일은 무책임하게 되기 쉽다.

◎ Everything is good for something. : 모든 것은 다 좋게 쓰이게 마련이다.

◎ Experience is the best teacher. : 경험이 최고의 스승이다.

◎ Experience is the mother of wisdom. : 경험이 지혜의 어머니이다.

◎ Even Homer nods. : 호머(호메로스)도 자신의 실수를 인정하고 고래를 끄덕일 때가 있다. (원숭이도 나무에서 떨어진다.)

◎ Even the evil spirits don't know. : 귀신도 모른다.

◎ Everybody is wise after the event. : 일이 지나고 난 다음에는 모두가 현명해진다.

◎ Everyone has a skeleton in his closet. : 털어서 먼지 안 나는 사람 없다.

◎ Every cook praises his own soup. : 모든 사람이 자신 만의 장기가 있다.

◎ Every minute seems like a thousand. : 1분마다 천분 같

다. (일각이 여삼추)

◎ Every dog has his day. : 모든 개도 그의 날이 있다. (쥐구멍에도 별 들 날이 있다.)

◎ Every Jack has his Gill. : 짚신도 제짝이 있다.

◎ Every little helps. : 티끌 모아 태산.

◎ Even the longest night must end. : 심지어 가장 긴 밤도 끝나기 마련이다.

[F]

◎ Face the music. : 책임을 지다. 당당히 벌을 받다. (울며 겨자 먹기)

◎ Faith can remove mountains. : 믿음(신념)은 산이라도 옮긴다.

◎ Fairest gems lie deepest. : 아름다운 구슬일수록 깊이 감춰져 있다.

◎ Father hands down, son hands down. : 대대로 아버지가 아들에게 전함. (부전자전)

◎ Familiarity breeds contempt. : 잘 알면 무례해지기(무시하기) 쉽다

◎ Faint heart never won fair lady. : 용기 있는 자만이 미인을 차지한다.

◎ Finders keepers, losers weepers. : 발견한 사람이 임자, 줍는 사람이 임자다.

◎ Finding's keeping. : 먼저 찾는(본) 사람이 임자다.

◎ Fine feathers make fine birds. : 깃털이 좋으면 새가 멋있다. (옷이 날개)

◎ Fish will take best after rain. : 물고기는 비가 온 뒤 가장 잘 낚인다.

◎ Fix the hedge gate after you've been robbed. : 도둑맞고 사립문 고친다.

◎ Five hours sleeps a traveller, seven a scholar, eight a merchant, and eleven every knave. : 여행자는 다섯 시간, 학생은 일곱 시간, 상인은 여덟 시간, 놈팡이는 열 한 시간을 잔다.

◎ Flowers leave fragrance in the hand that bestows them. : 꽃을 건네주는 손에는 꽃향기가 남는다.

◎ Follow the river, and you'll get to the sea. : 강을 따라가라, 그러면 바다에 이를 것이다.

◎ Follow your own star. : 너 자신의 별을 쫓아가라.

◎ Freedom is not worth having if it does not include the freedom to make mistakes. : 실수할 자유가 없는 자유란 가치가 없다. (마하트마 간디, 실패 명언.)

◎ Frist creep and then go. : 기지도 못하면서 뛰려고 한다.

◎ Frist impressions are the most lasting : 첫인상이 가장 오래 남는다.

◎ Friend to all is a friend to none. : 모든 이의 친구는 누

구의 친구도 아니다.

◎ From labour health, from health contentment springs. : 건강은 노동에서 나오고, 만족은 건강에서 나온다.

◎ From saying to doing is a long step. : 말하는 것은 쉬우나 실천은 어렵다.

◎ From short pleasure, long repentance. : 짧은 쾌락, 긴 후회.

◎ Frugality is a great revenue. : 절약은 큰 수입이다.

[G]

◎ Gain at the expense of reputation should be called loss. : 명예의 대가로 얻은 이득은 손해라고 불러야 한다.

◎ Gentleness corrects whatever is offensive in our manner. : 온순함은 어떤 공격적인 태도도 무마할 수 있다.

◎ Go to vintage without baskets. : 바구니는 두고 포도밭에

가라. (오해 살 일을 하지 마라.)

◎ Good words cost nothing. : 좋은 말에는 비용이 들지 않는다.

◎ Good name is better than a golden girdle. : 훌륭한 이름이 황금 허리띠보다 낫다.

◎ Good courage breaks bad luck. : 용기는 불운을 이긴다.

◎ God is in an honest man's heart. : 신은 정직한 사람의 마음속에 있다.

◎ God gives all things to industry. : 신은 근면한 사람에게 모든 것을 준다.

◎ God gives every bird his worm, but he does not throw it into the nest. : 신은 모든 새에게 벌레를 주지만, 둥지에 넣어주지는 않는다.

◎ Go home and kick the dog. : 집에 가서 개를 차다. (종로에서 뺨 맞고 한강 가서 눈 흘긴다.)

◎ Great oaks from little acorns grow. : 거대한 오크 나무도 작은 도토리에서 나온다. (큰 성공도 흔히 아주 작은 데서 시작된다.)

◎ Great talent takes time to ripen. : 훌륭한 재능은 개발하는데 오래 걸린다.

◎ Gift long waited for is sold, not given. : 감질나도록 기다리게 한 뒤에 주는 것은 선물이 아니라, 파는 것이다.

◎ Give the disease and offer the remedy. : 병 주고 약주다.

[H]

◎ Handsome is as handsome does. : 행동이 멋져야 멋진 사람이다.

◎ Haste makers waste. : 성급하면 낭비하게 된다.

◎ He conquers a second time who controls himself in victory. : 그는 그를 승리 속에서 지배한 사람을 정복했다.

◎ He catches the wind with a net. : 그물로 바람 잡는다. (뜬구름 잡는다.) (생각이 허황되다.)

◎ He is lifeless that is faultless. : 결점 없는 사람은 사람이 아니다.

◎ Hearing times is not like seeing once. : 들리는 시간은 한번 보는 것과 같지 않다.

◎ He can't see the forest for the trees. : 사람들은 숲에서 나무를 보지 못한다.

◎ He sits not sure that sits too high. : 너무 높이 앉으면 자리가 안전하지 않다.

◎ He who begins many things, finishes but few. : 많은 것을 시작한 자는 거의 아무것도 끝내지 못한다.

◎ He who chooses takes the worst. : 고르고 고른 것이 제일 나쁘다.

◎ He who carries nothing loses nothing. : 갖고 다니지 않으면 잃을 것도 없다.

◎ He who laughs last laughs best. : 마지막에 웃는 자가 가장 통쾌하게 웃는다.

◎ He who has once burnt his mouth always blows his soup. : 한번 입을 덴 사람은 수프를 항상 불려고 한다.

◎ He who hesitates is lost. : 망설이는 자는 기회를 놓친다.

◎ He who never made a mistake never made anything. : 실수해 본 적이 없는 사람은 아무것도 이루어 본 적이 없는 사람이다.

◎ He who loses money, loses much; he who loses a friend loses more; he who loses his nerve, loses all. : 돈을 잃은 사람은 많은 것을 잃은 사람이고, 친구를 잃은 사람은 더 많은 것을 잃은 사람이고, 용기를 잃은 사람은 모든 것을 잃은 사람이다.

◎ He who fights and runs away lives to fight another day. : 싸우다 도망간 자는 살아서 다음에 다시 싸울 수 있다.

◎ He who knows only his side of the case knows little of that. : 자신의 입장만 알고 있는 사람은 아무것도 모르는 사

람이다.

◎ He who would catch fish, must not mind getting wet. : 고기를 잡으려면 옷이 젖는 것을 꺼리지 말아야 한다.

◎ He who inquires much learns much. : 많이 묻는 사람이 많은 것을 배운다.

◎ He teaches ill who teaches all. : 모든 것을 가르치는 선생은 좋은 스승이 아니다.

◎ He that can make a fire well can end a quarrel. : 불을 잘 피우는 사람은 싸움도 잘 말린다. (싸움을 말리는 데에는 많은 인내와 노력이 필요함.)

◎ He that excuses himself accuses himself. : 변명하는 사람은 스스로를 고발하는 것이다.

◎ He that falls today may rise tomorrow. : 오늘 넘어진 사람도 내일이면 일어설 수 있다.

◎ He that goes to bed thirsty rises healthy. : 술을 참고 잠든 자는 건강하게 잠을 깬다.

◎ He that has a great nose thinks everybody is speaking of it. : 코가 큰 사람은 모든 사람이 자기 코에 대해 말한다고 생각한다.

◎ He that will steal a pin will steal an ox. : 바늘 도둑이 소 도둑 된다.

◎ He that is master of himself will soon be master of others. : 그 자신을 지배하는 자는 곧 다른 사람의 주인이 될 것이다.

◎ Hope for the best and prepare for the worst. : 최고를 기대하고 최악에 대비하라.

◎ Hope is the poor man's bread. : 희망은 가난한 사람의 빵이다.

◎ Honesty is the best policy. : 정직이 최선의 정책이다.

◎ Honey catches more flies than vinegar. : 식초보다는 꿀로 더 많은 파리를 잡을 수 있다.

◎ Hunger is the best sauce. : 시장이 반찬.

◎ Hungry dogs will eat dirty puddings. : 배고픈 개가 더러운 푸딩을 먹는다.

◎ Hog in armour is still but a hog. : 갑옷을 입어도 돼지는 여전히 돼지에 불과하다.

◎ Hot love is soon cold. : 뜨거운 사랑은 곧 식는다.

◎ Hope to the end. : 언제까지나 끝없이 바라다.

[I]

◎ Icing on the cake. : 좋은 것 위에 더욱 좋은 것을 더한다. (금상첨화)

◎ I cannot be your friend and your flatterer too. : 나는 당신의 친구이고 또한 당신의 아첨꾼일 수는 없다.

◎ Idle men are dead all their life long. : 게으른 인간들은 평생을 죽어서 사는 셈이다.

◎ Ignorance is bliss. : 무지는 축복. (모르는 게 약)

◎ I was not born yesterday. : 나는 어제 태어나지 않았다. (나는 철부지가 아니라는 뜻.)

◎ I want to die knowing one more thing. : 나는 한 가지라도 더 알면서 죽고 싶다.

◎ Imitation is the sincerest form of flattery. : 모방은 가장 진정한 형태의 아첨이다.

◎ If you can't beat them, join them. : 꺾지 못할 상대면 함께하라.

◎ If you can't stand the heat, get out of the kitchen. : 부엌이 더우면 부엌에서 나가라.

◎ If you have no courage, you must have fast legs. : 용기가 없다면, 빠른 다리를 가져야만 한다.

◎ If you run after two hares, you will catch neither. : 토끼 두 마리를 쫓다가 한 마리도 못 잡는다.

◎ If you trust before you try, you may repent before you die. : 시험해 보지도 않고 사람을 믿어 버리면 죽기 전에 후회하

게 될지도 모른다.

◎ If at first you don't succeed, try, try again. : 여러 번의 실패에도 굴하지 않고 분투하다. (칠전팔기)

◎ If you would wish the dog to follow you, feed him. : 개가 너를 따르도록 만들고 싶으면 먹이를 주어라.

◎ If you submit to one wrong you bring on another. : 잘못된 것에 한번 굴복하면, 또 다른 잘못에 한 번 더 굴복하게 된다.

◎ If you sing before seven, you will cry before eleven. : 7시 이전에 노래를 부르면, 11시 이전에 울게 된다.

◎ If the wind will not serve, take to the oars. : 바람이 도움이 되지 않으면 노를 잘 저으면 된다.

◎ If you would enjoy the fruit, pluck not the flower. : 열매를 맛보려면 꽃을 꺾지 마라.

◎ If in the morning I learn of the truth, I shall die without regrets in the evening. : 아침에 도(道)를 깨달으면

저녁에 죽어도 후회가 없다.

◎ If you have no enemies, it is a sign fortune has forgotten you. : 너에게 적이 없다는 것은 행운이 너를 잊었다는 표시이다.

◎ In a calm sea every man is a pilot. : 평온한 바다에서는 누구나 선장이다.

◎ In good fortune, prudence; in ill fortune, patience. : 행운을 맞아서는 신중하고 불운을 맞아서는 인내하라.

◎ In unity there is strength. : 뭉치면 힘이 생긴다.

◎ In the country of the blind, the one-eyed man is king. : 장님의 나라에서는 애꾸눈이 왕이다.

◎ In every beginning think of the end. : 일을 시작할 때마다 끝을 생각하라.

◎ In the looking glass we see the form, in wine the heart. : 거울에서 우리는 모양을 보고, 술에선 마음을 본다.

◎ In travelling, company; in life, sympathy. : 여행에는 길동무, 인생에는 공감자.

◎ In juries we write in marble; kindness in dust. : 피해는 대리석에, 친절은 먼지에 적는다.

◎ In vain he craves advice that will not follow it. : 따를 생각이 없는 자에게는 간절한 충고도 헛일이다.

◎ Iron not used soon rusts. : 쇠는 쓰지 않으면 녹이 슨다.

◎ It does no pay to be short tempered. : 성미가 급하면 득되는 것이 없다.

◎ Ill(ill) weeds grow apace. : 악초는 쉬이 자란다. (나쁜 것일수록 쉽게 퍼진다.)

◎ It is a long lane that has no turning. : 구부러지지 않은 길이 없다. (모든 것에는 반드시 변화가 있다.)

◎ It's easier to fall than to get on your feet. : 번창하기보다는 망하는 것이 더 쉽다.

◎ It is a foolish sheep that makes the wolf his confession. : 어리석은 양이 늑대에게 하소연한다.

◎ It is harder to unlearn than to learn. : 배우기보다 배운 것을 버리기가 더 어렵다.

◎ It is good to have friends but bad to need them. : 친구가 있는 것은 좋다. 그러나 그들이 필요하게 되면 좋지 않다.

◎ It is not what you know, but who you know. : 무엇을 아느냐가 중요한 것이 아니라 누구를 아느냐가 중요하다.

◎ It is more blessed to give than to receive. : 주는 것이 받는 것보다 복되다.

◎ It takes a thief to catch a thief. : 도둑을 잡으려면 도둑이 필요하다.

◎ It never rains but it pours. : 비가 오기만 하면 마구 퍼붓는다.

◎ It is better to have loved and lost than never to have loved at all. : 사랑하다가 사랑을 잃은 것이 사랑을 한 번도 안

해본 것보다 낫다.

◎ It takes a village to raise a child. : 아이를 키우기 위해서는 마을이 필요하다.

◎ It's no use crying over spilt milk. : 엎질러진 물이다.

◎ It takes two to tango. : 두 손뼉이 맞아야 소리가 난다.

◎ It's a piece of cake. : 누워 떡 먹기.

[J]

◎ Jack of all trades is master of none. : 이것저것 다하는 놈은 결국 아무것도 못한다. (팔방미인은 미인이 아니다.)

◎ Justice has long arms. : 정의는 긴 팔을 갖고 있다. (정의의 힘은 세상에 넓게 영향을 미친다.)

◎ Judge not of men or things at first sight. : 사람이나 사물을 첫 눈으로 판단하지 마라.

[K]

◎ Keep your eyes open and your mouth shut. : 눈은 뜨고 입은 다물어라.

◎ Keep your eyes wide open before marriage and half shut afterwards. : 결혼하기 전에는 눈을 크게 뜨고 결혼하고 나서는 눈을 반쯤 감아라.

◎ Keep the common road, and you are safe. : 사람들이 가는 길을 따라가면 안전할 것이다.

◎ Keep oaring. : 계속 노를 저어라.

◎ Keep not two tongues in one mouth. : 한 입에 두 혀를 갖지 마라.

◎ Knowledge is power. : 아는 것이 힘.

◎ Knowing characters is worry and trouble. : 글자를 아는 것이 오히려 근심이 된다. (식자우환)

◎ Knowledge has no enemy but ignorance. : 지식의 적은 오직 무지뿐이다.

◎ Knowledge in youth is wisdom in age. : 젊어서 지식은 늙어서 지혜이다.

◎ Knave is one knave, but a fool is many. : 한 사람의 악한은 자기 하나에 불과하지만, 한 사람의 바보는 여럿이다.

◎ Kill two birds with one stone. : 돌 하나를 던져 두 마리 새를 잡는다. (일석이조)

◎ Kill one with kindness. : 친절이(지나치면) 사람을 죽인다.

◎ Kind words are worth much and they cost little. : 친절한 말은 많은 가치가 있지만 비용은 거의 들지 않는다.

[L]

◎ Laugh and the world laugh with you; weep, and you weep alone. : 웃어라, 그러면 세상도 그대와 함께 웃는다. 울어라, 그러면 그대는 혼자 울게 된다.

◎ Late fruit keeps well. : 늦게 수확한 과일이 오래간다.

◎ Law catches flies, but lets hornets go free. : 법은 파리만 잡고 왕벌은 놓친다.

◎ Law makers should not be law breakers. : 입법자가 범법자가 돼서는 안 된다.

◎ Learn to say before you sing. : 노래하기 전에 말하기부터 배워라.

◎ Learning without thought is labour lost. : 생각하지 않고 배우는 것은 헛수고다.

◎ Let sleeping dogs lie. : 자는 개는 가만히 내버려 두라. (긁어 부스럼을 만들지 말라.)

◎ Let's get to the point. : 요점을 말해 봅시다. (거두절미)

◎ Liars should have a good memory. : 거짓말쟁이는 기억력이 좋아야 한다.

◎ Life is compared to a voyage. : 인생은 흔히 여행에 비유

된다.

◎ Luck comes to those who look after it : 행운은 찾는 자에게 온다.

◎ Like father, like son. : 그 아버지에 그 아들. (부전자전)

◎ Like back and expectorate. : 누워서 침 뱉기.

◎ Like he's bewitched by a goblin. : 도깨비에 홀린 것 같다.

◎ Little said soon amended. : 말을 적게 하면 고치기가 쉽다.

◎ Little strokes fell great oaks. : 열 번 찍어 안 넘어가는 나무 없다.

◎ Life admits not of delays. : 인생은 미루기를 허락하지 않는다.

◎ Life is made up of little things. : 인생은 작은 일들로 만들어진다.

◎ Life is full of ups and downs. : 양지가 음지 되고 음지가 양지된다.

◎ Life is short, art is long. : 인생은 짧고 예술은 길다.

◎ Life is half spent before we know what it is. : 인생은 우리가 채 알기도 전에 반이 지나가고 없다. (철나자 망령 난다.)

◎ Life has no pleasure nobler than that of friendship. : 인생에 우정보다 고귀한 즐거움은 없다.

◎ Lightning never strikes twice in the same place. : 번개는 같은 곳에 두 번 치지 않는다.

◎ Live not to eat, but eat to live. : 먹기 위해 사는 것이 아니라 살기 위해 먹는다.

◎ Love is blind. : 사랑을 하면 눈이 먼다. (상대방의 결점이 안 보인다.)

◎ Look before you leap. : 돌다리도 두드려 보고 건너라.

◎ Love is blind; so is hatred. : 사랑은 눈을 멀게 한다, 증

오가 그렇듯이.

◎ Love me, love my dog. : 아내가 귀여우면 처갓집 말뚝 보고 절한다.

◎ Loves makes all hearts gentle. : 사랑은 모든 사람의 마음을 순화한다.

◎ Love shortens distance. : 사랑은 거리를 단축시킨다.

◎ Lying and stealing are next door neighbours. : 거짓말과 도둑질은 바로 옆집에 사는 이웃이다.

[M]

◎ Make hay while the sun shines. : 햇볕이 쨍쨍할 때 건초를 말려라. (기회를 주어졌을 때 잘 활용해라.)

◎ Make haste slowly. : 서서히 서둘라. (급하면 돌아가라.)

◎ Man makes house , woman makes home. : 남자는 집을 만들고, 여자는 가정을 만든다.

◎ Man' best candle is his understanding. : 사람에게 가장 훌륭한 촛불은 오성(사고능력)이다.

◎ Many a little makes a nickle. : 티끌 모아 태산.

◎ Man proposes but God disposes. : 우리는 계획하지만 하나님은 이루신다.

◎ Manners are stronger than laws. : 관습은 법률보다 강하다.

◎ Match made in heaven. : 하늘에서 만들어진 짝. (천생연분)

◎ Man does not live by bread alone. : 인간은 빵만으로는 살 수 없다.

◎ Man, know thyself. All wisdom centres there. : 인간이여, 스스로를 알라. 모든 지혜는 그대 자신에게 집중되어 있다.

◎ Man is but a reed, the weakest in nature, but he s a thinking reed. : 사람은 갈대에 불과하다. 자연에서 가장 약한 갈대이다. 그러나 그는 생각하는 갈대이다.

◎ Man can climb to the highest summits, but he can not dwell there long. : 사람은 가장 높은 정점까지 오를 수는 있으나 그곳에 오래 살 수는 없다.

◎ Man, know thyself. All wisdom centres there. : 인간이여, 스스로를 알라, 모든 지혜는 그대 자신에게 집중되어 있다.

◎ Man's life is a progress, and not a station. : 인생이 전진이지 정지가 아니다.

◎ Man is made great or little by his own will. : 인간은 자기의 의지에 따라 위대해지기도 하고 보잘것없게 되기도 한다.

◎ Mend the barn after the horse is stolen. : 말을 도둑맞은 뒤에 헛간의 문을 닫다. (소 잃고 외양간 고친다.)

◎ Men are blind in their own cause. : 사람들은 제 일에 눈이 먼다. (등잔 밑이 어둡다.)

◎ Mind unemployed is mind unenjoyed. : 일하지 않는 마음은 즐기지 못하는 마음이다.

◎ Misfortune seldom comes alone. : 불행은 혼자서 오지 않는다.

◎ Misfortune is a good teacher. : 불행은 좋은 선생님이다.

◎ Misery loves company. : 고통받는 자는 동반자를 원한다. (동병상련)

◎ Mingle your joys sometimes with your earnest occupation. : 이따금 그대의 즐거움을 그대의 진지한 직업에 동참시켜라.

◎ More haste , less speed. : 서두를수록, 속도는 줄어든다. (급할수록 돌아가라.)

◎ Money does not grow on trees. : 돈은 나무에서 자라지 않는다.

◎ Money changes hands. : 돈은 돌고 돈다.

◎ Money is round and rolls away. : 돈은 둥글다. 그래서 굴러다닌다.

◎ Money will do anything. : 돈은 무슨 일이든 할 수 있다.

◎ My house burned up, but do died the bedbugs. : 초가삼간 다 타져도, 빈대 죽어 좋다.

[N]

◎ Names and natures do often agree. : 이름과 성품은 보통 일치한다.

◎ Nature admits not a lie. : 자연은 거짓말을 용납하지 않는다.

◎ Neither praise nor dispraise yourself; your actions serve the turn. : 스스로 추켜세우지도 말고 낮추지도 말라. 너의 행동이 알아서 한다.

◎ Never judge from(by) appearance : 얼굴 보고 평가하지 마라.

◎ Necessity is the mother of invention. : 필요는 발명의 어머니.

◎ Never say never. : 절대로라는 말은 절대로 하지 말라.

◎ Never let your left hand know what your right hand is doing. : 오른손이 하는 일을 왼손이 절대 모르게 하라.

◎ Never too old to learn. : 배우는데 너무 늙었다는 건 없다.

◎ Never swap horses crossing a stream. : 개천을 건너면서, 절대 말을 바꾸지 말아라.

◎ Never trouble trouble till trouble troubles you. : 어떤 문제가 당신을 괴롭히기 전까지는 전혀 문제가 되지 않는다.

◎ None is deceived but he who trusts. : 믿지 않는 자는 속지 않는다.

◎ No medicine can cure folly. : 바보를 고치는 약은 없다.

◎ No man can call again yesterday. : 어제를 다시 불러올 수 있는 사람은 아무도 없다.

◎ No man can tell what future brings forth. : 미래는 아무도 모른다.

◎ No news is good news. : 무소식이 희소식.

◎ Non but a wise man can employ leisure well. : 현명한 사람만이 여가를 잘 보낸다.

◎ None is so blind as those who won't see. : 보려고 하지 않는 사람처럼 눈먼 사람은 없다.

◎ No morning sun lasts a whole day. : 아침 해가 온종일 가지는 않는다.

◎ No pains, no gains. : 고통이 없으면 얻는 것도 없다.

◎ Not the slightest hint to the liver. : 간에 기별도 안 간다.

◎ Nothing ventured, nothing gained. : 도전하지 않으면 얻을 수도 없다. (호랑이 굴에 들어가야 호랑이를 잡는다.)

◎ No pleasure without pain. : 고통 없이는 즐거움도 없다.

◎ Novelty is the great parent of pleasure. : 새로움은 기쁨의 가장 큰 어버이다.

◎ None of your lips! : 쓸데없는 참견하지 마세요!

◎ No life without pain. : 고통이 따르지 않는 인생은 없다.

◎ Night gives counsel. : 밤은 충고를 준다.

[O]

◎ Of evil grain no good seed can come. : 콩 심은 데 콩 나고, 팥 심은 데 팥 난다.

◎ Old men are twice children. : 늙으면 아이 된다.

◎ Old friends and old wine are best. : 친구와 포도주는 오래된 것이 좋다.

◎ One good turn deserves another. : 도움을 받았으면 갚아야 한다.

◎ One cannot put back the clock. : 시곗바늘을 되돌려 놓을 수는 없다.

◎ Once bitten twice shy. : 한 번 혼나면 두 번째는 겁낸다, 자라 보고 놀란 가슴 소댕 보고 놀란다.

◎ Once in a blue moon. : 극히 드물게.

◎ Once a heel, always a heel. : 한번 비열했던 놈은 항상 비열하다.

◎ One murder makes a villain, millions a hero. : 한 사람을 죽이면 악한이 되지만, 백만 명을 죽이면 영웅이 된다.

◎ One cannot eat one's cake and have it. : 케이크를 가지고서도 그걸 아까워서 먹을 수는 없다.

◎ One hand washes the other. : 누이 좋고 매부 좋다.

◎ One evil breeds another. : 하나의 해악이 또 다른 해악을 낳는다.

◎ One shoe will not fit every foot. : 아무 발에나 맞는 신발은 없다.

◎ One swallow doesn't make a summer. : 제비 한 마리로 여름이 올 수는 없다. (성급하게 판단하지 마라.)

◎ One man's trash is another man's treasure. : 한 사람의 쓰레기는 다른 사람의 보물이다.

◎ One good turn deserves another. : 한가지 선행은 다른 선행을 낳는다. (가는 말이 고우면 오는 말이 곱다.)

◎ One rotten apple spoils the barrel. : 썩은 사과 하나가 한 통의 사과를 망친다. (미꾸라지 한 마리가 온 웅덩이를 흐린다.)

◎ One picture is worth a thousand words. : 천 마디 말보다 한 번 보는 게 낫다. (백문이 불여일견)

◎ One man sows and another man reaps. : 한 사람이 씨뿌리고 다른 사람이 거둔다. (재주는 곰이 넘고 돈은 되놈이 번다.)

◎ Out of sight, out of mind. : 눈에서 멀어지면 마음에서도 멀어진다.

◎ Out of the frying pan into the fire. : 튀김팬에서 불속으로. (설상가상)

◎ Over shoes, over boots. : 내친김에 끝까지 하자.

◎ Overdone is worse than undone. : 지나친 것은 하지 않음만 못하다.

[P]

◎ Pain past is pleasure. : 지나간 고통은 쾌락이다.

◎ Pay condolences when the lord's horse dies but not when the lord dies. : 대감 죽은 데는 안 가도, 대감 말 죽은 데는 간다.

◎ Patience wears out stones. : 인내는 돌도 녹여낸다.

◎ Pardon all but yourself. : 너만 말고 모든 사람을 용서하라.

◎ Patience is genius. : 천재는 인내이다.

◎ Peace is the fairest form of happiness. : 평화는 가장 아름다운 행복의 모습이다.

◎ Popular opinion is the greatest lie in the world. : 널리 퍼진 의견이야말로 세상에서 최대의 거짓말이다.

◎ Poor and liberal, rich and covetous. : 가난뱅이는 인심, 부자는 욕심.

◎ Poverty is the mother of crime. : 가난은 범죄의 어머니이다.

◎ Poverty is no sin. : 가난은 죄가 아니다.

◎ Purpose is what gives life a meaning. : 목표는 인생에 의미를 부여한다.

◎ Pride will have a fall. : 자만은 추락을 갖는다.

◎ Pride goes before a fall. : 자만하다가는 낭패 보기 쉽다.

◎ Profit all mankind. : 널리 인간 세계를 이롭게 한다. (홍익인간)

◎ Practice makes perfect. : 연습이 최선을 만든다.

◎ Pichers have ears. : 밤 말을 쥐가 듣고, 낮말은 개가 듣는다.

◎ Pull down on your hat on the wind side. : 바람이 부는 쪽으로 모자를 내리눌러라.

◎ Punish yourself, abandon yourself. : 자신을 스스로 해치고 버린다. (자포자기)

[Q]

◎ Quarreling is the weapon of the weak. : 싸움은 약한 자의 무기이다.

[R]

◎ Reading makes a full man. : 독서는 완벽한 인간을 만든다.

◎ Reading without purpose is sauntering, not exercise. : 목적 없는 독서는 산책이지, 공부가 아니다.

◎ Resolve lasts three days. : 작심삼일.

◎ Respect is greater from a distance. : 너무 가까우면 존경심도 물러간다.

◎ Remove an old tree and it will die. : 늙은 나무는 옮기면 죽는다.

◎ Rome wasn't built in a day. : 첫술에 배부르랴.

◎ Practice makes perfect. : 연습이 완벽을 만든다.

◎ Prefer loss to unjust gain. : 부당한 이익보다 손해를 택하라.

◎ Presents keep friendship warm. : 선물은 우정을 따뜻하게 지켜준다.

◎ Rise with the Sun and enjoy the day. : 일찍 일어나서, 하루를 즐겨라.

◎ Running around like a chicken with its head cut off. : 목 잘린 닭처럼 정신없이 돌아다니고 있다. (호떡집에 불났다.)

[S]

◎ Saying is one thing and doing another. : 말하는 것과 행동하는 것은 다른 것이다.

◎ Secret of success is constancy to purpose. : 성공의 비결은 초지일관이다.

◎ Second thoughts are best. : 두 번째 생각한 것이 최고다.

◎ Seeing is believing. : 보는 게 믿는 것이다.

◎ Searching for a needle in a haystack. : 잔디밭에서 바늘 찾기다.

◎ Seldom seen, soon forgotten. : 안 보면 잊혀진다.

◎ Shoemaker's wives are worst shod. : 신발가게 부인이 가장 나쁜 신을 신는다.

◎ Slow and steady wins the race. : 느려도 꾸준한 자가 경주를 이긴다. (느려도 황소걸음.)

◎ Slow to resolute, but in performance quick. : 결심은 천천히, 실행은 빨리.

◎ Small sorrows speak; great ones are silent. : 작은 슬픔에는 할 말이 있어도, 큰 슬픔에는 할 말이 없다.

◎ Snow is the poor man's fertilizer. : 눈은 가난한 사람들의 냉장고이다.

◎ So many men, so many mind. : 각양각색의 사람, 마음도 가지각색.

◎ Sorrow is laughter's daughter. : 슬픔은 웃는 자의 딸이다. (필연적인 결과물, 뗄 수 없는 관계를 의미함.)

◎ Soft fire makes sweet malt. : 은근한 불이 맛있는 조청을 만들어 준다.

◎ Some rise by sin, and some by virtue fall. : 죄를 짓고 잘되는 사람도 있고, 덕을 베풀고 망하는 사람도 있다.

◎ Spare the rod, and spoil the child. : 매를 아끼면 자식을 망친다.

◎ Speech is silver, but silence is gold. : 웅변은 은, 침묵은 금.

◎ Speak of the devil. : 호랑이도 제 말하면 온다더니.

◎ Store is no sore. : 저장은 고통이 아니다.

◎ Set every man to do what he was made for. : 각자의 재능에 맞추어서 일을 시켜라.

◎ Stay cool but don't freeze. : 중도를 지켜라.

◎ Starts off with a bang and ends with a whimper. : 함성으로 시작해서 신음으로 끝나다. (용두사미)

◎ Stabbed in the back. : 등에 칼을 꽂는다. (믿는 도끼에 발등 찍힌다.)

◎ Step after step the ladder is ascended. : 사다리는 한 단계씩 높아진다. (천리 길도 한 걸음부터.)

◎ Still waters run deep. : 잔잔한 물이 깊다.

◎ Strike while the iron is hot. : 쇠가 달았을 때 두드려라. (쇠뿔도 단 김에 빼라.)

◎ Sweet talk. : 달콤한 말과 이로운 이야기. (감언이설)

◎ Sweet sixteen and never been kissed. : 청순한 꽃다운 열여섯.

[T]

◎ That's the way the cookie crumbles. : 그게 쿠키가 부스러지는 방식이다. (세상사가 다 그런 것이라는 뜻.)

◎ That's like putting a fifth wheel to a coach. : 마차에 다섯 번째 바퀴를 붙이는 짓이다. (쓸데없는 짓이다.)

◎ Talk of the devil, and he is bound to appear. : 마귀도 제 말 하면 온다.

◎ Talking to the wall. : 벽보고 말하기. (쇠귀에 경 읽기)

◎ Take time by the forelock. : 호기를 놓치지 않고 잡다. (호기를 타다.)

◎ The best looking glass is an old friend. : 가장 좋은 거울은 오래된 친구이다.

◎ The cobbler should stick to his last. : 구두 수선공은 자신의 구두골에 충실해야 한다. (송충이는 솔잎을 먹어야 한다.)

◎ The moon's not seen where the sun shines. : 해가 빛을 내면 달은 보이지 않는다.

◎ The tailor ill dressed, the shoemaker ill shod. : 양복장이 헌 옷 입고, 신 장수 헌 신 신는다.

◎ The last drop makes the cup run over. : 마지막 한 방울이 컵을 넘치게 한다.

◎ The last five minutes determine the issue. : 마지막 5분이 문제를 해결한다.

◎ The fortune teller cannot tell his our fortune. : 점쟁이가 제 점 못 친다. (중이 제 머리 못 깎는다.)

◎ The flame is not far away from the smoke. : 불이 있으면 멀지 않은 곳에 연기가 있다.

◎ The apples in the neighbor's garden are sweetest. : 이웃집 정원의 사과들이 제일 달다. (남의 떡이 더 커 보인다.)

◎ The best of plans is to run away. : 서른여섯 가지 계책 가운데 도망가는 것이 제일 좋은 계책이다. (삼십육계주위상책)

◎ The biter is sometimes bit. : 깨문 사람은 언젠가 물리게 된다.

◎ The company makes the feast. : 여럿이 모이면 그것이 바로 잔치이다.

◎ The day's plan should made out early in the morning. : 하루의 계획은 이른 아침에 세워야 한다.

◎ The early bird catches the worm. : 일찍 일어나는 새가 벌레를 먼저 잡는다.

◎ The grass is greener on the other side of the fence : 울타리 저편 잔디가 더 푸르다. (남의 떡이 커 보인다.)

◎ The pen is mightier than the sword. : 펜은 칼보다 강하다. (문인들의 붓끝이 군인들의 총칼보다 더 힘이 있다.)

◎ The pot calls the kettle black. : 냄비가 주전자 보고 검다고 한다. (제 잘못을 모르고 남 탓한다.)

◎ The sweetest grapes hang highest. : 가장 단 포도는 가장 높이 달려있다.

◎ The first blow is halfly the battle. : 첫 번 일격이 전쟁의 반이다.

◎ The filth under the white snow the sun discovers. : 하얀 눈 밑의 오물은 태양 아래 다 들어 난다.

◎ The fowl knows the serpent's sneeze. : 가금은 악마의 재채기를 알아차린다. (사람 귀에는 안 들려도 닭 같은 가금류에겐 들린다는 얘기.)

◎ The tailor makes the man. : 옷이 날개다.

◎ The more, the better. : 많을수록 좋다. (다다익선)

◎ The net of the sleeper catches fish. : 잠자는 사람의 그물이 고기를 잡는다. (소 발에 쥐 잡기.)

◎ The more noble, he more humble. : 고상할수록 겸손하다. (벼는 익을수록 고개 숙인다.)

◎ The pleasures of the mighty are the tears of the poor. : 힘의 기쁨은 가난한 이들의 눈물이다.

◎ The tree is known by its fruit. : 나무는 열매로 알아본다.

◎ The fish always stinks from the head downwards. : 윗물이 맑아야 아랫물이 맑다.

◎ The burnt child dreads the fire. : 자라보고 놀란 가슴 솥뚜껑보고 놀란다.

◎ The remedy is worse than the disease. : 서투른 치료는 병보다 더 나쁘다.

◎ The first step is always the hardest. : 첫걸음이 항상 가장 어렵다.

◎ The frog will jump back into the pool although it sits on a golden stool. : 개구리는 황금 의자에 앉아 있다 하더라도, 연못 속으로 뛰어들 것이다.

◎ The child is the father of the man. : 아이는 어른의 거울.

◎ The good die young. : 착한 사람이 먼저 죽는다.

◎ The sparrow near a school sings the primer. : 학교 근처 참새가 라틴어 입문서를 노래한다. (서당개 삼 년이면 풍월을 읊는다.)

◎ The squeaking wheel gets the oil. : 삐걱대는 바퀴가 기름칠을 받는다. (도움이 필요하거나 요구사항이 있을 때 직접 나서서 말해야 함을 이르는 말.)

◎ The wrong doer never lacks a pretext. : 잘못을 저지른 사람은 반드시 핑계가 있게 마련이다.

◎ The spirit is willing, but the flesh is weak. : 마음은 강한데 몸이 약하다.

◎ The apple doesn't fall far from the tree. : 사과는 그 나무에서 멀리 떨어지지 않는다. (자녀는 부모를 닮는다는 뜻.)

◎ The dog always returns to his vomit. : 개는 항상 자기가 토한 자리로 돌아간다.

◎ The road to hell is paved with good intentions. : 지옥으로 가는 길은 좋은 의도로 포장되어 있다. (내 딴에는 남에게 호의를 베풀려고 했던 행위가 남에게는 오히려 큰 손해를 입히게 되는 경우를 이르는 말.)

◎ The angry man opens his mouth and shuts his eyes. : 화난 사람은 입만 열고, 눈은 감아버린다.

◎ The only thing we have to fear is fear itself. : 우리가 두려워해야 할 것은 두려움 그 자체일 뿐이다.

◎ The only way to have a friend is to be one. : 친구를 얻는 가장 좋은 방법은 친구가 되는 것이다.

◎ The best things in life are free. : 인생에서 가장 값진 것들은 공짜다.

◎ The best means of destroying an enemy is to make him your friend. : 적을 파괴하는 최고의 방법은 그를 친구로 만드는 일이다.

◎ The second word makes the quarrel. : 두 번째 말이 싸움을 일으킨다.

◎ The sickness of the body may prove the health of the mind. : 몸이 병이 든 것은 마음이 병이 들었다는 것을 나타낸다.

◎ The greatest rivers must run into the sea. : 가장 큰 강도 바다로 흐르게 되어있다.

◎ The eyes are bigger than the stomach. : 배보다 눈이 크다.

◎ The enemy of my enemy is my friend. : 내 원수의 적은 내 친구다.

◎ The greatest talkers are always the least doers. : 말이 많은 사람일수록 행동하지 않는다.

◎ The used key is always bright. : 쓰던 열쇠는 항상 반짝인다.

◎ The price of your hat isn't the measure of your brain. : 모자 가격이 두뇌를 측정하는 단위는 아니다.

◎ The richer get richer and the poor get babies. : 부자는 부가 생기고, 가난한 자는 자식만 생긴다.

◎ The sickness of the body may prove the health of the mind. : 몸이 병이 든 것은 마음이 병이 들었다는 것을 나타낸다.

◎ The merry in heart have a continual feast. : 마음의 즐거움은 영원히 계속되는 축제이다.

◎ The more violent the storm the sooner it is over. : 폭풍우가 강렬할수록 더 빨리 끝난다.

◎ The mind makes heaven of hell and hell of heaven. : 생각에 따라 지옥이 천국이 되고 천국이 지옥이 되기도 한다.

◎ The fortune of the house stands by its virtue. : 그 집 안의 행운은 덕과 함께 일어난다.

◎ The strongest oaths are straw to the fire. : 강한 맹세는 불 속의 짚과 같다.

◎ The frog in the well knows nothing of the great ocean. : 우물 안의 개구리는 태양에 대해 아무것도 모른다.

◎ The new broom sweeps right. : 신임자는 묵은 폐단을 바로잡는데 열심이다.

◎ There is truth in wine. : 취중에 진담이 나온다.

◎ There is honor even among thieves. : 도둑끼리도 의리가 있다.

◎ There's always a first time for everything. : 모든 것에는 항상 처음이 있다.

◎ There's no fool like an old fool. : 나이 든 바보가 더 큰 바보다.

◎ There is no rose without a thorn. : 가시 없는 장미는 없다.

◎ There's no joy in anything unless we share it. : 함께하지 않으면, 기쁨도 없다.

◎ There is no place like home. : 내 집이 최고다.

◎ There is nothing new under the sun. : 태양 아래 새로울 것이 없다.

◎ There are tricks in every trade. : 장사마다 요령이 있다.

◎ Thrown away like an old shoe. : 헌신짝 버리듯.

◎ Throw the baby out with the bath water. : 원치 않는 것을 없애려다가 소중한 것까지 잃다.

◎ Thorn in the side. : 눈엣가시.

◎ Those who live in glass houses should not throw stones. : 유리 집 안에서 사는 사람들은 돌을 던지면 안 된다.

◎ Things done cannot be undone. : 엎지른 물은 주워 담을 수 없다.

◎ Time is the healer of all. : 시간이 모든 것을 치료한다. (세월이 약이다.)

◎ Time tries truth. : 시간은 진실을 시험한다.

◎ Time flies like an arrow. : 시간은 화살처럼 빠르다.

◎ Time and tide wait for no man. : 세월은 사람을 기다리지 않는다.

◎ To climb steep hills requires slow pace at first. : 험한 언덕을 오를 때는 처음에 천천히 걸어가야 한다.

◎ To see is to believe. : 보는 것이 믿는 것. (백문이 불여일견.)

◎ To be prepared is to have no anxiety. : 미리 준비하면 걱정할 것이 없다.

◎ To count one's chickens before they are hatched. : 부화하기도 전에 병아리를 세는 일.

◎ To cast pearls before swine. : 돼지 목에 진주 목걸이.

◎ To have the right chemistry. : 마음에서 마음으로 전함. (이심전심)

◎ To teach a fish how to swim. : 물고기에게 수영법 가르치기. (공자 앞에서 문자 쓴다.)

◎ To refuse graciously is half to grant a favor. : 잘 거절하는 것은, 반은 호의를 얻은 것과 같다.

◎ To lose is to win. : 지는 것이 이기는 것이다.

◎ To preserve friendship, one must build walls. : 우정을 보전하려면 담을 쌓아야 한다.

◎ Too many cooks spoil the broth. : 요리사가 너무 많으면 스프를 망친다. (사공이 많으면 배가 산으로 올라간다.)

◎ Too many chiefs and not enough Indians. : 추장은 많은데 인디언이 부족하다. (명령하는 사람들만 많고 정작 일할 사람은 별로 없다.)

◎ Too many books make us ignorant. : 너무 많은 책은 우리를 무지하게 만든다.

◎ Two dogs strive for a bone, and a third runs away with it. : 뼈다귀 하나에 두 마리 개가 싸우는 동안, 다른 개가 그것을 물고 달아난다. (어부지리)

◎ Two heads are better than one. : 두 개의 머리가 머리 하나보다 낫다. (백지장도 맞들면 낫다.)

◎ Two men may meet but never two mountains. : 두 사람은 만날 수 있지만, 두 산은 절대 만날 수 없다.

◎ Two's company, three's none. : 둘이면 친구, 셋이면 남이다.

◎ True love never runs smooth. : 진정한 사랑은 순조롭게 진행되는 법이 없다.

◎ Truth is the best advocate. : 진실만이 최고의 대변자이다.

◎ Truth is lost by too much controversy. : 너무 많은 논쟁을 하면 진실이 달아난다.

◎ Try a horse by riding him; try a man by associating with him. : 말은 타 보고 시험하고, 인간은 사귀면서 알아보라.

◎ Turning green with envy. : 부러워서 얼굴빛이 새파랗게 돼버리다. (사촌이 땅을 사면 배가 아프다.)

◎ Time is the best counsellor. : 시간은 가장 좋은 상담자다. (여유를 갖고 생각하라.)

◎ Tighten your helmet strings in victory. : 승리했을 때 투구 끈을 졸라매라.

[V]

◎ Visits should be short like a Winter's day. : 방문은 겨울날처럼 짧아야 한다.

[W]

◎ Walls have ears. : 벽에도 귀가 있다. (낮말은 새가 듣고 밤말은 쥐가 듣는다.)

◎ Wake not a sleeping lion. : 잠자는 사자의 코털을 건드리지 마라.

◎ We are born crying, live complaining, and die disappointed. : 인간은 울며 태어나서 불평하며 살다가 실망하며 죽는다.

◎ We cannot come to honour under coverlet. : 이불을 덮어쓰고 명예를 얻을 수가 없다.

◎ We are the authors of our own disasters. : 인간은 스스로가 자기의 재난을 만든다.

◎ Well begun is half done. : 시작이 반.

◎ We sink to rise. : 주저앉는 것은 일어서려는 것이다.

◎ What comes from the heart goes to the heart. : 마음에서 나온 것은 마음으로 간다.

◎ What's done cannot be undone. : 일어난 일은 되돌릴 수 없다. (엎지른 물은 다시 담을 수 없다.)

◎ What much is worth comes from the earth. : 정말로 가치가 있는 것은 대지로부터 온다.

◎ What's yours is mine, and what's mine is my own. : 네 것은 내 것이고, 내 것도 내 것이다.

◎ Whatever you undertake, think of the end. : 어떤 일을 하건 결과를 생각해야 한다.

◎ When angry count ten; when very angry, a hundred. : 화가 났을 땐 열을 세라. 진짜 화가 났을 땐, 백을 세라.

◎ Where there is a will, there is a way. : 뜻이 있으면 길이 있다.

◎ When in Rome, do as the Romans do. : 로마에선 로마법을 따르라.

◎ When god closes one door, he opens another. : 하나님은 한쪽 문을 닫으면, 다른 한쪽 문을 열어 주신다.

◎ When the cat's away, the mice will play. : 고양이가 없으면 쥐들이 설친다.

◎ When the well is full, it will run over. : 우물도 차면 넘친다.

◎ Where there's smoke, there's fire. : 연기가 있는 곳에 불이 있다.

◎ Where three travel together, one will be my teacher. : 세 사람이 같이 가면 반드시 나의 스승이 있다는 뜻으로, 어디라도 자신이 본받을 만한 것은 있다. (삼인행필유아사)

◎ When poverty comes in at the door, love flies out of the window. : 가난이 문을 두드리면, 사랑은 창문으로 사라진다.

◎ What's learned in the cradle is carried to the grave. : 요람에서 배운 것은 무덤까지 가게 된다. (세 살 버릇 여든까지 간다.)

◎ When a dog bites a man, that is not news; but when a man bites a dog, that is news. : 개가 사람을 물면 뉴스가 아니지만 사람이 개를 물면 뉴스가 된다.

◎ Without a friend to share them, no goods we posses are rally enjoyable. : 함께 할 친구가 없다면, 우리가 가진 어떤 것도 즐겁지 않다.

◎ Without patronage art is like a windmill without wind. : 지지받지 못하는 예술은 바람 없는 풍차와 같다.

◎ Wisdom may come out of the mouths of babes. : 지혜는 아기의 입에서 나올 수도 있다.

[Y]

◎ You and I draw both in the same yoke. : 너와 나는 같은 멍에를 지고 짐을 끌고 있다.

◎ You've cried wolf too many times. : 너는 늑대(가 왔다고)를 너무 많이 외쳤다. (콩으로 메주를 쑨다 해도 믿지 않는다.)

◎ You can't hold a candle to the sun. : 너는 해로부터 초 상태를 유지할 수 없다. (번데기 앞에서 주름잡는 격이다.)

◎ You could sell him the brooklyn bridge. : 너는 (거짓말을 잘 하여) 그에게 (너의 것도 아닌) 브루클린 다리도 팔 수 있을 것이다. (너의 말은 콩으로 메주를 쑨다 해도 안 믿는다.)

◎ You can lead a horse to water, but you can't make him drink. : 말을 물가로 데려갈 수는 있어도, 물을 먹게 할 수는 없다.

◎ You cannot make bricks without straw. : 짚 없이는 벽돌을 만들 수 없다.

◎ You can't seek Lady Luck; Lady Luck seeks you. : 행운의 여신을 찾는 것이 아니라, 오히려 행운의 여신이 당신을 찾을 것이다.

◎ You can't make an omelet without breaking eggs. : 계란을 깨지 않고서는 오믈렛을 만들 수 없다.

◎ You can't live with men: neither can you live without them. : 남자들과는 살 수 없다. 그렇다고 남자들 없이 살 수 있는 것도 아니다. (남성과 여성의 복잡한 관계를 의미함.)

◎ You don't know what you've got until you've lost it. : 잃기 전에는 가지고 있던 게 뭔지 모른다. (구관이 명관)

◎ You're never too old to learn. : 배우기에 너무 늦은 나이는 없다.

◎ You reap what you sow. : 뿌린 만큼 거둔다.

[참고문헌]

사자숙어 · 고토와자 · 고사성어 · 관용표현 1250, 박승현 저, 위드유북스, 2009

일본속담사전, 서문당, 1998

한국속담대사전, 박영원 · 양재찬 편저, 푸른사상, 2015

재미있는 고사성어 속담풀이, 한국소설문학연구회 엮음, 문학과현실사, 1994

영어회화감각을 키우는 대단한 영어속담, 이유진 지음, 서프라이즈, 2007